À PROPOS DE *TIGANE*...

« KAY NOUS MONTR
L'

« D'UN
UN AMPLE [...]
UNE CO ELLIGENTE. »
USA Today

« APRÈS AVOIR LU CE ROMAN, ON NE PEUT IMAGINER UN TEMPS OÙ L'ON N'EN CONNAISSAIT PAS L'HISTOIRE... LE NOM MÊME – *TIGANE* – RÉSONNE COMME CELUI DE *CAMELOT*. »
Hamilton Spectator

« GUY GAVRIEL KAY A ENCORE RÉUSSI SON COUP – EN FAISANT ENCORE MIEUX QU'AUPARAVANT. »
The Globe and Mail

« *TIGANE* A REMIS À JOUR LES POSSIBILITÉS DE LA *FANTASY*, EN LES ÉLARGISSANT. »
Edmonton Journal

« LE LECTEUR ÉPROUVERA UN CONTINUEL SENTIMENT DE SURPRISE ET D'ÉMERVEILLEMENT. »
The Ottawa Citizen

« EXCITANT, ÉMOUVANT... *TIGANE* EST UN NOM QUE NOUS N'OUBLIERONS PAS. »
The Orlando Sentinel

« UNE RÉUSSITE RARE [...] L'UN DES MEILLEURS ROMANS DE *FANTASY* QUE J'AIE JAMAIS LU. »
Anne McCaffrey

« UN LIVRE IMPOSSIBLE À ABANDONNER. »
Kirkus Reviews

« MAGIQUE, MAGISTRAL [...]
UNE AVENTURE EXALTANTE. »
The Orlando Sentinel

« BOURRÉ D'ACTION ! UN PLAISIR TOTAL ! »
The London Times

« BRILLANT ET COMPLEXE... UNE BRÛLANTE ÉPOPÉE. »
Publishers Weekly

« UNE ÉTINCELANTE FANTAISIE ÉPIQUE. »
Library Journal

« UNE ÉPOPÉE FANTASTIQUE AUX DIMENSIONS MAJESTUEUSES, UNE CAPTIVANTE HISTOIRE D'EXIL, D'AMOUR ET DE LOYAUTÉ, MAGNIFIQUEMENT EXÉCUTÉE. »
Aboriginal Science Fiction

« UNE PROSE FINEMENT CISELÉE, DES PERSONNAGES CONVAINQUANTS... UNE RÉUSSITE REMARQUABLE ! »
The Montreal Gazette

« UN CHEF-D'ŒUVRE DE FICTION [...] QUI LAISSE AU LECTEUR LE SOUFFLE COUPÉ. »
Rave Reviews

« UNE SATISFACTION TOTALE [...] IMAGINATION PUISSANTE, ÉTONNANTE ORIGINALITÉ [...]
UNE MÉDITATION PUISSANTE ET POIGNANTE. »
The Toronto Star

« *TIGANE* EST UNE ŒUVRE MAGISTRALE, AUTANT DANS SA CONCEPTION QUE DANS SON ÉCRITURE, ET LA LECTURE EN EST HAUTEMENT SATISFAISANTE. »
Quill and Quire

TIGANE –2

Du même auteur

La Tapisserie de Fionavar

1- *L'Arbre de l'Été*. Roman.
  Montréal : Québec/Amérique, Sextant 8, 1994. (épuisé)
  Lévis : Alire, Romans 060, 2002.

2- *Le Feu vagabond*. Roman.
  Montréal : Québec/Amérique, Sextant 12, 1994. (épuisé)
  Lévis : Alire, Romans 061, 2002.

3- *La Route obscure*. Roman.
  Montréal : Québec/Amérique, Sextant 13, 1995. (épuisé)
  Lévis : Alire, Romans 062, 2002.

Une chanson pour Arbonne. Roman.
  Beauport : Alire, Romans 044, 2001.

Tigane (2 vol.). Roman.
  Beauport : Alire, Romans 018 / 019, 1998.

Les Lions d'Al-Rassan. Roman.
  Beauport : Alire, Romans 024, 1999.

La Mosaïque sarantine

1- *Voile vers Sarance*. Roman.
  Lévis : Alire, Romans 056, 2002.

2- *Seigneur des Empereurs*. Roman.
  Lévis : Alire, Romans 057, 2002.

TIGANE -2

GUY GAVRIEL KAY

traduit de l'anglais
par
CORINNE FAURE-GEORS

Données de catalogage avant publication (Canada)

Kay, Guy Gavriel, 19–

[Tigana. Français]

Tigane

(Romans ; 18-19)
Traduction de: Tigana.

ISBN 2-922145-19-0 (v. 1)
ISBN 2-922145-20-4 (v. 2)

I. Faure-Geors, Corinne. II. Titre. III. Titre: Tigana. Français.

PS8571.A936T5414 1998 C813'54 C98-941180-X
PS9571.A935T5414 1998
PR9199.3K39T5414 1998

Illustration de couverture
GUY ENGLAND

Photographie
BETH GWINN

Diffusion et Distribution pour le Canada
Québec Livres

Pour toute information supplémentaire
LES ÉDITIONS ALIRE INC.
C. P. 67, Succ. B, Québec (Qc) Canada G1K 7A1
Télécopieur : 418-667-5348
Courrier électronique : alire@alire.com
Internet : www.alire.com

1er dépôt légal : 3e trimestre 1998
Bibliothèque nationale du Québec
Bibliothèque nationale du Canada

Les Éditions Alire inc. bénéficient des programmes d'aide à l'édition du Conseil des arts du Canada (CAC) et de la Société de développement des entreprises culturelles du Québec (SODEC)

10 9 8 7 6 5e MILLE

Table des matières

QUATRIÈME PARTIE

LE PRIX DU SANG

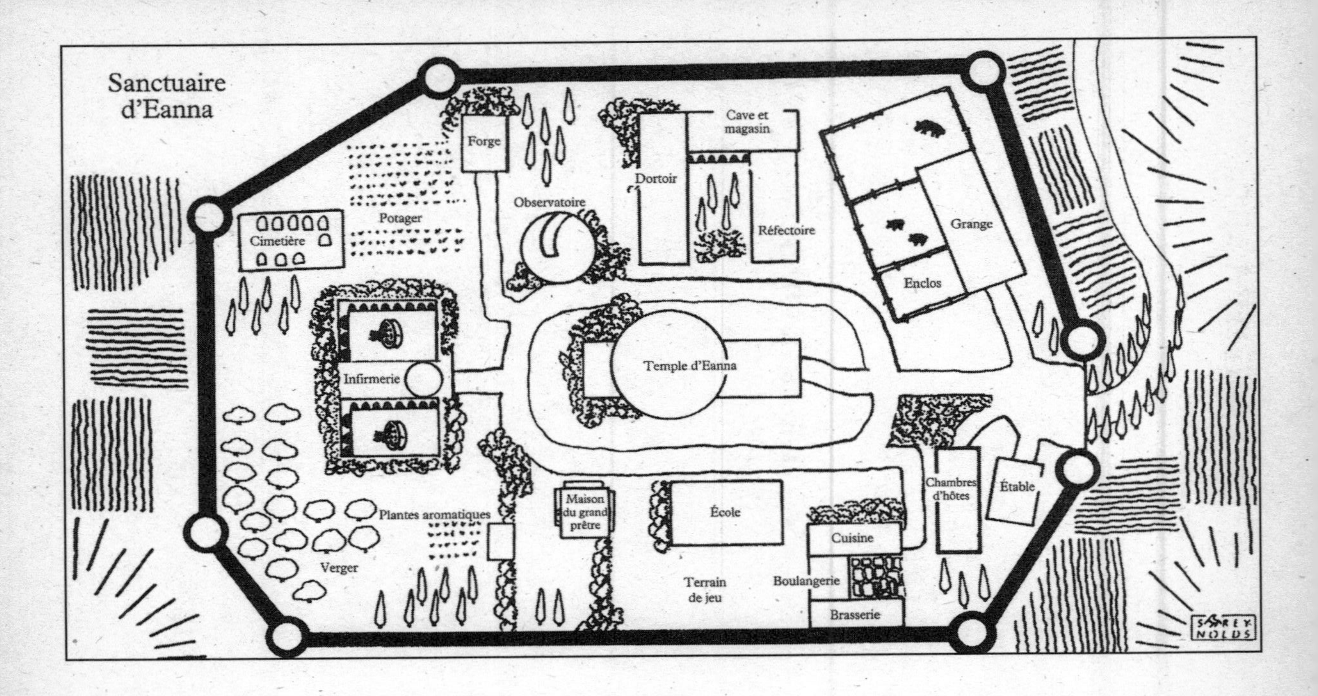
Sanctuaire
d'Eanna
Forge
Cave et
magasin
Dortoir
Observatoire
Réfectoire
Grange
Enclos
Potager
Cimetière
Infirmerie
Temple d'Eanna
Chambres
d'hôtes
Étable
Maison
du grand
prêtre
École
Plantes aromatiques
Cuisine
Verger
Terrain
de jeu
Boulangerie
Brasserie

CHAPITRE 13

Peu avant l'aube, sans qu'elle sût précisément quelle heure il était, Dianora se leva et s'approcha de la porte-fenêtre qui ouvrait sur son balcon. Elle n'avait pas fermé l'œil de la nuit. Pas plus que son frère d'ailleurs, qui, très loin au sud, avait pris part aux combats des Quatre-Temps puis partagé l'éclosion du printemps sur une colline reprise aux forces des ténèbres.

Seule dans son lit, elle-même n'avait rien partagé avec quiconque cette nuit-là et n'avait reçu d'autre visite que celle de fantômes et de souvenirs. Elle scruta l'obscurité glaciale : il était bien difficile d'y déceler les prémices du printemps, le renouveau de la nature. Les dernières étoiles brillaient encore bien que la lune se fût couchée depuis longtemps. Le vent du large soufflait sur l'île. Elle distinguait tout juste les drapeaux qui claquaient au sommet des mâts, dans le port, au-delà de la jetée d'où les jeunes femmes plongeaient autrefois pour l'anneau.

Un nouveau bateau était arrivé d'Ygrath il y avait peu, qui avait débarqué Isolla, la chanteuse ; et qui ne la ramènerait pas chez elle.

« Une tasse de khav, madame ? » s'enquit Scelto derrière elle.

Elle acquiesça sans se retourner. « S'il te plaît. Ensuite tu viendras t'asseoir en face de moi, car j'ai à te parler. » Si elle savait se montrer assez rapide, pensa-t-elle, si elle mettait en œuvre son projet avant de commencer à hésiter ou à prendre peur, peut-être parviendrait-elle à le mener à terme. Sinon, c'en était fini pour toujours.

Elle entendait Scelto s'affairer dans la petite cuisine de son appartement. Le feu avait brûlé toute la nuit. Les rites de printemps et d'automne n'étaient pas les mêmes en Ygrath que dans la Palme, mais Brandin s'était toujours montré respectueux des coutumes locales et de la religion, et Dianora n'allumait jamais de nouvelle flamme aux Quatre-Temps. La plupart des femmes du saishan s'en abstenaient également, à vrai dire. L'aile orientale du palais allait rester plongée dans l'obscurité deux nuits encore.

Elle éprouva l'envie de sortir sur le balcon, mais elle craignait qu'il fît trop froid. Au-dessous, la ville semblait dormir. Elle eut une pensée pour Camena di Chiara. Au lever du soleil, on allait sûrement l'attacher à une roue, les os brisés, pour qu'il mourût aux yeux de tous. Elle détourna son esprit de cette image.

« Voici le khav, dit Scelto. Je l'ai fait très fort », ajouta-t-il d'un ton embarrassé.

Elle se retourna cette fois, et eut un peu de peine en voyant le regard à la fois inquiet et impuissant qu'il lui jetait. Elle savait qu'il avait souffert pour elle la veille au soir. Son visage trahissait une longue nuit sans sommeil, tout comme le sien sans doute. Elle ne devait pas avoir très bonne mine ce matin. Elle se força à sourire et prit la tasse qu'il lui tendait. Le liquide brûlant lui réchauffa les mains et elle se sentit mieux avant même d'avoir bu.

Elle s'assit dans un fauteuil près de la fenêtre et lui fit signe de prendre l'autre. Il hésita un instant, puis s'assit à son tour. Elle restait silencieuse et cherchait ses mots. Elle s'aperçut brusquement qu'elle ne savait pas comment lui présenter les choses avec subtilité. Pour une intrigante à la cour connue pour son cynisme, c'est un comble, songea-t-elle avec une ironie désabusée.

Elle prit une profonde inspiration et se lança: « Scelto, je dois aller dans la montagne toute seule ce matin. Je connais les difficultés d'une telle entreprise, mais j'ai mes raisons et elles sont importantes. Comment pourrions-nous faire ? »

Il plissa le front sans retourner le moindre commentaire ; elle comprit qu'il cherchait une réponse mais ne songeait ni à la juger ni à lui demander des explications. Elle craignait une tout autre réaction de sa part et s'aperçut tardivement qu'elle avait eu tort. On pouvait lui faire confiance.

« Cela dépend si la course en montagne a lieu ou non aujourd'hui », répondit-il.

Elle fut prise d'un débordement d'affection à son égard. Il ne lui avait même pas demandé quelles étaient ses raisons. « Et pourquoi n'aurait-elle pas lieu ? » demanda-t-elle sans réfléchir ; la réponse s'imposa à elle au moment même où il lui répondait.

« À cause de Camena. Je ne sais pas si le roi autorisera cette course un jour d'exécution. Si elle a lieu, vous serez invitée à la tente du roi dans la prairie pour regarder la phase finale, comme toujours.

— J'ai besoin d'être seule, répéta-t-elle. En haut de la montagne.

— Seule avec moi », rectifia-t-il. C'était presque une supplication.

Elle but une gorgée de khav. Car c'était le point le plus délicat. « Pas jusqu'au bout, Scelto. Il y a quelque chose que je dois faire seule. Nous nous séparerons à mi-chemin. »

Elle le regarda se débattre avec cette idée. Avant qu'il eût le temps de répondre, elle ajouta : « Je ne te le demanderais pas si ce n'était une nécessité absolue. Il n'y a personne d'autre dont je souhaiterais autant la compagnie que toi. »

Elle ne lui expliqua pas pourquoi c'était à ce point nécessaire et le vit se débattre avec la question. Il résista à l'envie de la lui poser, au prix d'un effort dont elle mesura toute l'ampleur.

Il se leva. « Il faut que j'aille aux nouvelles. Je n'en ai pas pour longtemps. Si la course a lieu, nous aurons au moins une bonne raison de sortir. Sinon, il faudra trouver autre chose. »

Elle hocha la tête avec reconnaissance et le vit sortir, impeccable et infiniment rassurant dans sa compétence. Elle but le reste du khav tout en regardant par la fenêtre. Le jour ne s'était pas encore levé. Elle passa dans l'autre pièce pour se laver et s'habiller avec soin, sachant l'importance de sa mise ce jour-là. Son choix se porta sur une robe simple, en laine marron, fermée à la taille par une ceinture. Point n'était besoin de se montrer en grand apparat aux Quatre-Temps. La robe comportait un capuchon où dissimuler ses cheveux, ce qui risquait de lui être utile.

Le temps qu'elle finisse de se préparer et Scelto était de retour. Elle remarqua l'expression étrange de son visage.

« La course aura lieu, dit-il. Et Camena ne mourra pas sur la roue.

— Que lui est-il arrivé ? » demanda-t-elle, craignant instinctivement le pire.

Scelto parut hésiter. « On raconte qu'il a bénéficié d'une mort indulgente. Parce que le complot a été fomenté en Ygrath ; Camena serait apparu comme une simple victime, un instrument. »

Elle hocha la tête. « Et que s'est-il réellement passé ? »

Scelto paraissait perturbé. « Je pense préférable que vous l'ignoriez, madame. »

Il avait sans doute raison. Mais elle était déjà allée trop loin et s'apprêtait à aller plus loin encore. Le moment était mal choisi pour se voiler la face ou chercher à le faire. « Je préférerais savoir, Scelto. »

Au bout de quelques instants il se décida : « J'ai entendu dire qu'il allait subir des… modifications. Rhun vieillit, et le roi a besoin d'un fou. Il faut qu'on lui en prépare un, et cela peut prendre du temps, en fonction des circonstances. »

Les circonstances, pensa Dianora avec écœurement. Autrement dit, l'état du futur fou : dans le cas d'un jeune homme normal, en bonne santé, talentueux et sincèrement épris des siens, l'opération prenait du temps.

Elle avait beau savoir ce que représentaient les fous d'Ygrath pour leur roi et comprendre que Camena, de par sa conduite la veille, avait implicitement renoncé à la vie, elle en avait néanmoins des nausées en songeant à ce que les révélations de Scelto impliquaient. Elle revit Rhun s'acharnant après le corps d'Isolla ; puis le visage de Brandin. Elle s'obligea à chasser cette image. Elle ne pouvait pas se permettre de penser à Brandin maintenant. Le mieux, d'ailleurs, était encore de ne penser à rien.

« M'a-t-on fait quérir ? demanda-t-elle sèchement.

— Pas encore, mais cela ne saurait tarder. » Il avait la voix crispée ; les nouvelles concernant Camena l'avaient bouleversé lui aussi.

« Je sais bien, dit-elle. Mais je ne peux pas me permettre d'attendre. Si je sors en même temps que les autres, je ne pourrai pas m'échapper. Qu'arriverait-il à ton avis si nous essayions de sortir tous deux maintenant ? »

Le ton était ferme et assuré ; Scelto prit un air songeur. « Nous pouvons essayer, dit-il après réflexion.

— Alors allons-y. »

Elle ne craignait qu'une chose : si elle attendait trop longtemps, si elle réfléchissait trop, le doute risquait de la paralyser. Mieux valait se mettre en marche et poursuivre jusqu'à la destination choisie.

Quant à ce qui se passerait là-bas, à condition qu'il se passe quelque chose, elle s'en remettait à la Triade.

Le cœur battant, elle sortit derrière Scelto et le suivit dans le couloir principal du saishan. Les premiers rais de lumière filtraient par les fenêtres à l'extrémité orientale. Ils prirent la direction opposée et croisèrent deux jeunes castrats qui se rendaient chez Vencel. Dianora les regarda droit dans les yeux. Pour la première fois, elle éprouva un certain plaisir devant le regard apeuré des deux garçons. Aujourd'hui cette peur était une arme, un outil, et elle aurait besoin de tous les outils qu'elle trouverait.

D'un pas tranquille, Scelto la précéda dans le grand escalier, puis jusqu'à la porte à deux battants qui ouvrait sur le monde extérieur. Elle le rattrapa au moment où il frappait. Le garde ouvrit du dehors et elle franchit le seuil sans attendre ses questions ni la déclaration de Scelto. En arrivant à la hauteur de l'homme, elle lui décocha un regard froid et le vit écarquiller les yeux tandis qu'il la reconnaissait. Elle s'avança dans l'immense hall et passa devant l'autre garde : celui qu'elle avait gratifié d'un sourire la veille. Il n'en eut pas un second.

Derrière elle, elle entendit Scelto prononcer une phrase brève et énigmatique, suivie d'une autre en réponse à une question. Puis elle entendit ses pas dans le couloir. Un instant plus tard, la porte se refermait derrière eux. Scelto la rattrapa.

« Je crois que seul un brave pourrait vous arrêter aujourd'hui, dit-il calmement. Ils sont tous au courant de ce qui s'est passé hier. C'est le matin à tenter une aventure comme celle-ci. »

Et c'est le seul où je tenterai pareille aventure, songea Dianora.

« Que leur as-tu dit ? demanda-t-elle sans s'arrêter.

— La seule chose qui me soit venue à l'esprit. Qu'après les événements d'hier vous vous rendiez à une réunion avec d'Eymon. »

Elle ralentit quelque peu pour réfléchir à ce qu'il venait de lui dire et, ce faisant, les grandes lignes d'un véritable plan prirent forme dans son esprit, à l'image du premier rai de lumière que jetait le soleil en se levant à l'orient, au-dessus des montagnes.

« Bien joué, Scelto, dit-elle en hochant la tête. Très bien joué. C'est précisément mon but. » Deux autres gardes les dépassèrent, qui ne firent nullement attention à eux. « Scelto, reprit-elle quand ils furent de nouveau seuls, je voudrais que tu me trouves d'Eymon. Dis-lui que je veux lui parler en tête-à-tête avant que nous

nous retrouvions tous en fin d'après-midi pour l'arrivée de la course. Dis-lui que je l'attendrai au jardin du Roi dans deux heures. »

Deux heures lui suffiraient-elles ? elle l'ignorait. Mais, quelque part dans le vaste jardin du Roi au nord du palais, elle connaissait l'existence d'une grille qui donnait sur les prairies, au pied du Sangarios.

Scelto s'arrêta et l'obligea à faire de même.

« Vous allez y aller sans moi, n'est-ce pas ? » dit-il.

Elle ne voulait pas lui mentir. « En effet, répondit-elle. J'espère être de retour à temps pour la réunion. Quand tu lui auras remis mon message, rentre au saishan. Il ne sait pas que nous sommes sortis, donc il me fera demander. Fais comme tu voudras mais arrange-toi pour que son message te parvienne directement.

— C'est généralement le cas, dit-il d'une voix posée mais qui trahissait son mécontentement.

— Je sais. Sa requête justifiera ma présence hors des murs du palais. Dans deux heures, redescends. Je devrais l'avoir rejoint dans le jardin. C'est là que tu nous trouveras.

— Et si vous n'y êtes pas ? »

Elle haussa les épaules. « Essaie de gagner du temps, ne perds pas espoir. Je dois m'absenter un moment, Scelto, je te l'ai dit. »

Il la contempla un instant, puis hocha la tête une seule fois. Et il se remit en marche.

Juste avant d'atteindre le grand escalier sur leur gauche, Scelto tourna à droite et emprunta une étroite volée de marches qui descendaient au rez-de-chaussée. Ils arrivèrent dans un autre des couloirs reliant les deux ailes du palais. Il était vide. Le palais commençait tout juste à sortir du sommeil.

Elle se tourna vers Scelto. Leurs regards se croisèrent. L'espace d'un instant, elle fut tentée de se confier à lui et de faire de son ami un allié. Mais qu'aurait-elle bien pu lui dire ? Comment lui expliquer, dans ce couloir éclairé par l'aurore, la nuit noire et l'enchaînement des événements qui l'avaient conduite jusqu'ici ?

Elle lui posa la main sur l'épaule et y enfonça les doigts. « Va, maintenant, dit-elle. Tout ira bien. »

Elle fit quelques pas dans le couloir sans se retourner, poussa la porte de verre ouvrant sur le jardin en labyrinthe du Roi et sortit dans l'aube grise et froide qui se levait.

Cet enclos ne s'était pas toujours appelé jardin du Roi et n'avait pas toujours été aussi sauvage qu'aujourd'hui. Plusieurs générations de grands-ducs avaient apporté leur contribution à ce jardin d'ornement, dont l'agencement avait évolué au fil des années à mesure que les styles et les goûts de la cour en général se modifiaient.

Quand Brandin d'Ygrath était arrivé, l'endroit ressemblait à un exercice d'art topiaire brillamment réussi : des haies habilement taillées en forme d'animaux et d'oiseaux, des arbres soigneusement espacés et ordonnés dans le vaste terrain clos de murs ; de part et d'autre des larges allées, on avait disposé des bancs sculptés à intervalles réguliers, chacun sous un arbre planté là pour son parfum et l'ombre qu'il prodiguait ; sans oublier le petit labyrinthe aux allées séparées par des haies et pourvu en son centre d'un siège pour amoureux et de rangées de fleurs soigneusement ordonnées par couleurs complémentaires.

Parfaitement apprivoisé et ennuyeux, avait décrété le roi d'Ygrath la première fois qu'il l'avait visité.

En moins de deux ans, le jardin avait changé de fond en comble. Les allées, moins larges désormais, étaient mouchetées de feuilles et couvertes d'un toit de verdure en été et à l'automne. Elles serpentaient sans ordre apparent à travers des bouquets d'arbres serrés, qu'on avait amenés non sans mal des flancs de la montagne et des forêts au nord de l'île. Un certain nombre de bancs avaient été préservés, ainsi que les massifs touffus de fleurs odorantes, mais les haies en forme d'oiseaux et les bosquets taillés à l'image d'animaux n'avaient pas tardé à disparaître ; on avait laissé les arbustes, autrefois si soigneusement élagués, et les buissons de serrano croître et s'étendre à leur guise, plus noirs et plus sombres, tout comme les arbres. Le labyrinthe avait disparu : le jardin tout entier en était un désormais.

Un cours d'eau souterrain avait été saigné et dévié, et le bruit de l'eau était omniprésent. Ici et là, on tombait sur une mare couverte de feuilles et bordée d'arbres dont les branches faisaient de l'ombre en retombant. Le jardin du Roi formait un domaine surprenant à présent : il n'était certes pas négligé, la végétation sauvage n'avait pas repris le dessus, mais il semblait délibérément conçu pour créer un sentiment d'immobilité, d'isolement et même, à certains moments, de danger.

À des moments tels que celui-ci par exemple, alors que le vent de l'aurore était encore froid et le soleil à peine levé. On ne distinguait que quelques bourgeons précoces sur les arbres, et seules les toutes premières fleurs de la saison – des anémones et des roses sauvages de caïana – jetaient quelques touches de couleur dans le matin blafard. Les arbres à feuillage persistant se dressaient, hauts et sombres, dans le ciel gris.

Dianora frissonna et referma la porte de verre derrière elle. Elle prit une longue bouffée d'air vif et leva les yeux vers les nuages amoncelés au-dessus de la montagne, qui masquaient le sommet du Sangarios. À l'est, ils commençaient à se disperser : la journée promettait d'être clémente. Mais ce n'était pas encore le cas. Elle se trouvait au seuil d'un jardin qui, au sortir de l'hiver, ressemblait à une jungle, et elle essayait de retrouver son calme et son assurance.

Elle connaissait l'existence d'une grille dans le mur du nord mais n'était pas sûre de pouvoir la retrouver. C'était Brandin qui la lui avait montrée une nuit d'été des années auparavant, après qu'ils eurent, des heures durant, marché sans but précis parmi les vols des lucioles, la stridulation des criquets et le clapotis de cette eau invisible qui ruisselait dans l'obscurité, au-delà des allées éclairées par des torches. Il l'avait conduite à cette grille sur laquelle lui-même était tombé par hasard, car elle était dissimulée par des plantes grimpantes et un buisson d'aubépine. Il la lui avait montrée dans l'obscurité, avec pour tout éclairage les torches derrière eux et Ilarion, la lune bleue, dans le ciel.

Tout en marchant il lui avait pris la main, elle s'en souvenait, et l'avait entretenue de plantes aromatiques et de fleurs aux propriétés multiples. Il lui avait narré un conte de fées ygrathien où il était question d'une princesse des forêts née dans quelque monde lointain, sur un lit magique couvert de fleurs blanches comme la neige qui ne pouvaient éclore que dans l'obscurité.

Dianora secoua la tête pour repousser ce souvenir et s'engagea d'un pas alerte dans une petite allée caillouteuse qui serpentait parmi les arbres en direction du nord-est. Au bout d'une vingtaine de pas, elle se retourna, mais déjà elle ne distinguait plus le palais. Au-dessus d'elle, les oiseaux commençaient à chanter. Il faisait encore froid et elle rabattit son capuchon, se donnant l'illusion d'être une prêtresse en robe de bure au service de quelque dieu sylvestre.

Ce faisant, elle adressa une prière au dieu qu'elle connaissait, ainsi qu'à Morian et Eanna ; elle demanda à la Triade de lui envoyer la sagesse et le cœur pur qu'elle était venue chercher ce matin-là. Elle avait une conscience aiguë de la réalité des Quatre-Temps.

Or, à cet instant ou presque, Alessan, prince de Tigane, sortait à cheval du château Borso, dans les montagnes du Certando, pour se rendre au col du Braccio et prendre part à une réunion qu'il jugeait susceptible de changer le monde.

Dianora passa devant un massif d'anémones encore beaucoup trop jeunes et délicates pour être cueillies ; des fleurs blanches, aux couleurs d'Eanna. Les rouges étaient pour Morian, sauf en Tregea où on les disait tachées du sang d'Adaon sur sa montagne. Elle s'arrêta et regarda les fleurs, leurs fragiles pétales secoués par la brise ; mais elle avait la tête ailleurs et songeait au conte de Brandin, à cette lointaine princesse née sous les étoiles d'été et bercée sur un lit de fleurs semblables.

Elle ferma alors les yeux, consciente qu'elle se laissait aller.

Et lentement, méthodiquement, cherchant à raviver la douleur pour s'en servir comme d'un éperon, d'un aiguillon, elle se construisit une image de son père qui s'éloignait sur son cheval, puis de sa mère, enfin de Baerd sur la grand-place d'Avalle, entouré par les soldats. Quand elle rouvrit les yeux pour reprendre son chemin, les contes de fées avaient disparu de son cœur.

Les allées étaient désespérément sinueuses, mais le plus gros amas de nuages au-dessus de la montagne campait au nord, et elle maintint ce cap de son mieux. C'était une sensation nouvelle que d'errer ainsi entre les arbres, perdue ou presque, et Dianora songea soudain que cela faisait des années et des années qu'elle ne s'était pas retrouvée aussi parfaitement seule.

Elle n'avait que deux heures devant elle et un long chemin à parcourir. Elle pressa le pas. Peu après le soleil se leva ; quand elle regarda de nouveau le ciel, il était dégagé et les mouettes avaient commencé de tournoyer. Elle repoussa son capuchon et secoua la tête pour libérer ses longs cheveux ; c'est alors qu'elle aperçut les grosses pierres grises du mur septentrional, derrière un écran d'oliviers.

Des vignes et des touffes de mousse poussaient le long du mur, pourpres et vert foncé. À hauteur des oliviers, l'allée se scindait en deux : un embranchement partait vers l'est, l'autre vers l'ouest. Elle resta indécise un instant, essayant de s'orienter avec pour tout repère le souvenir d'une nuit d'été éclairée par des torches. Puis elle haussa les épaules et prit à l'ouest, parce que c'était là que son cœur penchait toujours.

Dix minutes plus tard, elle contournait une mare ; elle remarqua le reflet des nuages blancs à la surface de l'eau, puis elle parvint à la grille.

Elle s'arrêta ; elle avait froid, bien qu'il fît plus chaud maintenant que le soleil brillait. Elle examina la forme cintrée, les charnières rouillées. C'était une très vieille grille ; elle avait dû s'orner d'une image ou d'un emblème à une époque, mais il était devenu illisible avec le temps. Elle était envahie par la vigne et le lierre. Le rosier resté gravé dans sa mémoire était encore nu en ces premiers jours de printemps, mais il portait de longues épines pointues. Elle distingua la serrure, aussi rouillée que les charnières. Il n'y avait pas de cadenas, mais elle n'était pas certaine de réussir à soulever le pêne rouillé. Elle se demanda qui avait été la dernière personne à franchir la grille pour aller dans les prairies au-delà. Qui, quand et pourquoi. Elle envisagea de passer par-dessus et leva les yeux. Le mur mesurait dix pieds de haut mais il devait y avoir des prises. Elle allait s'avancer quand elle entendit un bruit derrière elle.

Plus tard, elle tenterait de comprendre pourquoi elle n'avait pas eu peur. Sans doute savait-elle dans quelque recoin secret de son esprit qu'une telle éventualité pouvait se produire. Le rocher gris au flanc de la montagne n'avait été qu'un point de départ. Il n'y avait aucune raison objective de penser qu'elle trouverait ce qu'elle cherchait à proximité de ce rocher.

Elle fit volte-face dans le jardin du Roi, seule parmi les arbres et les premières fleurs, et vit la riselka qui peignait ses longs cheveux d'émeraude près d'une petite pièce d'eau.

Ce sont elles qui choisissent de se laisser voir ou non, se souvint-elle. Puis elle jeta un bref coup d'œil autour d'elle pour s'assurer qu'il n'y avait personne d'autre.

Elles étaient tout à fait seules dans le jardin, du moins dans ce secteur. La riselka sourit, comme si elle lisait les pensées de Dianora. C'était une petite créature toute mince et nue mais aux cheveux si longs qu'ils faisaient presque office de robe. Sa peau translucide était telle que Brandin la lui avait décrite ; elle avait des yeux immenses, presque effrayants tant ils étaient grands, et clairs comme du lait dans son visage blême lui aussi.

« Elle te ressemble », avait dit Brandin. Ou, plus exactement : « Elle me fait penser à toi. » Et, d'une certaine manière, Dianora entrevoyait ce qu'il voulait dire, mais elle en avait des frissons. Elle avait encore en tête une certaine image d'elle-même ; l'année où Tigane était tombée, elle était devenue si maigre et si pâle que ses yeux paraissaient presque aussi grands que ceux de la riselka dans son visage émacié.

Mais Brandin ne la connaissait pas alors, il ne l'avait encore jamais vue.

Elle frissonna. La riselka lui sourit plus franchement. Il n'émanait d'elle aucune chaleur, aucun réconfort. Dianora ne savait plus si elle espérait trouver l'une ou l'autre auprès d'elle. Elle ne savait même plus ce qu'elle s'attendait à trouver. Elle était en quête du chemin bien tracé que prédisait l'ancienne stance, et il semblait que, si elle devait le trouver, ce serait ici, parmi les chemins sinueux et complexes du jardin du Roi.

La riselka était belle à couper le souffle, mais d'une beauté qui n'avait pas grand-chose d'humain. Dianora avait la bouche sèche. Elle n'essaya même pas de parler. Parfaitement immobile dans sa robe marron toute simple, ses longs cheveux noirs lui tombant dans le dos comme ceux de la riselka, elle vit l'apparition poser un peigne d'os blanc sur le banc de pierre près de l'étang et lui faire signe de venir le prendre.

Lentement, Dianora, dont les mains commençaient à trembler, quitta l'allée, passa sous la voûte formée par les arbres et s'avança vers la créature de légende, pâle et insaisissable. Elle était si proche qu'elle voyait ses cheveux verts briller dans la lumière douce du petit matin. Elle remarqua des ombres dans ses yeux pâles, qui leur donnaient de la profondeur. La riselka tendit une main aux doigts plus longs et plus fins que ceux des mortels, et la leva vers le visage de Dianora, qu'elle caressa.

Le contact de ses doigts était frais, non pas froid comme elle le craignait. La riselka lui caressa doucement la joue et le cou. Puis le sourire étrange et hiératique se fit plus large encore, tandis qu'elle défaisait un bouton de la robe de Dianora et glissait la main à l'intérieur. Elle lui toucha un sein, puis l'autre, sans hâte et sans jamais se départir de ce sourire sibyllin.

Dianora tremblait; elle ne pouvait pas s'en empêcher. Incrédule et effrayée, elle sentit son corps qui répondait à l'exploration de cette main. Elle devinait les seins adolescents de la riselka en partie cachés par le rideau de ses cheveux. Elle sentit ses jambes flageoler. Le sourire de la riselka laissait entrevoir de petites dents pointues et très blanches. Dianora ressentait une douleur en elle-même dont elle ignorait tout. Elle secoua la tête en silence, incapable de parler. Elle sentit poindre les larmes.

La riselka cessa de sourire. Elle retira sa main et reboutonna la robe comme si elle cherchait à se faire pardonner. Elle tendit les doigts, toujours aussi doucement, et essuya une larme sur la joue de Dianora. Puis elle porta son doigt à sa bouche et goûta.

C'est une enfant, pensa brusquement Dianora comme si une vague venait de déposer cette révélation sur la grève de sa conscience. Et, au moment où cette pensée lui venait, elle sut que c'était la stricte vérité, même si cette créature vivait depuis un nombre incalculable d'années. Elle se demanda s'il s'agissait de la même silhouette que Baerd avait rencontrée sur la plage, au clair de lune, la nuit où il était parti.

La riselka essuya puis goûta une autre larme. Ses yeux étaient si vastes que Dianora avait l'impression qu'elle aurait pu s'y enfoncer et ne jamais en revenir. C'était un fantasme terriblement séduisant, un chemin vers l'oubli. Elle y plongea son regard encore un instant puis, lentement, non sans effort, elle secoua la tête.

« S'il te plaît ? » dit-elle alors – murmura-t-elle plus exactement ; elle avait besoin de savoir, et ce besoin l'effrayait. Les mots, cette demande, ce besoin, tout pouvait faire fuir la riselka.

La créature aux cheveux verts se retourna, et Dianora lui saisit la taille. Mais la riselka regarda par-dessus son épaule, l'air soudain grave, et Dianora comprit qu'elle lui enjoignait de la suivre.

Elles arrivèrent au bord de l'étang. La riselka se mit à scruter l'eau et Dianora l'imita. Elle observa une succession de reflets : le ciel bleu, une mouette isolée qui fendait le ciel au zénith, les cyprès vert sombre telles des sentinelles, ainsi que les branches d'autres arbres, encore dépourvues de feuilles. Mais, tandis qu'elle observait l'étang, elle comprit ce qui n'allait pas et frissonna, comme si l'hiver revenait trop tôt. Le vent soufflait tout autour, elle l'entendait gémir dans les arbres et sentait son souffle sur son visage et dans ses cheveux, mais la surface de l'eau, pareille à celle polie de son miroir, restait parfaitement immobile, insensible à la brise comme aux mouvements des profondeurs.

Dianora recula et se tourna vers la riselka. Celle-ci la dévisageait ; la brise soulevait ses cheveux et les chassait en arrière, dégageant son petit visage si blanc. Elle avait les yeux plus sombres, plus troubles, et n'évoquait plus une enfant. Elle ressemblait davantage à un génie des forces de la nature ou à l'un de leurs émissaires, sans affection aucune pour les mortels. Inutile d'attendre d'elle tendresse ou compassion. Dianora, malgré tout, qui luttait contre une peur naissante, se dit qu'elle n'était pas venue pour trouver un refuge mais pour connaître sa voie ; elle remarqua alors que la riselka tenait une petite pierre blanche à la main, qu'elle jeta dans l'étang.

Pas de remous. Pas le moindre mouvement. La pierre s'enfonça sans laisser trace de son passage. Peu après, la surface de l'eau se transforma : elle s'assombrit et les reflets disparurent. Plus de cyprès. Plus de disque de ciel matinal. Plus d'arbres dénudés encadrant le vol oblique des mouettes. L'eau était trop sombre et les reflets avaient disparu. Dianora sentit la riselka lui prendre la main et la ramener gentiment mais inexorablement au bord de l'étang, et elle plongea le regard dans ces eaux noires, car elle avait quitté le saishan à la recherche de cette vérité, de sa voie. Or ces eaux sombres ne reflétaient plus rien.

Pas même son visage ni celui de la riselka, pas le moindre détail du jardin du Roi en ce premier jour des Quatre-Temps. À la place, elle distingua une image d'une autre saison – fin de printemps ou début d'été –, d'un autre décor aux couleurs éclatantes, d'un rassemblement de gens ; elle percevait même leur brouhaha et, en musique de fond, le murmure constant des vagues.

Alors, dans la profondeur des eaux, Dianora se reconnut : elle était vêtue d'une robe du même vert que les cheveux de la riselka et s'avançait seule parmi tous ces gens rassemblés. Elle vit alors où ses pas la menaient.

La peur la toucha un instant de sa main glacée, puis s'en fut. Les battements de son cœur ralentirent peu à peu. Elle se sentait étonnamment calme. Un instant plus tard vint l'acceptation, non sans son poids de douleur. Pendant des années elle avait entrevu des fins comme celle-ci dans ses rêves. Or, ce matin, elle était sortie du saishan en quête d'une confirmation. Et, maintenant que, penchée sur cet étang, Dianora lisait clairement son chemin, elle vit qu'il menait à la mer.

Les bruits de la foule s'estompèrent, ainsi que toutes les images, y compris le beau soleil d'été. L'étang fut de nouveau sombre et cessa de lui rien livrer.

Quelque temps après – étaient-ce quelques instants ou quelques heures ? – elle releva la tête. La riselka était toujours là. Dianora plongea le regard dans ses yeux pâles, tellement plus clairs que les eaux magiques mais apparemment aussi profonds, et elle revit l'enfant qu'elle avait été tant d'années auparavant. Si peu pourtant, à la manière dont cette créature mesurait le temps, un battement de paupière, pas plus qu'il n'en fallait à une feuille pour tomber.

« Merci, murmura-t-elle. J'ai compris. »

Et elle demeura immobile sans chercher à se dérober lorsque la riselka se leva sur la pointe des pieds et déposa un baiser léger comme une aile de papillon sur ses lèvres. Il n'y avait aucune trace de désir cette fois, ni chez l'une ni chez l'autre. Ce baiser n'était qu'un épilogue, la consommation avait eu lieu, elle était achevée. La bouche de la riselka avait un goût de sel. Le sel de mes larmes, songea Dianora. Elle n'éprouvait plus aucune peur mais une tristesse muette, comme un galet lisse dans son cœur.

Elle entendit un clapotis et regarda l'étang : les cyprès s'y reflétaient de nouveau avec leur image chiffonnée, hachée par les ondulations de l'eau sous le vent.

Quand elle se retourna et repoussa ses cheveux de son visage, elle s'aperçut qu'elle était seule.

Elle arriva sur l'esplanade devant les portes du palais où d'Eymon l'attendait en habit gris, le sceau propre à sa charge autour du cou. Il était assis sur un banc de pierre, son bâton posé à côté de lui ; Scelto allait et venait près des portes, et Dianora surprit le bref regard de soulagement qu'il ne put dissimuler quand elle apparut entre les arbres.

Elle s'arrêta et regarda le chancelier en esquissant un petit sourire. Il s'agissait d'un artifice bien sûr, qu'elle était maintenant capable d'accomplir inconsciemment. Le visage d'habitude si impénétrable de d'Eymon trahissait de la nervosité et de l'irritation, avec d'autres signes d'un malaise relatif à ce qui s'était passé la veille. Il se prépare à une altercation, songea-t-elle. Qu'il était difficile, si difficile, de retrouver les manières de la cour et des affaires d'État ! Il le fallait pourtant.

« Vous étiez en retard », dit-elle d'une voix suave en s'avançant vers lui. Il s'était levé, avec une parfaite courtoisie, dès qu'il l'avait aperçue. « Alors je suis allée me promener dans le parc. Il y a déjà des anémones en fleur.

— Je suis arrivé à l'heure exacte », déclara d'Eymon.

Autrefois une telle réplique l'eût intimidée, mais plus maintenant. Il portait le sceau pour chercher à renforcer son autorité, mais elle savait à quel point les événements de la veille l'avaient affecté. Elle était pratiquement certaine qu'il avait offert de se tuer la nuit dernière, car c'était un homme fidèle aux anciennes traditions. Mais il ne pouvait rien contre elle : elle venait de voir une riselka et se sentait comme cuirassée.

« Alors c'est moi qui suis arrivée en avance, fit-elle d'un ton insouciant. Pardonnez-moi. Je suis si heureuse de vous voir en aussi bonne condition après les... troubles que nous venons de connaître. Cela fait longtemps que vous attendez ?

— Assez, oui. Vous voulez parler de la journée d'hier, si je comprends bien. Qu'avez-vous à me dire ? » Dianora ne se souvenait pas avoir jamais entendu d'Eymon faire une remarque anodine, encore moins plaisanter.

Bien décidée à ne pas se laisser désarçonner, elle s'assit sur le banc de pierre qu'il venait de libérer et lissa les plis de sa robe de chaque côté de ses jambes. Elle posa ses mains jointes sur ses genoux, releva la tête et prit une expression aussi froide que la sienne.

« Il a bien failli mourir hier après-midi, dit-elle d'entrée de jeu, car elle venait de décider à l'instant de la stratégie qu'elle allait adopter. Il est passé à deux doigts de la mort et vous savez pourquoi, chancelier ? » Elle n'attendit pas la réponse. « Parce que vos gens se sont montrés trop laxistes ou trop paresseux pour prendre la peine de fouiller un groupe d'Ygrathiens. Que croyiez-vous ? Que le danger ne pouvait venir d'ailleurs que de la Palme ? J'espère que les gardes de service hier ne seront pas oubliés, d'Eymon. Et sans tarder. »

Elle l'avait délibérément appelé par son nom et non par son titre. Il ouvrit la bouche et la referma, après avoir ravalé une réponse cinglante. Elle poussait l'audace très loin et se sentait prête à aller plus loin encore, la Triade en était témoin, car elle n'aurait jamais d'autre opportunité comme celle-ci. D'Eymon était blanc comme un linge ; il n'en revenait pas, il enrageait. Il inspira profondément pour maîtriser ses émotions.

« On s'en est déjà chargé, dit-il : ils sont tous morts. »

Elle ne s'y attendait pas. Elle réussit, au prix d'un gros effort, à ne rien laisser paraître de son désarroi.

« Il y a autre chose, dit-elle, profitant d'un léger avantage. J'aimerais bien savoir pourquoi vous n'avez pas fait surveiller Camena di Chiara quand il s'est rendu en Ygrath l'année dernière.

— Nous l'avons fait surveiller. Que vouliez-vous que nous fassions d'autre ? Vous savez qui a commandité l'agression d'hier. Vous avez entendu comme moi.

— Nous avons tous entendu. Comment se fait-il que vous n'ayez rien su des relations entre Isolla et la reine ? » Et cette fois le mordant de la question était authentique, pas uniquement stratégique.

Pour la première fois, elle décela une trace d'hésitation dans son regard. Il tripota son sceau, puis parut s'en apercevoir et laissa retomber sa main. Il y eut un bref silence.

« J'étais au courant », fit-il. Leurs regards se croisèrent et elle lut dans ses yeux une question qui ressemblait à un cri de colère et un défi.

« Je vois », fit Dianora un instant plus tard, tout en se détournant. Le soleil était plus haut maintenant, qui dardait des rayons obliques sur la clairière. Il suffisait qu'elle se déplaçât un peu sur le banc pour sentir sa chaleur. La question dure et muette contenue dans le regard de d'Eymon planait toujours dans l'air : *Et vous, auriez-vous révélé au roi pareille vérité sur la reine ?*

Dianora ne dit mot, essayant d'envisager toutes les implications d'une telle confession. Avec cet aveu, d'Eymon lui appartenait, si ce n'était pas déjà le cas après son échec de la veille et ce qu'elle-même avait fait pour sauver le roi. Elle était aussi personnellement en danger pour les mêmes raisons. Car le chancelier n'était pas homme à plaisanter. Beaucoup au saishan le soupçonnaient d'avoir provoqué la mort de Chloese di Chiara, dix ans auparavant.

Elle releva la tête et dissimula son angoisse sous une poussée de colère. « Merveilleux, lança-t-elle d'un ton acerbe. Quelle protection efficace ! Et maintenant, bien sûr, à cause de ce que j'ai été obligée de faire, c'est Neso, votre courtisan chéri, qui sera forcément affecté à ce poste en Asoli ; avec l'honneur d'avoir été blessé pour son roi. Quelle savante manœuvre, d'Eymon ! »

C'était un mauvais calcul. Pour la première fois, il esquissa un petit sourire sans joie. « C'est donc là que vous vouliez en venir ? » demanda-t-il doucement.

Elle ravala une vive dénégation. Ce n'était pas gênant pour lui de le croire, elle s'en rendit compte.

« Entre autres, reconnut-elle donc, comme à contrecœur. Je veux savoir pourquoi vous l'avez choisi pour ce poste. Cela fait un moment que j'avais l'intention de vous en parler.

— Je m'en doutais, dit-il en retrouvant une partie de sa morgue habituelle. J'ai aussi été informé d'une partie sinon de la totalité des cadeaux que Scelto a reçus en votre nom ces dernières semaines. D'ailleurs, le bijou que vous portiez hier autour du cou est tout simplement superbe. C'est l'argent de Neso qui vous a permis de l'acheter ? Dans l'espoir que vous plaideriez sa cause devant moi ? »

Il était remarquablement bien informé, et fin stratège qui plus est. Elle l'avait toujours su. Sous-estimer le chancelier revenait à commettre une grave imprudence.

« Cela m'a aidé à le payer, dit-elle brièvement. Mais vous n'avez pas répondu à ma question. Pourquoi le favoriser de la sorte ? Vous savez bien pourtant quel genre d'homme c'est.

— Bien sûr que je le sais, répondit aussitôt d'Eymon. Pourquoi, à votre avis, ai-je tant à cœur de l'éloigner d'ici ? Je veux l'envoyer en Asoli parce que je ne lui fais pas confiance à la cour. Je préfère le savoir loin du roi, quelque part où nous pourrons nous en débarrasser sans complications. J'espère que cela répond à votre question. »

Dianora avait la gorge nouée. Ne le sous-estime jamais, s'admonesta-t-elle de nouveau. « En effet. Et qui va nous en débarrasser ?

— Cela coule de source. On répandra le bruit que ce sont les Asoliens eux-mêmes qui s'en sont chargés.

Je pense que Neso ne mettra pas longtemps à leur en fournir de bonnes raisons.

— C'est fort probable, en effet. Et alors?

— Alors le roi fera une enquête et ne tardera pas à découvrir que Neso était corrompu jusqu'à la moelle, la pure vérité, cela ne fait pas l'ombre d'un doute. Nous ferons exécuter tel ou tel quidam pour son meurtre, mais le roi dénoncera les méthodes de Neso et sa cupidité. Il nommera un nouveau percepteur et promettra des mesures plus équitables à l'avenir. Je pense que cela devrait suffir à étouffer les troubles en Asoli du Nord pour un certain temps.

— Très bien, fit Dianora en s'efforçant d'ignorer l'indifférence sereine contenue dans l'expression " tel ou tel quidam ". Voilà qui est net et sans bavures. Il ne me reste qu'une chose à ajouter: le nouveau percepteur s'appellera Rhamanus. » Elle prenait un risque de plus, elle le savait. Il était incontestable qu'elle était captive et concubine, lui chancelier d'Ygrath et de la Palme. Mais il y avait d'autres manières d'évaluer l'équilibre des forces ici, et c'était en celles-là qu'il lui fallait croire.

D'Eymon la dévisagea avec froideur. Elle soutint son regard, les yeux grands ouverts, l'air rusé.

« J'ai toujours trouvé amusant, dit-il enfin, que vous témoigniez ainsi vos faveurs à l'homme qui vous a faite prisonnière. On dirait que cela vous était égal, ou, même, que vous souhaitiez venir ici. »

Il était passé étrangement et dangereusement près du but, mais elle sentait qu'il cherchait seulement à la tourmenter et que la pointe n'était pas bien profonde. Elle se força à se détendre et sourit. « Comment pourrais-je me plaindre de vivre ici ? Alors que j'ai la chance de tenir d'aussi intéressantes conversations ! Et, de toute façon, ajouta-t-elle sur un autre ton, j'ai un faible pour lui, certes ; au nom de tous les habitants de cette péninsule, j'avoue ma préférence pour cet homme. Et vous n'ignorez pas que tel sera toujours mon premier souci, chancelier. C'est un homme honnête. Ils ne sont pas si nombreux en Ygrath, ce me semble. »

Il resta silencieux un moment. « Ils sont plus nombreux que vous ne le pensez. » Mais, avant qu'elle ait eu le temps d'analyser ses paroles ainsi que le ton inhabituel sur lequel elles avaient été prononcées, il ajouta: « J'ai sérieusement envisagé de vous faire empoisonner hier soir, la seule alternative consistant à vous faire libérer et proclamer citoyenne d'Ygrath.

— Quels extrêmes, mon cher ! » Elle sentit un frisson glacial la parcourir. « Ne nous avez-vous pas enseigné que tout est question d'équilibre ?

— C'est vrai », dit-il sobrement, sans mordre à l'hameçon qu'elle lui tendait. Il n'était pas une proie aisée. « Mais vous rendez-vous compte du coup que vous avez porté à l'équilibre de cette cour ?

— Et qu'aurais-je dû faire hier après-midi, selon vous ?

— Là n'est pas la question, bien sûr. » Il avait les joues vaguement rouges, phénomène rare chez lui. Quand il reprit, cependant, ce fut de sa voix normale. « Je songe à Rhamanus pour l'Asoli, moi aussi. Il en sera fait selon votre souhait. Dans l'intervalle, j'allais oublier de vous dire que le roi vous a fait demander. J'ai intercepté le message avant qu'il arrive au saishan. Il vous attend dans la bibliothèque. »

Elle fut debout en un clin d'œil, aussi agitée qu'il l'avait espéré. « Cela fait longtemps ? demanda-t-elle brusquement.

— Pas très. Pourquoi ? Cela n'a pas l'air de vous gêner beaucoup d'arriver en retard. Dites-lui qu'il y a des anémones dans le jardin.

— Je pourrais lui dire bien autre chose encore, d'Eymon. » La colère la suffoquait. Elle tenta de reprendre le contrôle d'elle-même.

« Moi aussi. Et Solores davantage encore. Mais, le plus souvent, nous nous abstenons, n'est-ce pas ? Parce que, comme vous venez de le rappeler, l'équilibre est primordial. C'est pourquoi, à votre place, je resterais prudente, Dianora, même après ce qui s'est passé hier. L'équilibre passe avant tout, ne l'oubliez pas. »

Elle chercha quelque chose à lui répondre, une dernière parole, mais ne trouva rien. Elle avait la tête qui tourbillonnait. Il avait parlé de la tuer, de la libérer, avait approuvé son choix pour le poste en Asoli, puis l'avait de nouveau menacée. Le tout en moins de dix minutes ! Et, pendant ce temps-là, le roi l'attendait, et d'Eymon le savait.

Elle fit demi-tour et, lugubre, prit brusquement conscience qu'elle portait une robe ordinaire et n'avait pas le temps de retourner au saishan se changer. Elle se sentit rougir de colère et d'anxiété.

Scelto avait manifestement entendu la dernière remarque du chancelier. Au-dessus de son nez cassé, ses yeux paraissaient terriblement inquiets et contrits ; d'Eymon ayant intercepté le message, il n'avait rien pu faire.

Elle s'arrêta aux portes du palais et se retourna. Le chancelier était seul dans le jardin, penché sur sa canne, longue silhouette grise et décharnée au milieu des arbres nus. Le ciel s'était de nouveau couvert. Et comment pourrait-il en être autrement ? songea Dianora par dépit.

Elle se souvint alors de l'étang, et son humeur changea. Ces intrigues de cour étaient de peu d'importance finalement. D'Eymon faisait ce qu'il avait à faire, elle aussi désormais. Elle connaissait sa voie. Elle parvint à sourire, laissant cette paix intérieure venir à elle, bien qu'en son centre demeurât la pierre de son chagrin. Elle s'inclina très bas, le gratifiant d'une révérence protocolaire. D'Eymon, surpris, esquissa une courbette maladroite.

Dianora fit demi-tour et franchit les portes que Scelto lui tenait ouvertes. Elle longea le couloir en sens inverse, monta l'escalier, emprunta un corridor qui menait à l'aile sud du palais et franchit deux séries de lourdes portes. Elle s'arrêta devant la troisième. Obéissant à une habitude qui était presque devenue réflexe, elle se servit du bouclier de bronze suspendu au mur comme d'un miroir. Elle ajusta sa robe et passa les mains dans sa chevelure en désordre à cause du vent.

Puis elle frappa aux portes de la bibliothèque et entra. Elle s'accrochait fermement à sa quiétude intérieure, à la révélation de l'étang, et portait dans son cœur une pierre de savoir et de chagrin qui, elle l'espérait, l'aiderait à ancrer l'une et l'autre en son sein et les empêcherait de s'envoler.

Brandin, le dos à la porte, examinait une très vieille carte au-dessus de la plus grande des deux cheminées, qui représentait le monde connu alors. Il ne se retourna pas, et elle leva les yeux vers la carte. La péninsule et la masse continentale de la Quileia, au-delà des montagnes qui descendaient jusqu'aux glaciers méridionaux, paraissaient minuscules à côté de l'empire de Barbadior, à l'est, et de l'Ygrath, à l'ouest, de l'autre côté de la mer.

Les rideaux de velours de la bibliothèque étaient tirés pour protéger la pièce de la lumière matinale, et un grand feu brûlait dans la cheminée, qui l'incommoda. Elle supportait mal la vue des flammes un jour de Quatre-Temps. Brandin tenait un tisonnier à la main. Il était habillé aussi peu soigneusement qu'elle : une tenue de cheval noire et des bottes. Ses bottes étaient couvertes de boue : il avait dû monter dès l'aube.

Elle fit un trait sur sa rencontre avec d'Eymon, mais pas sur celle de la riselka dans le jardin. Cet homme était au centre de son existence ; cela n'avait pas changé, mais la vision de la riselka lui avait ouvert une voie, et Brandin l'avait laissée seule et sans sommeil toute la nuit.

« Pardonnez-moi, monseigneur. J'étais avec le chancelier, et il vient seulement de m'apprendre que vous m'attendiez ici.

— Et pourquoi cette rencontre ? » La voix familière et si nuancée de Brandin ne dénotait pas un grand intérêt. Il semblait absorbé par la lecture de la carte.

Dianora ne mentit pas au roi. « Le poste de percepteur en Asoli. Je voulais savoir pourquoi ses préférences allaient à Neso. »

Elle décela un soupçon d'amusement dans sa voix. « Je suis sûr que d'Eymon t'aura donné de bonnes raisons. » Il se retourna enfin et la regarda pour la première fois ce matin-là. Il était égal à lui-même, et elle n'ignorait pas ce qui se produisait toujours lors de ce premier échange de regards.

Mais elle avait vu une riselka une heure plus tôt, et un changement semblait s'être produit. Elle ne se départit pas de son calme ; son cœur était dans son pays. Elle ferma un instant les yeux pour tenter de reconnaître le sens de ce changement et l'émergence d'une vérité qu'elle connaissait depuis longtemps. Elle savait que, pour de multiples raisons, elle pouvait fondre en larmes à tout instant si elle ne prenait pas garde.

Brandin s'installa dans un fauteuil. Il avait l'air fatigué avant tout. Cela se voyait à de petits riens, mais elle le connaissait depuis longtemps. « Je vais être obligé de donner ce poste à Neso maintenant, dit-il. Je pense que tu l'auras compris. Pardonne-moi. »

Certaines choses n'avaient apparemment pas changé : ainsi la courtoisie grave et inattendue dont il faisait preuve lorsqu'il l'entretenait de pareils sujets. Comment expliquer que le roi d'Ygrath éprouvât le besoin de s'excuser parce qu'il avait élu tel courtisan plutôt que tel autre ? Elle avança dans la bibliothèque, s'accrochant à ses résolutions, et il lui fit signe de venir s'asseoir en face de lui. Brandin se mit à la regarder avec une grande attention et un étrange détachement. Elle se demanda ce qu'il voyait.

Elle entendit un bruit à l'autre bout de la pièce et jeta un coup d'œil : Rhun était assis près de la seconde cheminée et feuilletait un livre d'images sans but précis. Sa présence lui remit quelque chose en mémoire, et elle sentit sa colère revenir.

« Bien sûr que vous ne pouvez pas faire autrement que de l'offrir à Neso. Il mérite l'Asoli pour avoir servi son roi avec tant de bravoure. » Il réagit à peine. Il eut un bref mouvement des lèvres et prit une expression gentiment ironique ; il semblait préoccupé et ne l'écoutait que d'une oreille distraite.

« De bravoure, de courage, oui, c'est ce que l'on dira, fit-il d'un air absent. Mais en réalité il ne s'est pas écarté à temps, c'est tout. Dès hier soir, d'Eymon a commencé à prendre des mesures pour faire croire à tout le monde que c'est Neso qui m'a sauvé la vie. »

Elle ne bondit même pas en entendant cela. Elle s'y refusait. Elle ne comprenait pas pourquoi une telle remarque.

Tout en regardant Rhun à l'autre extrémité de la pièce et non le roi, elle se contenta d'observer : « Cela se tient, et vous n'ignorez sans doute pas que je m'en moque éperdument. Ce que je ne comprends pas, par contre, c'est pourquoi vous propagez des mensonges quant au sort réservé à Camena. » Elle inspira profondément et poursuivit d'un jet : « Je connais la vérité : un acte barbare, ignoble. Si vous devez préparer un fou susceptible de succéder à Rhun, pourquoi mutiler un homme en pleine possession de ses moyens ? Pourquoi faire une chose pareille ? »

Il prit son temps avant de lui répondre, et elle n'osait pas le regarder. Rhun, trop loin pour les entendre, avait néanmoins posé son livre et regardait de leur côté.

« En fait, il y a des précédents », se contenta de répondre Brandin, du même ton affable. Mais, un instant plus tard, il ajouta : « Il y a longtemps que j'aurais dû t'enlever Scelto. Vous êtes tous deux trop bien informés et trop vite. »

Elle ouvrit la bouche mais aucun mot n'en sortit. Qu'aurait-elle pu dire ? Elle l'avait cherché ; d'un bout à l'autre.

C'est alors qu'en regardant Brandin du coin de l'œil elle vit qu'il souriait. Un sourire étrange, tout comme le regard qu'il lui lança. « Mais il se trouve que, si Scelto avait raison ce matin, ce n'est plus le cas maintenant.

— Que voulez-vous dire ? » Elle sentit les prémices d'un authentique malaise. Il y avait quelque chose de bizarre dans son comportement, qu'elle ne parvenait pas à définir. C'était autre chose qu'un simple accès de fatigue, elle en était sûre.

« J'ai annulé les ordres d'hier soir après ma sortie à cheval, déclara tranquillement Brandin. Camena est probablement déjà mort à l'heure qu'il est. Une mort aisée, conformément aux informations que nous avons divulguées. »

Elle s'aperçut qu'elle serrait ses mains l'une contre l'autre sur ses genoux. Sans prendre le temps de réfléchir, elle demanda sottement : « C'est vrai ? »

Il ne fit que hausser les sourcils, mais elle se sentit rougir jusqu'à la racine des cheveux. « Pourquoi te mentirais-je, Dianora ? Je leur ai dit de se débrouiller pour prendre quelques insulaires comme témoins, afin qu'il n'y ait pas de doute sur la question. Quelle autre preuve te faut-il ? Tu veux que je fasse porter sa tête à tes appartements ? »

Elle baissa de nouveau les yeux et revit la tête d'Isolla éclater comme un fruit trop mûr. Elle avala sa salive et se souvint du geste de la main qu'il avait fait à ce moment-là. Elle regarda de nouveau le roi et secoua la tête en silence. Que s'était-il passé pendant cette promenade à cheval ? Que se passait-il maintenant ?

Puis elle se souvint brusquement de ce qui lui était arrivé la veille, sur le flanc de la montagne, à un endroit où s'élevait un rocher gris le long de la piste qu'empruntaient les coureurs. *Qu'un homme aperçoive une riselka, et sa voie bifurque.*

Brandin se tourna vers la cheminée et croisa les jambes. Il posa la pointe du tisonnier sur l'âtre et appuya l'autre extrémité contre son fauteuil.

« Tu ne m'as pas demandé pourquoi j'avais changé d'avis. Cela ne te ressemble pas, Dianora.

— Je n'ose pas », avoua-t-elle en toute sincérité.

Il se retourna vers elle, les deux sourcils à même hauteur à présent, et ses yeux gris débordaient d'intelligence. « Cela ne te ressemble pas davantage.

— Vous n'êtes pas vraiment… vous-même non plus ce matin.

— C'est vrai », reconnut-il. Il la regarda un moment en silence, puis se mit à penser à autre chose. « Dis-moi, d'Eymon t'aurait-il mené la vie dure par hasard ? T'a-t-il... mise en garde, ou menacée ? »

Ce n'est pas de la sorcellerie, se répétait-elle avec acharnement. *Il n'a pas lu dans mes pensées ; c'est sa personnalité : Brandin a la faculté de percevoir les détails qui affectent ses proches.*

« Pas directement », dit-elle maladroitement. Il fut une époque où elle n'aurait pas manqué une opportunité pareille, mais il régnait une atmosphère si étrange ce jour-là qu'elle n'y songea même pas. « Il était contrarié par les événements d'hier. Il craint, me semble-t-il, qu'ils n'affectent l'équilibre de la cour. Une fois qu'il aura été officiellement annoncé que Neso vous a sauvé la vie, je crois que le chancelier se sentira mieux. Il n'aura pas grand mal à répandre l'information ; tout est allé très vite. Je doute que quiconque ait réellement vu ce qui s'est passé. »

Cette fois Brandin la gratifia d'un de ces sourires qu'elle connaissait bien et qu'elle aimait tant : ils étaient sur un pied d'égalité, leurs deux intelligences cheminaient parallèlement à l'intérieur d'un raisonnement complexe. Mais, quand elle se tut, son expression changea.

« Moi, j'ai vu, dit-il. Très clairement. »

Elle détourna les yeux vers ses mains posées sur ses genoux. *Ta voie est toute tracée maintenant*, se dit-elle aussi sévèrement que possible. *Souviens-t'en.* Elle s'était vue habillée de vert, au bord de la mer. Et, depuis la nuit dernière, son cœur lui appartenait de nouveau. Il y avait une pierre en son centre pour le maintenir en sécurité dans son sein.

« Il serait facile de faire circuler le bruit que c'est Neso, effectivement, dit Brandin. Mais j'ai beaucoup réfléchi la nuit dernière, ainsi que ce matin, pendant ma promenade à cheval. Je parlerai à d'Eymon d'ici la fin du jour, après la course. Et l'histoire qui va se répandre sera conforme à la vérité, Dianora. »

Elle n'était pas sûre d'avoir bien entendu ; en même temps elle l'était, si, et quelque chose s'emplit à l'intérieur d'elle-même qui déborda légèrement, comme un verre de vin à ras bord.

« Vous devriez monter à cheval plus souvent », murmura-t-elle. Il l'entendit et se mit à rire doucement, mais elle ne releva pas la tête. Elle avait l'impression qu'elle ne pouvait pas se le permettre.

« Pourquoi ? demanda-t-elle sans cesser de regarder ses doigts entrelacés. Pourquoi ces deux décisions : le sort de Camena et ce que vous venez de m'annoncer ? »

Il resta si longtemps silencieux qu'elle finit par lui jeter un regard bref et prudent. Lui s'était de nouveau tourné vers le feu et tisonnait. À l'autre bout de la bibliothèque, Rhun avait fermé son livre et, debout près de la table, regardait dans leur direction. Lui aussi était vêtu de noir, bien sûr. À l'image de son roi.

« T'ai-je jamais parlé de la légende que ma nourrice me racontait quand j'étais enfant ? dit Brandin d'Ygrath d'une voix très douce : la légende de Finavir ? »

Elle avait de nouveau la gorge sèche : quelque chose dans le ton de sa voix, sa manière de s'asseoir, la teneur inattendue de sa question la mettait mal à l'aise.

« Non », fit-elle. Elle voulut ajouter quelque chose de spirituel mais ne trouva rien.

« Finavir ou Finavair, poursuivit-il sans vraiment attendre sa réponse ni la regarder. Quand j'ai grandi et commencé à lire des histoires comme celle-là, je l'ai trouvé orthographié des deux manières et même d'une troisième parfois. C'est souvent le cas des histoires qui relèvent de la tradition orale. »

Il reposa le tisonnier et s'appuya contre le bras du fauteuil sans cesser de fixer les flammes. Rhun s'était légèrement rapproché, comme attiré par la perspective du récit. Il était posté près des lourdes tentures qui encadraient la fenêtre et bouchonnait les plis du tissu entre ses deux mains.

« En Ygrath, reprit Brandin, on raconte parfois que le monde dans lequel nous vivons, qui va de nos contrées méridionales aux déserts et aux forêts humides du Nord, et même au-delà, n'est qu'un des nombreux mondes que les dieux ont projetés dans le temps. Il en existerait d'autres, beaucoup plus lointains, éparpillés parmi les étoiles, invisibles pour nous. Certains Ygrathiens croient à cette version des choses.

— On trouve la même croyance ici, répondit posément Dianora quand il s'interrompit, au Certando notamment. Il fut un temps où les montagnards avaient adopté une doctrine semblable, quoique les prêtres de la Triade en eussent condamné au bûcher tous les fidèles. » C'était vrai : les adeptes de Carlozzi et de son hérésie avaient été brûlés en grand nombre pendant les années de peste, il y avait de cela fort longtemps.

« Nous n'avons jamais condamné qui que ce soit au bûcher ni à la roue pour cela, reprit Brandin. Tout au plus ces gens se sont-ils parfois exposés à la risée du public, mais c'est une autre affaire. L'histoire que ma nourrice me racontait lui venait de sa mère, qui la tenait de sa propre mère, j'en suis sûr ; la voici en substance : certains d'entre nous naissent et renaissent dans ces divers mondes et, quand enfin nous l'avons mérité par la manière dont nous avons vécu, nous renaissons une dernière fois sur Finavir ou Finavair, le monde le plus proche de la résidence des vrais dieux.

— Et ensuite ? » demanda-t-elle. Ses paroles paisibles semblaient faire partie intégrante du sortilège qui s'exerçait ce jour-là.

« Pour ce qui est de la suite, nul ne savait ou ne voulait me dire. Les parchemins et les livres que j'ai lus en grandissant ne m'ont rien appris non plus. » Il se déplaça dans son siège, ses belles mains à plat sur les bras sculptés du fauteuil. « Je n'ai jamais aimé cette légende de Finavir. Il existe toutes sortes d'histoires, certaines tout à fait différentes. Beaucoup m'ont enchanté mais, pour une raison que j'ignore, c'est celle-ci qui m'est restée en mémoire. Elle me dérangeait parce qu'elle fait de nos vies présentes un simple prélude sans importance en soi, dont la seule finalité est de nous mener ailleurs. Or j'ai toujours éprouvé le besoin de croire que mes actes importaient, ici et maintenant.

— Je serais plutôt de votre avis», dit-elle. Ses mains reposaient sans tension sur ses genoux maintenant ; il avait créé une atmosphère nouvelle. « Mais pourquoi me parlez-vous de cette légende si elle vous déplaît tant ? »

La question coulait de source.

Et Brandin répondit: «Parce qu'au cours de ces derniers mois j'ai rêvé à plusieurs reprises que je renaissais loin de tout ceci, sur Finavir.»

Et, pour la première fois depuis le début de son récit, il la regarda en face, et ses yeux gris étaient paisibles, sa voix assurée lorsqu'il déclara : « Et dans tous ces rêves tu étais à mes côtés, et rien ni personne ne nous séparait. »

Elle ne s'y était pas préparée du tout. Peut-être les indices étaient-ils tous là, mais dans son aveuglement elle n'avait pas su les voir. Soudain elle se sentit aveuglée pour de bon, parce qu'incapable de contenir les larmes de surprise et d'émerveillement qui lui emplissaient les yeux, ni de contrôler le martèlement de son cœur.

« Dianora, reprit alors Brandin, j'avais tellement besoin de toi hier soir que j'ai pris peur. Si je ne t'ai pas fait venir, c'est uniquement parce que j'avais besoin de comprendre et d'accepter ce que j'ai éprouvé quand tu as arrêté la flèche de Camena. Si j'ai appelé Solores, ce n'était que pour tromper la cour, afin qu'on ne me croie pas affecté par le danger. J'ai passé une partie de la nuit assis à mon bureau et l'autre à arpenter ma chambre, pour essayer de faire le point sur mon existence et de comprendre pourquoi ma femme et mon seul fils encore en vie ont eu envie de me tuer et n'ont échoué que grâce à toi. Et j'étais si absorbé, dévoré même, par ces réflexions, qu'il m'a fallu attendre l'aube pour m'apercevoir que je t'avais laissée seule toute la nuit. Ma chère Dianora, me le pardonneras-tu jamais ? »

Je veux que le temps s'arrête, songeait-elle en essuyant vainement ses larmes pour tenter de le voir distinctement. *Je veux rester dans cette salle pour toujours. Je veux entendre ces mots encore et encore jusqu'à ma mort.*

« Tout en chevauchant ce matin, j'ai pris une décision. J'ai repensé au discours d'Isolla et suis enfin parvenu à accepter qu'elle ait eu raison. Dans la mesure où je ne veux ni ne puis revenir en arrière sur ce que je me suis engagé à faire ici, je dois être prêt à en payer le prix moi-même, au lieu de le faire payer à autrui, en Ygrath. »

Elle tremblait, toujours incapable d'arrêter ses larmes. Il ne l'avait pas touchée, ne s'était pas rapproché d'elle. Derrière lui, le visage de Rhun n'était qu'un masque de douleur et de désir inassouvi, avec quelque chose d'autre encore. La chose qu'elle apercevait parfois et n'arrivait pas à regarder en face. Elle ferma les yeux.

« Qu'allez-vous faire ? » murmura-t-elle. Elle avait du mal à parler.

Et il le lui dit. De bout en bout. Il lui fit part de la bifurcation qu'il avait choisie. Elle écouta ; les larmes qui coulaient plus lentement maintenant débordaient d'un cœur trop plein, et elle finit par comprendre que la roue avait fait un tour complet.

En écoutant la voix grave de Brandin qui couvrait le crépitement des flammes sacrilèges, Dianora ne parvenait pas à voir autre chose que des images d'eau : eaux sombres de l'étang dans le jardin, eaux bleu-vert de la mer reflétées par l'étang. Et, bien qu'elle n'eût aucun don d'anticipation, elle vit où les paroles de Brandin les emmenaient, les emmenaient tous, et elle comprit alors la révélation de l'étang.

Elle chercha son cœur et constata avec un immense chagrin qu'il appartenait toujours à Brandin d'Ygrath et qu'elle ne l'avait pas récupéré en fin de compte. Pourtant, et c'était bien là le plus terrible, elle savait ce qui allait venir et ce qu'elle allait faire.

Pendant les longues nuits de solitude au saishan, elle avait rêvé de trouver une voie comme celle que lui ouvraient les paroles qu'il venait de prononcer. Et, tandis qu'elle l'écoutait et réfléchissait de la sorte, elle éprouva soudain le besoin irrésistible de se rapprocher de lui. Elle quitta sa chaise pour venir s'asseoir sur le tapis à ses pieds et coucher la tête sur ses genoux. Il posa la main dessus et se mit à lui caresser les cheveux ; il les lissait méthodiquement, sans s'arrêter, tout en lui parlant de ce qu'il avait compris pendant la nuit et au cours de sa chevauchée matinale, de sa décision d'accepter de payer le prix pour ce qu'il faisait ici dans la Palme ; et lui parla de la seule chose à laquelle elle n'avait jamais pu se préparer. D'amour.

Elle pleura doucement, sans pouvoir s'arrêter, tandis que les mots coulaient de sa bouche et que le feu mourait doucement dans l'âtre. Elle pleura d'amour pour lui, elle pleura pour sa famille et son pays, elle pleura l'innocence qu'elle avait perdue au fil des années, et tout ce que lui aussi avait perdu ; elle pleura plus amèrement encore les trahisons à venir. Toutes les trahisons qui attendaient aux portes de cette salle et vers lesquelles ils se dirigeaient inexorablement.

Chapitre 14

« Par ici ! s'écria Alessan en désignant une trouée entre deux massifs, il y a un village de l'autre côté. »

Devin jura et, se penchant sur l'encolure de son cheval, enfonça les talons dans les flancs de l'animal pour suivre Erlein en direction de la trouée, sous le disque rouge du soleil couchant.

Derrière lui, une huitaine voire une douzaine de brigands des montagnes venaient de débouler des massifs couleur sépia à cette heure. Après les avoir entraperçus avec effroi et reçu l'ordre de s'arrêter, Devin ne s'était plus retourné.

Il comprit qu'ils ne s'en sortiraient pas malgré la proximité du village. Cela faisait des heures qu'ils galopaient à fond de train, et les chevaux qu'Aliénor leur avait cédés étaient fatigués. Si ses amis et lui se lançaient dans une course effrénée contre des brigands aux montures fringantes, il ne donnait pas cher de leur vie. Il grinça des dents et se remit en route sans prêter attention à la douleur dans sa jambe suite au bond qu'il avait exécuté de bonne heure ce jour-là, ni aux coupures qui s'étaient rouvertes et le brûlaient.

Le vent leur sifflait de plus en plus fort aux oreilles à mesure qu'ils avançaient. Il vit Alessan se retourner sur sa selle, une flèche encochée dans son arc tendu. Le prince tira derrière lui une première fois dans la lumière crépusculaire, puis une seconde, les muscles noués par l'intensité de l'effort. Une tentative incertaine et désespérée à une telle allure.

Deux des hommes poussèrent un hurlement. Devin se retourna un instant et vit l'un d'eux tomber. Une volée de flèches s'éparpillèrent tout près d'eux.

« Ils ralentissent, fit Erlein d'une voix rauque en jetant lui aussi un coup d'œil derrière lui. À combien sommes-nous de ce village ?

— À vingt minutes environ, après la trouée. En avant ! »

Alessan ne tira pas d'autre flèche et se pencha pour faire accélérer son cheval gris. Ils filèrent au vent le long de la piste éclairée par le soleil, entre les deux zones d'ombre que dessinaient les massifs couverts de bruyère, et s'engouffrèrent dans la trouée.

Ils n'arrivèrent pas à l'autre extrémité.

À l'endroit où la piste tournait pour épouser la courbe des massifs, huit cavaliers barraient l'issue de la trouée, leurs arcs tranquillement pointés sur eux.

Ils tirèrent sur les rênes et arrêtèrent brutalement les chevaux. Devin jeta un bref coup d'œil derrière lui et vit les bandits qui les poursuivaient pénétrer dans la trouée à leur tour. L'un des chevaux n'avait plus de cavalier ; un homme se tenait l'épaule, une flèche fichée dedans.

Il se tourna vers Alessan et surprit le regard désespéré mais résolu du prince.

« Ne fais pas l'idiot ! lança sèchement Erlein. Tu ne peux pas passer, et tu ne peux pas non plus tuer autant d'hommes.

— Je peux toujours essayer », répliqua Alessan avec un regard de bête en cage, tout en inspectant rapidement le défilé et les parois escarpées de chaque côté à la recherche d'une issue. Il avait arrêté son cheval cependant, et s'abstint de lever son arc.

« Nous sommes tombés en plein dans le piège. Quelle noble fin après deux décennies de rêve ! » grinça-t-il d'une voix rauque, amère, corrosive presque, tant il se sentait mortifié.

C'est pourtant la vérité, constata Devin un peu tard. Ce défilé était parfait pour les embuscades, et la Triade sait combien les brigands sont nombreux dans ces régions sauvages au sud du Certando. Les mercenaires barbadiens eux-mêmes ne s'y aventuraient guère, et les honnêtes gens ne sortaient pas si près de la nuit. Mais Alessan et les siens n'avaient guère le choix, étant donné la distance qu'ils devaient parcourir et le peu de temps dont ils disposaient.

Il était d'ailleurs probable qu'ils n'arriveraient jamais à destination ; que leur chemin s'arrêterait là. Il faisait encore assez jour pour distinguer les hors-la-loi, et leur allure n'était guère rassurante. Peut-être n'attachaient-ils pas grande importance à leur tenue vestimentaire, mais leurs chevaux n'avaient rien à voir avec les haridelles épuisées que montaient la plupart des brigands. Et cette embuscade avait de toute évidence été soigneusement préparée.

Un homme se détacha de la rangée de cavaliers et fit avancer son cheval de quelques pas dans leur direction.

« Lâchez vos arcs, dit-il avec une autorité naturelle. Je n'aime pas m'adresser à des hommes armés.

— Moi non plus », répliqua Alessan d'un air sinistre tout en dévisageant l'homme. Mais, un instant plus tard, il laissait tomber son arc. Erlein en fit autant.

« Le gamin aussi », fit le chef des hors-la-loi sans se départir de son calme. C'était un grand gaillard entre deux âges, au visage épanoui, à la barbe couleur de feu dans la lumière évanescente. Il portait un chapeau noir à larges bords qui lui cachait les yeux.

« Je n'ai pas d'arc », répondit aussitôt Devin en laissant tomber son épée.

À ces mots, des rires ironiques fusèrent ici et là.

« Magian, comment se fait-il que tes hommes se soient trouvés à portée de leurs flèches ? » demanda le barbu d'une voix plus ferme. Lui-même n'avait pas ri. « Tu connaissais les instructions. Tu sais comment nous procédons.

— Ils n'étaient pas à portée, si tu veux mon avis », répondit une voix rageuse qui couvrit le martèlement des sabots. Leurs poursuivants venaient d'arriver. Le piège se refermait complètement. « Il a tiré dans la pénombre et derrière lui. Il a eu beaucoup de chance, Ducas.

— Il n'aurait pas eu la moindre chance si tu avais fait ton travail correctement. Où est Abhar ?

— Il est tombé avec une flèche dans la cuisse. Torre est retourné le chercher.

— Une perte de temps, le gourmanda l'homme à la barbe. J'ai horreur de ça. » Sa silhouette massive et sombre se découpait dans le soleil couchant. Derrière lui, sept autres cavaliers tenaient prêts leurs arcs.

« Si vous n'aimez pas perdre votre temps, lui dit Alessan, vous risquez de ne pas apprécier votre capture de ce soir. Nous n'avons rien d'autre à vous offrir que nos armes ; nos vies, si vous êtes de ceux qui tuez pour le plaisir.

— Cela m'arrive », fit l'homme qui répondait au nom de Ducas sans élever la voix. Devin le trouvait étonnamment calme et sentait qu'il avait sa bande bien en main. « Mes deux hommes sont-ils en danger de mort ? Vous utilisez des flèches empoisonnées ? »

Alessan prit un air de dédain. « Pas même contre les Barbadiens. Pourquoi ? Vous si ?

— Cela m'arrive, répéta le chef de la bande. Surtout contre les Barbadiens. Nous sommes dans les montagnes, après tout. » Il sourit pour la première fois – un sourire vorace, sans chaleur. Devin pensa tout à coup que pour rien au monde il n'aurait voulu s'approprier les souvenirs de cet homme, pas plus que ses rêves.

Alessan était silencieux. Il faisait de plus en plus sombre dans le défilé. Devin le vit lancer un regard interrogateur à Erlein. Le magicien secoua la tête – un mouvement ténu, à peine perceptible. « Ils sont trop nombreux, murmura-t-il, et d'ailleurs…

— Celui qui a les cheveux gris est magicien ! » cria un des hommes derrière Ducas, d'un ton catégorique.

Un homme râblé, au visage poupin, vint ranger son cheval à côté de celui de son chef. « N'y songe même pas, poursuivit-il en fixant Erlein dans les yeux. Je contrerai tout ce que tu entreprendras. » Surpris, Devin regarda les mains de l'homme, mais il faisait trop sombre pour voir s'il lui manquait deux doigts ou pas. Ce devait pourtant être le cas.

Ils venaient de tomber sur un autre magicien. Voilà qui n'allait pas arranger leurs affaires.

« Et combien de temps exactement penses-tu qu'il faudrait à un pisteur pour te retrouver ? disait Erlein d'une voix doucereuse, avec tous les signes de pratiques magiques que nous laisserions derrière nous et qui mèneraient tous ici ?

— Il y a assez de flèches pointées vers ta gorge et ton cœur pour empêcher qu'une telle éventualité se concrétise, intervint le chef des brigands. Mais je dois avouer que tout cela devient passionnant. Un archer et un magicien voyageant ensemble un jour de Quatre-Temps. Vous n'avez donc pas peur des morts ? Et le gamin, que fait-il ?

— Je suis chanteur, répondit Devin d'une voix lugubre. Devin d'Asoli, récemment encore de la compagnie de Menico di Ferraut, si ce nom vous dit quelque chose. » Son but était d'entretenir la conversation coûte que coûte. Il avait entendu dire que des bandes de hors-la-loi épargnaient parfois les artistes en échange d'une nuit de musique et de chansons. Mais peut-être prenait-il ses désirs pour des réalités. Il lui vint une idée. « De loin vous nous avez pris pour des Barbadiens, non ? C'est pour cela que vous nous avez tendu un piège.

— Tu es malin pour un chanteur, murmura Ducas, même si tu ne l'es pas assez pour éviter de sortir un jour de Quatre-Temps. Bien sûr que nous vous avons pris pour des Barbadiens. En dehors des Barbadiens et des hors-la-loi, qui d'autre s'aventurerait dehors un jour de Quatre-Temps ? Et tous les hors-la-loi à vingt milles à la ronde sont des miens.

— Il y a hors-la-loi et hors-la-loi, fit doucement Alessan. Si ce sont des mercenaires barbadiens que vous poursuiviez, alors nous sommes du même bord et laissez-moi vous dire, car c'est la stricte vérité, Ducas, que si vous nous empêchez de poursuivre notre chemin ou si vous nous tuez, vous rendrez un immense service à Barbadior et à Ygrath, un service tel qu'ils n'auraient jamais osé vous le demander . » Il y eut un silence, comme on pouvait s'y attendre. Un vent glacial s'engouffra dans la trouée, qui souleva les jeunes touffes d'herbe dans l'obscurité croissante.

« Vous avez une haute opinion de vous-mêmes, me semble-t-il, fit Ducas au bout de quelques instants. Et je devrais peut-être chercher à savoir pourquoi. Il est temps que vous me disiez qui vous êtes exactement et pourquoi vous voyagez au crépuscule un jour de Quatre-Temps ; j'en tirerai mes propres conclusions.

— Je m'appelle Alessan. Je me dirige à l'ouest. Ma mère est mourante et m'a fait appeler à son chevet.

— Quel bon fils tu fais ! Mais ton seul nom ne m'apprend rien et l'Ouest est vaste, mon ami l'archer. Qui es-tu exactement et où te diriges-tu ? » La voix était cinglante cette fois. Devin sursauta. Derrière Ducas, sept hommes tendirent la corde de leur arc.

Le cœur battant, Devin vit Alessan hésiter. Le soleil se réduisait à un disque rouge coupé en deux par l'horizon de l'autre côté de la trouée. Le vent soufflait plus fort, annonçant une nuit froide après ce premier jour de printemps.

Devin avait froid lui aussi. Il jeta un coup d'œil à Erlein et s'aperçut que le magicien le dévisageait, comme s'il attendait quelque chose. Alessan n'avait pas encore parlé. Ducas se tourna de manière pressante sur sa selle.

Devin avala sa salive. Il savait que cette réponse-là était encore plus difficile à formuler pour Alessan que pour lui. Alors il se risqua : « De Tigane. Il est de Tigane, et moi aussi. »

Il avait pris soin de s'adresser au magicien qui accompagnait les hors-la-loi et non à Ducas ou aux autres cavaliers. Il s'aperçut, en le regardant du coin de l'œil, qu'Alessan en faisait autant pour éviter de croiser les regards de totale incompréhension qui, ils le savaient tous deux, ne manqueraient pas de suivre. Avec le magicien, ce serait différent. Les magiciens n'étaient pas sourds à ce nom.

Un murmure monta parmi les hommes devant et derrière eux. Et, tout à coup, une voix s'éleva au milieu des ombres que dessinait la nuit tombante dans ce site isolé, une voix qui venait de la rangée d'hommes derrière eux.

« Par le sang du dieu ! » s'écria cette voix du fond du cœur. Devin se retourna. Un homme était descendu de cheval, qui s'avançait vers eux à grands pas. L'homme, à peine plus grand que Devin, paraissait avoir trente ans, guère plus. Il était clair qu'il souffrait, et il se déplaçait avec difficulté ; la flèche d'Alessan était encore logée dans son bras.

Ducas regardait le magicien. « Sertino, qu'est-ce que c'est que cette histoire ? dit-il, visiblement agacé. Je ne…

— C'est de la sorcellerie, déclara le magicien tout net.

— La sienne ? » Ducas fit un signe de tête en direction d'Erlein.

« Non, rien à voir avec la sienne. » C'était l'homme blessé qui venait de répondre, les yeux rivés sur le visage d'Alessan. « Lui n'est qu'un pauvre petit magicien. Je parle de vraie sorcellerie. C'est le pouvoir de Brandin d'Ygrath qui vous empêche tous d'entendre le nom. »

D'un geste rageur, Ducas ôta son chapeau, révélant un crâne dégarni ceint d'une couronne de cheveux d'un roux flamboyant. « Et comment se fait-il que tu l'entendes, toi, Naddo ? »

L'homme oscilla sur ses jambes, prêt à perdre l'équilibre, et répondit : « Parce que je suis né là-bas moi aussi ; j'échappe ainsi au sort de Brandin, ou, si tu préfères, j'en suis victime d'une autre manière. » Devin perçut la tension de sa voix ; l'homme que Ducas avait appelé Naddo faisait un gros effort pour garder le contrôle de lui-même. Il se tourna vers Alessan et dit : « On t'a demandé ton nom et tu n'as que partiellement répondu. Veux-tu nous en dire davantage ? Veux-tu me le dire ? » Il était difficile de voir ses yeux maintenant, mais sa voix était éloquente.

Bien qu'il eût chevauché toute la journée, Alessan se tenait en selle avec une aisance propre à faire douter qu'il fût épuisé ou retenu captif. Mais, à ce moment, il leva la main droite et l'enfonça machinalement dans ses cheveux déjà passablement emmêlés, une seule fois. En le voyant accomplir ce geste si familier, Devin sut que l'homme dont il était le disciple était en proie à une émotion bien plus intense que la sienne.

Et, dans la quiétude du défilé, où les bruits se limitaient au sifflement du vent derrière les collines et au frémissement des chevaux sur l'herbe nouvelle, il entendit ces mots :

« Je suis Alessan de Tigane, fils de Valentin. Si tu as l'âge que tu parais, Naddo de Tigane, tu sauras qui je suis. »

Devin sentit sa nuque se raidir et frissonna malgré lui, car à cet instant Naddo tomba à genoux sur la terre froide avant même qu'Alessan ait fini sa phrase.

« Oh, mon prince ! » s'écria l'homme blessé d'une voix rauque. Et, se couvrant le visage de son bras valide, il se mit à pleurer.

« Un prince ? » fit Ducas à voix basse. Les hors-la-loi eurent un mouvement d'impatience. « Sertino, peux-tu m'expliquer ? »

Le regard de Sertino, le magicien, alla d'Alessan à Erlein, puis descendit vers l'homme blessé qui pleurait. Une expression curieuse, presque effrayée, passa sur son visage joufflu et pâle.

« Ils sont de Basse-Corte, dit-il. Cette province s'appelait autrement avant l'arrivée de Brandin d'Ygrath. Il a usé de sorcellerie pour oblitérer ce nom. Seuls les gens nés là-bas, et nous autres les magiciens, en raison de nos pouvoirs, pouvons encore l'entendre. Et c'est ce qui vient de se passer ici.

— Mais pourquoi Naddo l'a-t-il appelé " prince " ? »

Sertino demeura silencieux. Il se tourna vers Erlein, toujours avec ce même regard étrange et perplexe. « Est-ce vrai ? » demanda-t-il.

Et Erlein di Senzio, avec un petit sourire ironique, répondit : « S'il propose de te couper les cheveux, refuse, mon frère, sauf si tu as le goût de l'esclavage. »

Sertino en resta bouche bée. Ducas fit claquer son chapeau sur son genou. « Là, fit-il d'une voix cassante, je n'y comprends rien du tout. Il y a trop d'éléments qui m'échappent. Et vous allez me donner des explications, tous autant que vous êtes ! » Il parlait d'un ton courroucé et d'une voix plus forte. Mais il ne regarda pas Alessan cependant.

« Je comprends l'essentiel, moi », fit une voix derrière eux. C'était celle de Magian, le capitaine du groupe qui les avait poursuivis. Il fit avancer son cheval tandis que les autres se retournaient et le regardaient. « Je comprends que nous sommes sur le point de faire fortune. Si cet homme est prince d'une province haïe de Brandin, il nous suffit de le conduire à Fort-Forese, de l'autre côté de la frontière, et de le livrer aux Ygrathiens. Accompagné d'un magicien. Et, qui sait ? il y en aura sûrement un ou deux qui ne cracheront pas sur un jeune garçon dans leur lit. Surtout s'il sait chanter. » Avec le jeu des ombres, son sourire flottait, presque immatériel.

« Et il y aura une grosse récompense. De la terre. Peut-être même… »

Ce furent ses dernières paroles. Devin eut du mal à en croire ses yeux, mais il vit Magian ouvrir la bouche et écarquiller brièvement les yeux, puis il glissa lentement de son cheval et s'effondra tout près d'Erlein, dans un cliquetis d'épée et d'arc entrechoqués.

Un poignard à long manche lui sortait du dos.

Un des hors-la-loi quitta le rang juste derrière lui et, sans se presser le moins du monde, descendit de cheval puis retira le poignard. Il l'essuya consciencieusement sur le manteau de la victime avant de le ranger dans la gaine qui pendait à sa ceinture.

« L'idée n'était pas fameuse, Magian, dit-il posément en se relevant, tourné vers Ducas. Elle était même franchement mauvaise. Nous ne sommes pas des indicateurs et nous ne servons pas les tyrans. »

Ducas se claqua son chapeau sur la tête tout en cherchant manifestement à se dominer. Il inspira profondément. « Il se trouve que je suis d'accord, Arkin, dit-il. Mais il se trouve aussi que nous avons une règle sur l'emploi des armes contre l'un des nôtres. »

Arkin était très grand, presque dégingandé. Et, malgré la pénombre, Devin fut frappé par la pâleur de son long visage. « Je sais, Ducas, je sais, c'est du gâchis, pardonne-moi. »

Ducas ne disait rien. Les autres non plus. Devin regarda devant lui et surprit les deux magiciens qui se dévisageaient fixement au travers des ombres.

Arkin n'avait cessé de fixer Ducas.

Celui-ci rompit enfin le silence. « Tu as de la chance que je sois d'accord avec toi », dit-il.

Arkin hocha la tête. « Nous ne serions pas restés si longtemps ensemble, sinon. »

Alessan descendit élégamment de cheval. Il s'approcha de Ducas sans se soucier des flèches pointées sur lui. « Je crois savoir pourquoi vous poursuivez les Barbadiens, dit-il tranquillement. Je fais un peu la même chose à ma manière. » Il hésita. « Vous pouvez faire ce qu'a suggéré cet homme avant de mourir : me livrer aux Ygrathiens, et je pense, oui, qu'il y aura une récompense. Ou vous pouvez nous tuer ici même et vous débarrasser de nous. Ou encore nous laisser partir. Mais il reste une dernière possibilité, assez différente des autres.

— Laquelle ? » Ducas semblait avoir recouvré le contrôle de lui-même. Il parlait d'une voix calme, comme au début.

« Vous joindre à moi ; dans ce que je cherche à accomplir.

— À savoir ?

— Chasser les deux tyrans de la Palme avant la fin de l'été. »

Naddo releva la tête, l'œil brillant.

« Vraiment, monseigneur ? C'est possible ? Même après ce qui s'est passé ?

— Nous avons une chance, fit Alessan. Surtout en ce moment. Pour la première fois, nous avons une réelle opportunité. » Il se tourna vers Ducas. « Où es-tu né ?

— En Tregea, répondit l'autre au bout d'un moment. Dans les montagnes. »

Devin prit conscience du revirement qui s'était opéré : désormais, c'était Alessan qui posait les questions. Il eut un frisson d'exaltation : il se sentait plus optimiste, et fier aussi.

Le prince hocha la tête. « C'est bien ce que je pensais. Je connais l'histoire du capitaine aux cheveux roux – un certain Ducas – qui fut l'un des principaux chefs à Borifort, en Tregea, lorsque les Barbadiens mirent le siège. Après la chute du fort, on ne retrouva jamais sa trace. » Il hésita un instant. « Je n'ai pas pu m'empêcher de remarquer la couleur de tes cheveux. »

Les deux hommes avaient l'air d'appartenir à un tableau vivant, l'un à terre, l'autre sur son cheval. Et puis, brusquement, Ducas de Tregea eut un sourire.

« Du moins ce qu'il en reste », murmura-t-il ironiquement en repoussant son chapeau d'un large geste.

Il lâcha alors les rênes et balança la jambe par-dessus sa selle. Descendu de cheval, il se dirigea vers Alessan, paume de main ouverte. Le prince accueillit son sourire avec une courtoisie identique.

Devin faillit s'étouffer puis poussa un soupir de soulagement, avant d'acclamer les deux hommes en compagnie des vingt hors-la-loi qui bloquaient l'accès de ce sombre défilé du Certando.

Tandis que les acclamations redoublaient d'intensité, il ne put s'empêcher de remarquer que les deux magiciens étaient restés silencieux. Erlein et Sertino étaient parfaitement immobiles, raides sur leur chevaux, comme concentrés sur quelque chose d'invisible. Ils ne se quittaient pas des yeux et chacun arborait une expression lugubre.

Parce qu'il s'en était aperçu, parce qu'il était de ceux qui remarquent ces choses-là, Devin se tut aussitôt et leva la main pour calmer les autres.

Alessan et Ducas baissèrent leurs mains jointes et, petit à petit, tandis que le défilé retombait dans le silence, chacun regarda les magiciens.

« De quoi s'agit-il ? » demanda Ducas.

Sertino se tourna vers lui. « D'un pisteur. Au nord-est, pas très loin de nous. Je viens de faire une investigation. Il ne me trouvera pas cependant. Cela fait trop longtemps que je n'ai pas eu recours à la magie.

— Ce n'est pas mon cas, fit Erlein di Senzio. Je m'en suis servi pas plus tard que ce matin, au col du Braccio. Un petit sortilège de rien du tout, un écran de protection. De toute évidence, cela a suffi. Je suppose qu'un pisteur dans l'un des forts méridionaux m'aura repéré.

— Il y en a presque toujours, commenta Sertino.

— Et que faisiez-vous au col du Braccio ? interrogea Ducas.

— Nous cueillions des fleurs, répondit Alessan. Je t'expliquerai tout cela plus tard. Mais, présentement, nous devons nous occuper de ces Barbadiens. Combien y en aura-t-il en plus du pisteur ?

— Pas moins de vingt. Probablement davantage. Nous avons un campement dans un massif plus au sud. Le mieux serait peut-être de nous y rendre.

— Ils nous suivront, fit Erlein. J'ai laissé une trace. Le rayonnement de mon pouvoir va me suivre encore vingt-quatre heures au moins.

— Je n'ai pas très envie de me cacher de toute façon », déclara doucement Alessan.

Devin se tourna brusquement vers lui. Ducas aussi. Naddo se remit maladroitement debout.

« Que valent tes hommes, exactement ? » demanda Alessan. Sa voix et ses yeux gris lançaient un défi.

Et, dans les ombres du défilé complètement obscur maintenant, Devin aperçut les dents étincelantes du chef des brigands trégéens. « Ils valent assez pour venir à bout d'une vingtaine de Barbadiens. Nous n'en avons encore jamais affronté autant à la fois, mais nous n'avons encore jamais combattu aux côtés d'un prince non plus. Figurez-vous que, moi aussi, j'en ai assez soudain de me cacher», fit-il sur un ton méditatif.

Devin se tourna vers les magiciens. Il avait du mal à distinguer leur visage dans l'obscurité, mais Erlein déclara d'une voix cinglante : «Alessan, ce pisteur doit mourir sans tarder, sinon il transmettra une image de l'endroit où nous sommes à Alberico.

— Ce sera fait », dit posément Alessan. Et Devin perçut une inflexion nouvelle dans sa voix. La présence de quelque chose qu'il n'avait encore jamais entendu. Un instant plus tard, il comprit qu'il s'agissait de la mort.

Le manteau d'Alessan fut soulevé par une bourrasque. Il enfila consciencieusement sa cagoule.

Devin reçut un choc lorsqu'il s'avéra que le pisteur d'Alberico n'avait pas plus de douze ans.

Au sortir du défilé, ils dépêchèrent Erlein à l'ouest pour l'attirer, car c'était lui que le pisteur suivait. Sertino di Certando, l'autre magicien, ainsi que deux hommes l'accompagnaient, dont Naddo, le blessé, qui ne pouvait pas se battre mais voulait à tout prix se rendre utile. On avait retiré la flèche de son bras et confectionné un bandage sommaire. Il était manifestement handicapé, mais sa volonté d'ignorer ce handicap en la présence d'Alessan était plus manifeste encore.

Peu après, sous un ciel étoilé où brillait un croissant de Vidomni à l'est, les Barbadiens pénétrèrent dans le défilé. Ils étaient vingt-cinq sans compter le pisteur. Six d'entre eux portaient des torches, ce qui facilitait la tâche des autres, mais non la leur.

Alessan et Ducas, qui s'étaient postés sur les parois opposées du défilé, décochèrent chacun une flèche dans la poitrine du pisteur. Onze des mercenaires succombèrent sous une pluie de traits avant que Devin, avec Alessan et une demi-douzaine d'hommes, ne sortent au galop de leurs cachettes dans les cavités du défilé. Ils se placèrent en angle pour fermer l'issue vers l'ouest, au moment où Ducas et neuf autres de ses compagnons bouchaient l'autre accès, par lequel les Barbadiens étaient entrés.

Et c'est ainsi qu'en cette nuit de Quatre-Temps, à des lieues de son pays, Alessan, fils de Valentin et prince de Tigane, accompagné d'une bande de hors-la-loi des montagnes du Certando, livra la première vraie bataille de sa longue guerre du retour au pays. Après toutes ces années de préparatifs silencieux, au cours desquelles il avait usé de toute son intelligence pour influer sur le cours des événements, il leva son épée contre les forces d'un tyran dans un défilé au clair de lune.

L'heure n'était plus aux subterfuges, aux manœuvres en coulisses. Le moment était venu de livrer une vraie bataille.

Marius de Quileia lui avait fait une promesse ce jour-là, qui allait à l'encontre de la sagesse et de l'expérience, et dépassait toutes ses espérances. Et, grâce à cette promesse, le monde avait basculé. La longue attente avait pris fin. Il pouvait desserrer les liens rigides qui, pendant toutes ces années, avaient retenu son cœur. Ce soir-là, il pouvait tuer : en mémoire de son père et de ses frères et de tous les morts de la Deisa, et de ce qui s'était passé l'année suivante, quand il avait été décidé de le soustraire à une mort certaine.

On l'avait fait disparaître, on l'avait caché en Quileia, au sud des montagnes, où un certain Marius, alors capitaine dans la compagnie des gardes de la grande prêtresse, s'était engagé à prendre soin de lui. Un homme qui avait ses raisons d'adopter et de cacher un jeune prince des régions septentrionales. Il y avait presque dix-neuf ans de cela, et depuis il avait toujours vécu caché.

Il en avait assez de vivre caché. Le temps de la fuite était révolu ; celui de l'affrontement commençait. Certes, c'étaient des soldats barbadiens et non ygrathiens qui tiraient aujourd'hui l'épée contre lui, mais cela ne faisait pas grande différence. Les deux tyrans étaient indissociables. Depuis qu'il était revenu dans la péninsule avec Baerd, il n'avait cessé de le clamer. Cette vérité-là avait pris forme dans son cœur comme le métal sur la forge. Il fallait les éliminer tous deux ; à défaut, on n'aurait pas avancé d'un pas vers la liberté.

Et au col du Braccio ce matin-là le siège avait commencé. C'était lui qui avait pensé l'architecture de toute l'opération. Et ce soir, dans le défilé, il allait donner libre cours à ses passions contenues, au souvenir des pertes qu'il avait subies, et délier le bras qui tenait l'épée.

Devin, qui faisait son possible pour rester à la hauteur du prince, se dirigeait vers son premier combat avec un sentiment allant de la peur panique à l'euphorie. Contrairement aux hors-la-loi, lui ne criait pas ; il faisait un gros effort sur lui-même pour ignorer la douleur dans sa jambe blessée. Il tenait l'épée sombre que lui avait achetée Baerd la lame haute, comme il avait appris à le faire au cours des leçons matinales de l'hiver précédent – une époque qui lui semblait si lointaine au regard de ce qu'il s'apprêtait à vivre.

Il vit Alessan pénétrer dans le cercle des mercenaires en suivant une trajectoire aussi rectiligne que ses flèches, comme s'il souhaitait par cette réponse directe mettre un terme à toutes les années où pareille attitude lui était interdite.

Devin grinça des dents et suivit son prince avec frénésie. Il était seul cependant, à une demi-douzaine de longueurs derrière, lorsqu'un Barbadien à la barbe blonde surgit à côté de lui, tel un géant à cheval. Devin poussa un cri d'effroi. Seul un instinct de survie aveugle et les réflexes exceptionnels qui étaient les siens depuis toujours lui sauvèrent la vie. D'un coup sec, il tira son cheval sur la gauche, dans une alvéole qu'il venait de remarquer, puis, se penchant à droite, aussi près du sol que possible, il frappa de bas en haut de toutes ses forces. Une douleur aiguë dans sa jambe blessée faillit le déséquilibrer. Dans un souffle d'air, la lame du Barbadien passa où se trouvait encore la tête de Devin une fraction de seconde plus tôt. Celui-ci sentit alors son épée à la courbe vicieuse fendre l'armure de cuir du Barbadien et pénétrer dans sa chair.

L'homme émit un drôle de cri, comme un liquide en ébullition. Il oscilla violemment sur sa monture tandis que son épée lui échappait. Il porta une main à sa bouche en un geste enfantin inattendu. Puis, à la manière d'un sapin sur le point de basculer, il glissa sur le flanc et s'écrasa au sol.

Devin avait déjà dégagé son épée. Il fit décrire un cercle aussi serré que possible à son cheval et chercha un nouvel adversaire. Mais aucun ne se présenta. Alessan et les autres étaient devant, qui menaient la vie dure aux mercenaires pour essayer de faire la jonction avec Ducas, Arkin et leurs hommes qui, de l'autre côté, gagnaient du terrain.

La bataille touchait à sa fin. Devin n'avait plus rien à faire. En proie à un mélange d'émotions complexes qu'il n'essaya même pas de définir sur le moment, il vit le prince lever son épée à trois reprises et tuer trois Barbadiens. Les six torches tombèrent une à une et s'éteignirent. Finalement, il eut l'impression que le dernier des Barbadiens était mort alors que leur compagnie n'avait pénétré dans le défilé que quelques minutes plus tôt.

C'est à ce moment qu'il vit ce qu'il était advenu du pisteur et prit conscience de sa jeunesse. Le corps avait été odieusement piétiné dans le feu de l'action. Les membres disloqués décrivaient une posture inhumaine. Curieusement, son visage avait été épargné, ce qui, aux yeux de Devin, n'arrangeait rien du tout. Les deux flèches étaient encore fichées dans le corps de l'enfant, mais l'une s'était brisée.

Devin détourna le regard. Il flatta le cheval dont Aliénor lui avait fait don et lui murmura quelque chose.

Puis il s'obligea à retourner près de l'homme qu'il avait tué. La situation n'était pas la même que dans la grange des Nievolene, lorsqu'il avait assassiné ce soldat endormi. Cette fois il s'agissait d'une bataille rangée, le Barbadien portait une arme et une armure, il avait frappé de sa lourde épée dans l'intention de tuer Devin. Il ne se faisait aucune illusion sur le sort que le Barbadien et le pisteur leur auraient réservé s'ils étaient tombés sur Erlein, Alessan et lui en pleine montagne.

Non, la situation n'avait décidément rien à voir avec ce qui s'était passé dans la grange. Il se le répéta encore une fois, tandis qu'il prenait peu à peu conscience du calme étrange et troublant qui s'était abattu sur le défilé. Le vent soufflait toujours aussi glacial. Il leva les yeux et s'aperçut tardivement qu'Alessan s'était approché sans bruit sur sa monture et regardait lui aussi l'homme que Devin avait tué. Les deux chevaux trépignèrent et s'ébrouèrent : la frénésie qui s'était emparée des hommes et l'odeur du sang les avaient rendus nerveux.

« Devin, crois-moi, je suis sincèrement navré, murmura Alessan afin que personne d'autre ne pût l'entendre. La première fois est toujours la plus difficile, et je ne t'ai pas donné l'occasion de t'y préparer. »

Devin secoua la tête. Il se sentait vidé de toute substance, presque engourdi.

« Tu n'en as guère eu le loisir. Peut-être est-ce mieux ainsi. » Il s'éclaircit la gorge maladroitement. « Alessan, tu as des soucis autrement plus graves que ma petite personne. Et, à l'automne dernier, dans le bois des Sandreni, j'ai fait un choix ; personne ne m'a forcé. Tu n'es pas responsable de moi, Alessan.

— D'une certaine manière, si.

— Mais c'est sans importance. J'ai choisi librement.

— L'amitié n'aurait-elle aucune importance ? »

Devin resta silencieux parce qu'embarrassé. Alessan avait le chic pour vous désemparer de la sorte. Un moment plus tard, le prince ajouta, comme s'il venait juste de se faire la réflexion : « J'avais ton âge quand j'ai quitté la Quileia. »

Il parut sur le point d'ajouter autre chose, puis se ravisa. Devin avait une idée de ce que le prince voulait lui signifier, et quelque chose s'alluma en lui, comme une flamme intérieure.

Ils regardèrent le mort quelques instants de plus. Le croissant de Vidomni diffusait une pâle clarté, suffisante néanmoins pour mettre en évidence l'ébahissement et la douleur sur son visage.

« J'ai choisi librement et je comprends la nécessité de certains actes, mais je crois que je ne m'y ferai jamais, dit enfin Devin.

— Je ne suis jamais parvenu à m'y habituer non plus », fit Alessan. Il hésita. « L'un ou l'autre de mes frères auraient tellement mieux réussi que moi dans cette entreprise s'ils étaient encore en vie ! »

Devin se tourna vers lui et tâcha de lire l'expression de son visage dans la pénombre. « Je ne les ai pas connus, lui dit-il alors, mais m'autorises-tu à te dire que j'en doute ? Sincèrement, Alessan, j'en doute beaucoup. »

Le prince lui toucha l'épaule. « Merci. D'aucuns te contrediraient, je crains. Mais merci tout de même. »

Et, à ces mots, il parut se souvenir de quelque chose ; en liaison avec les propos qu'il venait de tenir peut-être. Sa voix changea.

« Il est temps de nous mettre en route. Je dois parler à Ducas, puis nous rattraperons Erlein et poursuivrons notre chemin ; nous sommes loin d'être arrivés. » Il observa Devin avec attention. « Tu dois être épuisé. Et j'aurais dû te demander comment va ta jambe. Es-tu en état de monter ?

— Tout va bien, s'empressa de répondre Devin. Je peux monter sans peine. »

Derrière eux, quelqu'un éclata d'un rire sardonique. Ils se retournèrent et comprirent alors qu'Erlein et les autres étaient revenus au défilé.

« À quoi t'attendais-tu donc ? demanda le magicien à Alessan sur un ton à la fois moqueur et blessant. À ce qu'il se déclare incapable de chevaucher ? Mais il tiendra toute la nuit s'il le faut, jusqu'à l'épuisement, pour toi. Et celui-là aussi, ajouta-t-il en désignant Naddo derrière lui, bien qu'il n'ait fait ta connaissance que depuis une heure. Alors, prince Alessan, quel effet cela te fait-il d'exercer un tel pouvoir sur le cœur des hommes ? »

Tandis qu'Erlein parlait, Devin s'était rapproché. Il s'abstint de tout commentaire néanmoins. Maintenant que toutes les torches étaient éteintes, il faisait trop sombre pour distinguer les visages. Il fallait se faire une opinion aux seules paroles et aux inflexions que prenaient les voix.

« Je pense que tu connais ma réponse sur ce point, dit calmement Alessan. Quoi qu'il en soit, je ne risque pas d'avoir une trop haute opinion de moi-même tant que tu seras là pour m'assener tes remarques. » Il fit une pause puis ajouta : « Toi, par contre, la Triade sait que tu ne risques pas de passer une nuit à cheval pour une autre cause que la tienne.

— Je n'ai de toute façon plus le choix en la matière. L'aurais-tu oublié ?

— Non. Mais je ne suis pas d'humeur à me quereller avec toi en ce moment, Erlein ; Ducas et ses hommes ont mis leurs jours en danger pour te sauver la vie. Si tu…

— Pour me sauver la vie ! Je ne courais pas le moindre danger avant que tu ne m'obliges à…

— Erlein, ça suffit ! Nous avons beaucoup à faire et l'heure n'est pas aux débats de ce genre. »

Malgré l'obscurité, Devin vit Erlein esquisser une révérence moqueuse sur son cheval. « Je vous demande humblement pardon, monseigneur, fit-il sur un ton grossièrement exagéré ; il faudra que vous me préveniez lorsqu'il vous siéra d'en débattre. Vous admettrez que la question est de la plus haute importance pour moi. »

Alessan resta silencieux un moment. Puis, d'une voix clémente, il ajouta : « Je devine l'origine de ta réaction. Et je la comprends. C'est la rencontre avec un autre magicien, n'est-ce pas ? En présence de Sertino, tu ressens davantage encore ce qui t'est arrivé.

— Ne fais pas semblant de me comprendre, Alessan ! rétorqua Erlein, furieux.

— Très bien, très bien, fit le prince sans se départir de son calme. Il se peut en effet que je ne comprenne jamais rien à ton personnage, ni à la manière dont tu as vécu jusqu'ici, je te l'ai dit le soir où nous nous sommes rencontrés. Mais pour l'instant la question est close. Je serai prêt à en reparler le jour où les deux tyrans auront quitté la Palme. Pas avant.

— Tu seras mort avant. Et moi aussi.

— Ne le touche pas, fit sèchement Alessan, qui venait de surprendre Naddo en train de lever son bras valide pour frapper Erlein. Si nous sommes morts avant, reprit-il d'une voix plus sereine, nos esprits pourront en débattre dans l'antichambre de Morian, Erlein. Mais, en attendant, qu'il n'en soit plus question. Nous allons avoir beaucoup à faire dans les semaines à venir. »

Ducas toussa. « À ce propos, toi et moi avons aussi besoin de parler. Il y a un certain nombre de choses que j'aimerais savoir si nous devons collaborer davantage encore, même si tu me vois satisfait de ce que nous avons accompli ce soir.

— Je sais, fit Alessan en se tournant vers lui dans l'obscurité. » Il eut une hésitation. « Voulez-vous m'accompagner jusqu'au village ? Toi et Naddo, je veux dire, à cause de son bras.

— Pourquoi ce village et quel rapport avec le bras de Naddo ? Je ne comprends pas, répliqua Ducas. Tu devrais savoir que nous sommes indésirables dans les villages. Tu devines pourquoi.

— En effet. Mais cela n'a pas d'importance une nuit de Quatre-Temps. Tu comprendras lorsque nous y serons. Viens. Je veux montrer quelque chose à mon ami Erlein di Senzio. Et je crois que Sertino ferait bien de se joindre à nous lui aussi.

— Je ne voudrais pas manquer cela pour tout le vin bleu d'Astibar », fit le magicien replet. Il était intéressant

– en d'autres temps, ils en auraient même souri – de constater qu'il se tenait toujours à distance prudente du prince. Il usait volontiers de facéties, mais toujours sur un ton terriblement sérieux.

« Eh bien, allons-y ! » fit Alessan d'un ton brusque. Il passa devant Erlein qu'il frôla presque et prit à l'ouest au sortir du défilé. Ceux qu'il avait nommés le suivirent. Ducas donna quelques ordres à Arkin sur un ton laconique, mais Devin n'entendit pas ce qu'il lui disait car il avait parlé à voix basse. Arkin hésita une seconde, visiblement déchiré : il aurait voulu suivre son chef. Mais sans un mot il fit faire demi-tour à son cheval. Devin jeta alors un coup d'œil derrière lui et vit les hors-la-loi qui fouillaient les Barbadiens pour leur prendre leurs armes.

Un peu plus tard, il se retourna et regarda par-dessus son épaule, mais ils avaient déjà débouché sur le plateau ; au sud on devinait les massifs montagneux dans l'ombre ; au nord s'étendait une plaine herbeuse. On ne discernait plus l'entrée de la trouée. Arkin et les autres ne s'attarderaient pas, Devin le savait. Seuls les défunts resteraient à la merci des charognards ; il avait tué l'un d'eux de ses mains, tandis qu'un enfant était mort sous ses yeux.

◆

Le vieillard était étendu sur son lit dans l'obscurité de cette nuit de Quatre-Temps et celle, plus terrible encore, de son infirmité. Incapable de dormir, il écoutait le vent dehors et la femme dans la pièce voisine, qui égrenait son chapelet en récitant la même litanie depuis des heures.

« Qu'Eanna nous accorde son amour, qu'Adaon nous protège et que Morian garde nos âmes. Qu'Eanna nous accorde son amour, qu'Adaon nous protège et que Morian garde nos âmes… »

Il avait l'ouïe très fine. C'était une compensation la plupart du temps, mais parfois, et c'était le cas ce soir, lorsque la femme priait comme une démente, c'était une malédiction aux effets insidieux. Elle avait pris son vieux chapelet ; il le savait au bruit léger et rapide des grains dans sa main, qu'il percevait même à travers la cloison entre leurs deux chambres. Il lui en avait fabriqué un autre pour l'anniversaire de sa dénomination, trois ans plus tôt, dans un bois rare et soigneusement poli. C'était celui-là qu'elle prenait le plus souvent, mais pas aux Quatre-Temps. Elle ressortait alors son vieux chapelet et priait à voix haute pendant la quasi-totalité des trois jours et des trois nuits.

Les premières années, il dormait dans la grange avec les deux garçons qui l'avaient conduit jusqu'ici, tant cette incessante litanie l'insupportait. Mais il avait vieilli, ses articulations craquaient et le faisaient souffrir les nuits de grand vent, aussi préférait-il encore rester dans son lit sous plusieurs épaisseurs de couvertures et supporter la voix de son mieux.

« Qu'Eanna nous accorde à jamais son amour, qu'Adaon nous préserve de tous les maux, que Morian garde nos âmes et nous protège. Qu'Eanna nous accorde… »

Les Quatre-Temps étaient l'époque où l'on se repentait, où l'on expiait, mais aussi où l'on rendait grâce à la Triade pour ses bienfaits. Le vieillard était cynique, il avait ses raisons de l'être, mais il n'était pas dépourvu de religion pour autant et il reconnaissait qu'en dépit d'une cécité qui durait depuis deux décennies maintenant sa vie n'était pas celle d'un indigent. Il avait longtemps été riche et proche du pouvoir. La Triade lui avait aussi prêté longue vie et des mains particulièrement douées pour le travail du bois. Il ne s'agissait que d'un jeu au début, d'un divertissement, mais depuis qu'ils étaient arrivés ici ce talent avait pris une tout autre valeur.

Il possédait également un autre don, mais peu de gens étaient au courant. S'il en avait été autrement, il n'aurait jamais connu la tranquillité dans ce village de montagne ; or il fallait qu'il menât une vie tranquille, parce qu'il se cachait. Encore aujourd'hui.

Le fait même d'avoir survécu à ce long voyage dans l'obscurité dix-sept ans plus tôt était une bénédiction unique en soi. Il ne se faisait aucune illusion : sans la loyauté de ses jeunes serviteurs, jamais il n'aurait survécu. Les seuls qu'ils lui aient permis de garder. Les seuls qui aient eu envie de rester.

Ils n'étaient plus si jeunes aujourd'hui, et ils avaient troqué le statut de serviteur contre celui d'agriculteur : ils cultivaient des terres en copropriété avec leur ancien maître. Il y avait longtemps qu'ils ne dormaient plus par terre dans la première fermette qu'ils avaient achetée, encore moins dans la grange, comme au tout début. Ils possédaient chacun une maison désormais, où ils dormaient en compagnie de leur femme et de leurs enfants.

Aucun d'eux n'aurait refusé de le laisser coucher chez lui pendant ces trois nuits pour lui permettre d'échapper au bourdonnement incessant de la femme dans l'autre pièce, mais il n'avait pas envie d'abuser de leur hospitalité. Ni pendant les Quatre-Temps, ni à aucun autre moment de l'année. Il respectait son propre code de bienséance et, d'ailleurs, il appréciait de plus en plus son lit à mesure que les années passaient.

« Qu'Eanna nous chérisse comme ses enfants, qu'Adaon nous protège comme ses enfants… »

Il était évident qu'il allait avoir du mal à trouver le sommeil. Il envisagea de se lever et de polir une houlette ou un arc, mais il savait que Menna l'entendrait et lui ferait payer cher pareille violation des lois sacrées, car nul n'était censé travailler les nuits de Quatre-Temps. Elle lui servirait du porridge trop liquide, du vin suri, ou bien pousserait la cruauté jusqu'à changer ses pantoufles de place.

« Elles traînaient et me gênaient », répondrait-elle à ses plaintes. Puis, quand le feu serait de nouveau permis, il aurait droit à de la viande carbonisée, à du khav imbuvable ou encore à du pain aigre. Pendant une semaine au moins, Menna lui rappellerait ses exigences. Après tant d'années passées ensemble, ils avaient des conventions tacites comme tout vieux couple, bien qu'il ne l'eût pas épousée.

Il n'avait pas oublié ses origines ni les convenances, même dans sa disgrâce présente. Qu'il fût désormais sans argent à des milles de chez lui n'y changeait rien. Il avait acheté les fermes avec l'or qu'il avait pris de cacher sur lui pendant ce long voyage dans l'obscurité, persuadé qu'il allait faire l'objet d'une poursuite qui s'achèverait dans un bain de sang.

Il avait survécu cependant, et les garçons aussi. Ils étaient arrivés dans le village un jour d'automne : trois étrangers débarquant au cours d'une période trouble, car partout dans la Palme des gens étaient massacrés ou déracinés pour que les deux tyrans pussent s'installer à leur aise. Mais ces trois-là s'étaient tirés d'affaire et, les bonnes années, ils étaient même parvenus à vivre de la terre qu'ils cultivaient. Le Certando venait de connaître quelques mauvaises saisons et il avait dû puiser dans sa réserve d'or, déjà passablement entamée ; mais qu'en aurait-il fait d'autre, à ce stade de son existence ?

À quoi bon garder ce pécule indéfiniment ? Menna et les deux jeunes garçons – plus si jeunes – hériteraient de lui. Il n'avait pas d'autre famille désormais. Il n'avait plus qu'eux et les rêves qui le hantaient encore la nuit.

C'était un homme cynique, autrefois témoin de bon nombre d'événements avant de perdre la vue, et après également, avec des modes de perception différents, mais il n'était pas désabusé au point d'oublier toute sagesse. Il savait que les exilés continuent de rêver de leur pays et que ceux qui subissent des torts irréparables n'oublient jamais vraiment. Il savait aussi qu'il n'était pas seul dans son cas.

« Qu'Eanna nous accorde son amour, qu'Adaon nous protège de… Que la Triade nous sauve ! »

Tout à coup, Menna se tut. Et, pour la même raison, le vieillard se redressa brusquement dans son lit en faisant une grimace, car son échine protestait violemment.

Tous deux avaient bien entendu : un bruit dehors, par une nuit de Quatre-Temps où chacun était censé rester chez soi.

Il tendit l'oreille ; il n'y avait pas à s'y tromper : c'était bien le son léger et délicat d'une flûte dehors, dans l'obscurité, qui passait au travers des murs. En se concentrant, le vieil homme perçut un bruit de pas. Il les compta. Puis, le cœur battant dangereusement, il sauta du lit et entreprit de s'habiller au plus vite.

« Ce sont les morts, se lamentait Menna dans la pièce voisine. Qu'Adaon nous protège de la vengeance des fantômes, qu'il nous garde du mal ! Qu'Eanna nous donne son amour ! Les morts en ont après nous ! Que Morian des Portes garde nos âmes ! »

En dépit de son agitation, le vieil homme prit le temps de remarquer que Menna, malgré sa peur, l'incluait dans ses prières. Il demeura sincèrement ému pendant un instant. Puis, avec regret, il s'apprêta à affronter la triste réalité : les deux prochaines semaines de son existence, sinon plus, allaient lui apporter les pires tourments domestiques.

Car il n'était pas question qu'il restât enfermé. Il savait exactement qui venait le voir. Il finit de s'habiller et prit sa canne préférée à côté de la porte. Il se déplaçait en faisant le moins de bruit possible, mais les murs n'étaient pas épais et Menna avait l'ouïe presque aussi fine que lui ; inutile de chercher à sortir à la dérobée. Elle saurait ce qu'il faisait et ne manquerait pas de lui en faire payer le prix.

Il avait déjà reçu semblables visites, aux Quatre-Temps comme à d'autres moments. Cela faisait bientôt dix ans que le manège durait. Sûr de ses pas dans la maison, il se dirigea vers la sortie et se servit de sa canne pour dégager le calfeutrage de la porte en le faisant rouler par terre. Puis il ouvrit et sortit. Menna s'était déjà remise à prier :

« Qu'Eanna me donne son amour, qu'Adaon me protège, que Morian garde mon âme... »

Le vieillard eut un sourire glacial. Deux semaines au moins. Du porridge sans consistance le matin. Du khav bouilli ou insipide. Des infusions amères. Il resta un moment immobile, un léger sourire aux lèvres, et respira l'air vif et piquant. Heureusement, le vent était quelque peu tombé et ses articulations le faisaient moins souffrir. En levant le visage vers la brise nocturne, il sentait presque le printemps.

Il referma soigneusement derrière lui et s'engagea dans le chemin qui menait à la grange en tapotant le sol de sa canne. Il voyait encore lorsqu'il avait sculpté cette canne. Il s'en était souvent servi au palais, un signe d'affectation dans une cour dissolue. Il ne se doutait pas qu'un jour il l'utiliserait de cette façon. Le pommeau représentait une tête d'aigle ; les yeux étaient sculptés dans leurs moindres détails, des yeux larges, féroces et provocateurs.

Peut-être parce qu'il venait de tuer pour la seconde fois de sa vie, Devin ne put s'empêcher de se rappeler cette autre vaste grange d'Astibar, théâtre d'un événement tragique l'hiver passé.

Celle-ci était beaucoup plus modeste. Elle n'abritait que deux vaches laitières et une paire de chevaux de trait. Elle était solide cependant, et l'odeur des animaux et de la paille propre la rendait chaleureuse. Les murs ne laissaient aucunement passer le vent, la paille venait d'être changée et le sol balayé ; le long du mur s'alignaient les outils, soigneusement rangés.

Devin savait que s'il n'y prenait pas garde cette grange risquait de le ramener beaucoup plus loin en arrière, à la ferme d'Asoli à laquelle il essayait de ne jamais penser. Il était fatigué, épuisé même, après les deux nuits blanches qu'il venait de passer, et donc plus vulnérable, plus enclin à se laisser bercer par les souvenirs. Son genou gauche le faisait terriblement souffrir, suite à l'entorse qu'il s'était faite le matin même ; très sensible au toucher, il avait doublé de volume. Il lui fallait marcher lentement et faire un réel effort pour ne pas boiter.

Aucun d'eux ne parlait. Aucun n'avait ouvert la bouche depuis qu'ils étaient arrivés à la lisière de ce village gros d'une vingtaine de maisons. Et, lorsqu'ils furent descendus de cheval pour continuer à pied, il n'entendit plus que le son de la flûte d'Alessan qui jouait en sourdine sa berceuse d'Avalle. Devin se demanda s'il était le seul à s'en souvenir ou si Naddo l'avait également reconnue.

Une fois dans la grange, Alessan avait continué de jouer, toujours aussi doucement. Cet air aussi semblait vouloir ramener Devin à sa famille. Il décida de résister : s'il se laissait aller dans l'état où il était, il finirait par se mettre à pleurer.

Il essaya d'imaginer l'effet que pouvait produire cette mélodie insaisissable et obsédante sur les gens blottis dans leurs maisons sans lumière en cette nuit de Quatre-Temps. Sûrement allaient-ils se persuader qu'il s'agissait d'un groupe de fantômes. Des morts errant au son d'un petit air oublié. Il se rappela Catriana chantant dans le bois des Sandreni :

Mais où que me mènent mes pas, de nuit comme de jour,
Dans les eaux des torrents, sous les hautes futaies,
Toujours mon cœur me ramènera
Le rêve des tours d'Avalle.

Il se demanda où elle pouvait bien se trouver. Ainsi que Sandre et Baerd. Les reverrait-il jamais ? Un peu plus tôt dans la soirée, tandis que les hors-la-loi le poursuivaient dans le défilé, il avait senti sa fin proche. Et maintenant, deux heures plus tard, ils avaient tué vingt-cinq Barbadiens avec l'aide de ces mêmes hors-la-loi, et trois d'entre eux les avaient accompagnés jusqu'à une grange inconnue où ils écoutaient Alessan jouer une berceuse.

Il ne s'habituerait jamais à l'étrangeté de l'existence, même s'il devait vivre cent ans.

Il entendit un bruit dehors, et la porte s'ouvrit. Devin se raidit malgré lui. Ducas de Tregea aussi, qui se mit à chercher instinctivement son épée. Alessan leva les yeux vers la porte mais ses doigts continuèrent à se déplacer sur la flûte comme si de rien n'était, et la musique ne s'arrêta pas.

Un vieil homme légèrement voûté, le visage ceint d'une crinière de cheveux blancs, se tenait sur le seuil ; il était éclairé de dos par la lune qui s'était soudainement dégagée. Il entra et referma la porte derrière lui avec sa canne. Ensuite la grange fut de nouveau plongée dans l'obscurité et il devint difficile de distinguer quoi que ce soit.

Personne ne dit mot. Alessan ne leva même pas les yeux une seconde fois. Tendrement, avec émotion, il termina la chanson. Devin le regardait jouer en se demandant s'il était le seul à savoir à quel point la musique importait au prince. Il pensa à ce qu'Alessan venait d'endurer ces dernières vingt-quatre heures et à ce qui l'attendait au terme de son voyage, et quelque chose de subtil et de complexe vit le jour dans son cœur tandis qu'il écoutait la fin nostalgique de la berceuse. Le prince posa sa flûte comme à regret. Il renonçait à son seul exutoire et endossait de nouveau le fardeau des soucis ; ces multiples soucis qui composaient son héritage, le prix du sang.

« Merci d'être venu, mon vieil ami, dit-il d'une voix sereine en s'adressant à l'homme dans l'embrasure de la porte.

— Tu as une dette envers moi, Alessan. Tu viens de me condamner à un mois de lait tourné et de viande avariée.

— C'est bien ce que je craignais », fit le prince dans l'obscurité. Devin décela de l'affection et une note d'amusement inattendue dans sa voix. « Menna n'a donc pas changé ?

— Menna, changer ? C'est tout bonnement impensable, ronchonna le vieillard. Tu es accompagné de gens nouveaux, et un de tes vieux amis n'est pas là. Que s'est-il passé ? Il se porte bien, au moins ?

— Très bien. Il doit se trouver à une demi-journée de cheval vers l'est. J'ai beaucoup de choses à te raconter, Rinaldo. Je ne suis pas venu sans raison.

— Je sais. Un de tes compagnons souffre d'une déchirure interne à la jambe. Un autre a été blessé par une flèche. Les deux magiciens ne sont guère satisfaits, mais je ne peux pas leur rendre les deux doigts qui leur manquent et aucun d'eux n'est malade. Le sixième homme a peur de moi, à tort. »

Devin n'en revenait pas. Ducas poussa un juron.

« Je veux des explications ! grogna-t-il, furieux. Je veux tout savoir ! »

Alessan éclata de rire. L'homme qu'il avait appelé Rinaldo aussi, plus discrètement. « Tu es un vieillard gâté et sans pitié, dit le prince qui riait toujours, et tu prends un malin plaisir à choquer les gens sans raison. Tu devrais avoir honte.

— Les sources de plaisir ne sont plus si nombreuses à mon âge, répliqua l'autre. Entends-tu m'interdire celle-ci ?... Tu as beaucoup de choses à me raconter, dis-tu ? Alors je t'écoute. »

Alessan cessa de rire. « J'ai eu un entretien dans ces montagnes ce matin.

— Justement, je me posais la question. Et que va-t-il en découler ?

— Tout, Rinaldo. Tout en découle. C'est pour cet été. Il a accepté. Nous aurons les lettres. Une à Alberico, l'autre à Brandin et la troisième au gouverneur du Senzio.

— Ah, fit Rinaldo. Le gouverneur du Senzio. »

Il n'avait pas levé le ton, et pourtant une excitation certaine transparaissait dans sa voix. Il avança d'un pas.

« Je craignais de ne pas vivre jusque-là. Alessan, allons-nous enfin passer à l'action ?

— Nous avons déjà commencé. Nous venons de livrer bataille : Ducas et ses hommes se sont joints à nous et nous avons tué un certain nombre de Barbadiens, ainsi qu'un pisteur qui poursuivait le magicien qui m'accompagne.

— Ducas ? Tu as bien dit Ducas ? » Le vieillard poussa une sorte de sifflement grave tout à fait incongru. « Je comprends pourquoi il a peur. Ce ne sont pas les ennemis qui te manquent dans ce village, mon ami.

— Je suis au courant, répondit sèchement Ducas.

— Rinaldo, fit Alessan, te souviens-tu du siège de Borifort, peu après l'arrivée d'Alberico ? Et de l'histoire de ce capitaine à la barbe rousse, un des chefs trégéens d'alors, qui est demeuré introuvable ?

— Ducas de Tregea. C'est lui ? » Et il siffla de nouveau. « Content de te rencontrer, capitaine. Encore que cette rencontre ne soit pas la première. Si mes souvenirs sont exacts, tu accompagnais le duc de Tregea quand je suis venu en visite officielle dans la province, il doit y avoir de cela une vingtaine d'années.

— Et d'où venais-tu ? » demanda Ducas qui s'efforçait manifestement de retrouver ses repères. Devin essayait d'en faire autant, sans plus de succès bien qu'il en sût davantage que l'homme à la barbe rousse. « De… la province d'Alessan ? risqua Ducas.

— De Tigane ? Mais bien sûr ! lança Erlein d'une voix hargneuse. Bien sûr que oui. C'est encore un petit seigneur de l'Ouest qui estime avoir été floué. Et c'est pour cela que tu m'as traîné ici, Alessan ? Pour me vanter le courage d'un vieillard ? Pardonne-moi, mais je ne trouve pas la leçon passionnante.

— Je n'ai pas entendu le début de ta remarque », dit Rinaldo d'une voix affable en s'adressant directement à Erlein.

Erlein se tut et regarda successivement Alessan puis l'homme près de la porte. Même dans l'obscurité, Devin lut la confusion sur son visage.

« Il a nommé ma province, expliqua Alessan. Tous deux pensent que tu es originaire de la même province que moi.

— C'est tout simplement de la calomnie », dit Rinaldo, placide. Il tourna brusquement sa belle tête vers

Ducas et Erlein. « Ma vanité ne connaissant pas de limites, je pensais que vous m'auriez reconnu maintenant. Je suis Rinaldo di Senzio.

— Di Senzio ? s'exclama Erlein, choqué au point de sortir de sa carapace. C'est impossible ! »

Il y eut un silence.

« Et qui est cet impertinent ? demanda Rinaldo à la ronde.

— Un magicien à mon service, je crains, répondit Alessan. Je me le suis attaché grâce au don que notre lignée de princes a reçu du dieu. Je t'en ai déjà parlé, me semble-t-il. Il s'appelle Erlein ; Erlein di Senzio.

— Ah, fit Rinaldo en expirant lentement. Je vois. Un magicien contraint à servir, et un Senzian qui plus est. Cela suffit à expliquer sa colère. » Il s'approcha de quelques pas en balayant le sol devant lui de sa canne.

C'est alors que Devin s'aperçut que Rinaldo était aveugle. Ducas le comprit au même moment :

« Vous avez perdu l'usage de vos yeux, dit-il.

— En effet, répondit tranquillement Rinaldo. Cela fera dix-sept ans ce printemps qu'à la suggestion des deux tyrans mon neveu a cru bon de m'en priver. J'avais eu l'outrecuidance de m'opposer à la décision de Casalia de renoncer à son statut de duc pour celui de gouverneur. »

Alessan fixait intensément Erlein tandis que Rinaldo s'expliquait. Devin suivit son regard. Le magicien paraissait plus désorienté que jamais.

« Je sais qui vous êtes maintenant, dit-il en bégayant presque.

— Bien entendu. Tout comme je te connais, pour avoir connu ton père. Je suis le frère du dernier véritable duc du Senzio et l'oncle de ce poltron, de ce déshonneur vivant, qui se fait appeler Casalia, gouverneur du Senzio. Autant j'étais fier du lien de parenté qui m'unissait au premier, autant j'ai honte du second. »

Erlein s'efforçait visiblement de retrouver son sang-froid. « Mais alors, dit-il, tu étais au courant des préparatifs d'Alessan. Il t'avait déjà parlé de ces fameuses lettres. Et, qui plus est, tu sais comment il va s'en servir et ce que cela signifie pour notre province. Et tu le soutiens ? Pire encore, tu l'aides !

— Tu n'es qu'un imbécile sans envergure, fit Rinaldo d'une voix dure comme la pierre, en détachant chaque mot pour donner plus de poids à son discours. Bien sûr que je l'aide. Comment viendrions-nous à bout des tyrans sinon ? Il ne subsiste pas d'autre champ de bataille dans la Palme aujourd'hui que notre pauvre Senzio, où Barbadior et Ygrath se tournent autour comme deux chefs de meute tandis que mon neveu, cette crapule, boit comme un trou et déverse sa semence dans les entrailles des putains. Et tu voudrais que la liberté soit chose facile, Erlein, fils d'Alein ? Tu t'attends à ce qu'elle te tombe du ciel comme les glands du chêne ?

— Il se croit libre, dit Alessan sans ménagements. Ou bien il pense qu'il le serait sans moi. Il prétendait l'être avant que nous nous rencontrions près d'une rivière du Ferraut, la semaine dernière.

— Alors je n'ai rien de plus à lui dire, fit Rinaldo di Senzio, soudain méprisant.

— Comment… comment avez-vous trouvé cet homme ? » demanda Sertino en se tournant vers Alessan. Le magicien du Certando se tenait toujours à l'écart du prince, remarqua Devin.

« J'ai passé douze années de ma vie et même plus à trouver des gens comme lui. Des hommes et des femmes originaires de ma province ou de la tienne, mais aussi d'Astibar, de la Tregea… de toute la péninsule. Des gens que je jugeais dignes de confiance, avec d'aussi bonnes raisons que moi de haïr les tyrans. Et une soif de liberté au moins égale à la mienne. Tous ont manifesté le désir d'être vraiment libres, ajouta-t-il en regardant à nouveau Erlein, et maîtres de notre péninsule. »

Il se tourna alors vers Ducas, un léger sourire aux lèvres. « Au fait, tu étais bien caché, l'ami. Je me doutais que tu étais encore en vie mais je ne savais pas où te trouver. Nous avons passé pas loin d'une année en Tregea et nous nous sommes enquis de ton sort, mais personne ne savait ou n'a voulu nous dire ce qu'il était advenu de toi. Il m'a fallu faire des prodiges ce soir pour que ce soit toi qui viennes me trouver. »

Ducas éclata d'un grand rire bruyant qui résonna dans sa carcasse. Puis il se calma et dit : « Je regrette seulement que ça ne se soit pas produit plus tôt.

— Moi aussi. Tu ne peux pas savoir à quel point. J'ai un ami qui va beaucoup t'apprécier, je pense, et réciproquement.

— Je risque de le rencontrer ?

— Au Senzio, avant la fin du printemps, si tout se passe bien. Si nous faisons en sorte que tout se passe bien.

— Alors tu ferais bien de commencer à nous expliquer ce que tu entends par " bien se passer ", dit Rinaldo, prosaïque. Laisse-moi m'occuper de tes deux blessés pendant que tu nous racontes ce que nous avons besoin de savoir. »

Il s'avança en tapotant le sol devant lui et s'arrêta près de Devin. « Je suis guérisseur, lui dit-il d'une voix grave et mesurée, sans aspérités. Ta jambe n'est pas en bel état, il faut faire quelque chose. Es-tu prêt à me laisser essayer ?

— Voilà pourquoi tu savais qui nous étions, fit Ducas d'une voix émerveillée. Je n'avais encore jamais rencontré de vrai guérisseur.

— Nous ne sommes pas très nombreux et nous préférons faire preuve de discrétion, répondit Rinaldo, ses yeux morts perdus dans le vide. C'était déjà le cas avant l'arrivée des tyrans, car ce don a ses limites et il y a un prix à payer. Maintenant, nous nous cachons pour les mêmes raisons que les magiciens ou presque : les tyrans ne demandent pas mieux que de nous capturer et de nous obliger à les servir jusqu'à l'épuisement.

— Ils peuvent vraiment vous y obliger ? » demanda Devin d'une voix enrouée. Il s'aperçut que c'étaient les premières paroles qu'il prononçait depuis longtemps. Il tressaillit rien qu'en imaginant de quoi il aurait l'air s'il devait chanter le soir même. Il ne se rappelait pas s'être jamais senti aussi épuisé.

« Bien sûr que oui, dit simplement Rinaldo. À moins que nous ne préférions mourir sur leurs roues. Le cas s'est déjà produit.

— J'aimerais bien connaître la différence entre cette contrainte et ce que cet homme m'a fait, déclara froidement Erlein.

— Et je ne demande pas mieux que de te l'apprendre, répondit Rinaldo du tac au tac. Dès que j'aurai fini mon travail. » S'adressant à Devin : « Il doit y avoir de la paille derrière toi. Allonge-toi, que je sente ce que je peux faire. »

Quelques instants plus tard, Devin était étendu sur le ventre dans un lit de paille. Avec des gestes prudents de vieillard, Rinaldo s'agenouilla près de lui. Le guérisseur se mit à frotter ses paumes l'une contre l'autre.

« Alessan, je suis sérieux, fit Rinaldo par-dessus son épaule. Tu peux me parler pendant que je travaille. Commençons par Baerd. J'aimerais bien savoir pourquoi il n'est pas avec toi.

— Baerd ? s'écria une voix. C'est lui l'ami dont tu nous parles ? Baerd, fils de Saevar ? » C'était le blessé, Naddo, qui venait de poser ces questions. Il s'approcha de la paille d'un pas mal assuré.

« C'est bien le fils de Saevar en effet, dit Alessan. Tu as connu Baerd ? »

Naddo paraissait complètement égaré, au point qu'il avait du mal à parler. « Si je l'ai connu ? Et comment ! J'ai été le... le... » Il avala péniblement sa salive. « J'ai été le dernier apprenti de son père. J'aimais Baerd comme... comme un grand frère. Je... nous nous sommes quittés brutalement. Je suis parti l'année qui a suivi la chute.

— Lui aussi, fit doucement Alessan en posant une main sur l'épaule tremblante de Naddo. Peu après toi. Je sais qui tu es maintenant, Naddo. Il m'a souvent parlé de la manière dont vous vous étiez séparés. Je peux te dire qu'il en a été affligé. Et qu'il l'est encore. Je pense qu'il te le dira lui-même lorsque vous vous reverrez.

— C'est l'ami dont tu nous as parlé ? demanda Ducas.

— En effet.

— Il t'a parlé de moi ? fit Naddo d'une voix suraiguë qui trahissait son étonnement.

— C'est vrai. »

Alessan souriait à nouveau. Devin, épuisé comme il l'était, trouva encore l'énergie pour en faire autant. L'homme qui leur parlait avait des accents de petit garçon.

« Est-ce que vous… est-ce qu'il sait ce qu'est devenue sa sœur, Dianora ? » demanda Naddo.

Alessan cessa de sourire. « Non. Cela fait douze ans que nous la cherchons. Nous avons interrogé tous les survivants que nous avons pu rencontrer partout dans la Palme. Tant de femmes s'appellent ainsi ! Elle-même s'en est allée peu après que Baerd fut parti à ma rencontre. Personne ne sait pourquoi elle est partie ni où elle s'est dirigée, et leur mère n'a pas survécu longtemps. C'est… la perte de ces deux êtres, la plus profonde blessure qu'a jamais reçue Baerd. »

Naddo se taisait ; un instant plus tard, ses compagnons s'aperçurent qu'il faisait un immense effort pour ravaler ses larmes. « Je comprends cela, dit-il enfin d'une voix cassée. C'est la jeune fille la plus courageuse que j'ai jamais rencontrée ; la femme la plus courageuse. Et, même si elle n'était pas franchement belle, elle était si… » Il s'interrompit un instant, le temps de se ressaisir ; puis il ajouta d'une voix calme : « Je crois que j'étais amoureux d'elle. J'en suis sûr. J'avais treize ans alors.

— Si l'amour des déesses et du dieu nous accompagne, il reste encore une chance de la trouver. »

Devin ignorait tout cela. Il y avait tant et tant de choses qu'il ignorait. Il avait envie de poser une foule de questions, plus encore que Ducas. Mais, à ce moment, Rinaldo qui était agenouillé près de lui cessa de se frotter les mains et se pencha vers lui.

« Tu as grand besoin de repos, murmura-t-il d'une voix si ténue que personne n'entendit. Tu as autant besoin de sommeil que ta jambe de soins. » Tout en parlant, il posa une main sur le front de Devin, et le jeune homme, en dépit de toutes les questions qu'il se posait et de toutes les perturbations qui l'avaient assailli, eut soudain l'impression qu'il dérivait, comme sur une vaste mer d'huile, vers la côte du sommeil, loin de l'agitation des hommes, de leurs voix, de leurs difficultés et de leurs chagrins. Et il n'entendit plus rien d'autre cette nuit-là.

CHAPITRE 15

Trois jours plus tard, un peu après l'aube, ils passaient la frontière au sud des deux forts, et Devin pénétrait en Tigane pour la première fois depuis que son père l'en avait emmené dans sa plus tendre enfance.

Seuls les musiciens les plus nécessiteux se risquaient en Basse-Corte, des troupes redoublant de malchance et prêtes à tout pour obtenir un contrat, même fort mal payé et devant un public lugubre. Cela faisait pourtant longtemps maintenant que les deux tyrans avaient conquis la péninsule, mais aucun musicien itinérant n'avait oublié que la Basse-Corte était synonyme de malchance et de gages minables, sans compter qu'on courait toujours le risque de s'attirer le mécontentement des Ygrathiens, soit à l'intérieur de la province, soit à la frontière.

Tous connaissaient l'histoire de cette province : les habitants avaient tué le fils de Brandin ; victimes d'une répression sévère et brutale, ils ne cessaient de payer de leurs personnes et de leurs biens depuis. Cela ne contribue pas à créer un climat de convivialité, s'accordaient à dire les artistes ambulants qui discutaient de la situation dans les tavernes ou les hospices du Ferraut et de la Corte. Seuls les affamés et les néophytes se risquaient à accepter des contrats peu lucratifs et hasardeux dans la triste province du Sud-Ouest. Au moment où Devin était entré dans la troupe de Menico, celui-ci avait déjà une longue expérience de la route et une réputation suffisamment établie pour éviter cette province entre toutes. D'autant plus que la sorcellerie y sévissait couramment ; nul ne savait exactement sous quelle forme, mais les gens de la route étaient enclins à la superstition et ceux qui avaient le choix ne s'aventuraient guère là où s'exerçaient des pouvoirs magiques. Chacun connaissait les problèmes qu'on pouvait rencontrer en Basse-Corte. Tous en avaient entendu parler.

Ainsi, c'était le premier séjour de Devin. Pendant les dernières heures de leur longue chevauchée nocturne, il avait guetté l'instant du franchissement ; ils avaient laissé Fort-Sinave au nord peu avant, la frontière ne pouvait donc pas être bien loin ; de l'autre côté se trouvait son pays.

Alors qu'une aube pâle se levait à l'horizon, ils avaient atteint la ligne de tumulus qui marquait la frontière au nord et au sud des deux forts et, tout en regardant le plus vieux des monolithes, un grand bloc de pierre rendue lisse par l'usure, franchi la frontière et pénétré en Tigane.

À sa grande consternation, Devin découvrit qu'il ignorait qu'en penser et comment réagir. Il se sentait en proie à la dispersion et à la confusion. Une heure plus tôt, en apercevant les lumières de Fort-Sinave au loin, il s'était mis à trembler inconsidérément, tandis que son imagination travaillait sans relâche. Et dire que dans une heure je serai chez moi, se disait-il. Dans le pays où je suis né.

Maintenant qu'il venait de dépasser le tumulus et chevauchait vers l'ouest, il ne pouvait s'empêcher de scruter les alentours ; il fouillait littéralement le paysage tandis qu'un long ruban de lumière se déployait lentement dans le ciel, puis au sommet des collines et des arbres, pour baigner d'une clarté printanière tout ce qui entrait dans le champ de vision du jeune homme.

Le paysage n'était pas très différent de celui qu'ils avaient traversé ces deux derniers jours : vallonné, avec au sud d'épaisses forêts le long des pentes et, au-delà, les montagnes. Il vit un chevreuil lever la tête après avoir bu dans le torrent. L'animal s'immobilisa un instant, les regarda, puis parut se souvenir qu'il était censé s'enfuir.

Au Certando aussi ils avaient vu des chevreuils.

C'est mon pays, se répétait Devin, dans l'attente d'une réaction qui, s'imaginait-il, aurait dû lui venir tout naturellement. C'était là que son père avait rencontré sa mère et l'avait épousée ; c'était là que ses frères et lui étaient nés ; c'était de là aussi que son père avait fui en direction du nord, jeune veuf, père de très jeunes enfants, pressé d'échapper à la colère meurtrière d'Ygrath. Devin essaya de se représenter la scène : un coucher de soleil pourpre, assombri par la fumée et les incendies à l'horizon ; son père dans la charrette, qui le tenait dans ses bras tandis que chacun à leur tour les jumeaux s'asseyaient sur le siège à côté de lui, ou à l'arrière, avec leurs maigres possessions.

Sans qu'il sût précisément pourquoi, l'image ne lui paraissait pas tout à fait juste ; ou du moins singulièrement irréelle ; trop facile. Pourtant elle était peut-être exacte, parfaitement conforme à la réalité, sans que Devin le sût. Il n'avait pas les moyens de savoir. Il n'avait gardé aucun souvenir, ni de leur départ ni de ce paysage. Pas de racines, pas d'histoire. Il était chez lui sans l'être vraiment. Ce n'était pas même la Tigane qu'ils traversaient ; six mois plus tôt, il ne connaissait même pas ce nom, encore moins les histoires, les légendes, l'histoire de son passé.

Cette province n'était autre que la Basse-Corte ; c'est sous cette appellation qu'il en avait toujours entendu parler depuis son enfance.

Il secoua la tête ; il se savait tendu, profondément perturbé. Erlein, un sourire ironique aux lèvres, se tournait vers lui, ce qui n'eut pour effet que de renforcer sa nervosité. Alessan était devant, tout seul. Il n'avait pas prononcé une parole depuis la frontière.

Lui au moins avait des souvenirs. D'une manière inexplicable, un peu perverse même, Devin lui enviait ces souvenirs, aussi douloureux fussent-ils : des images enracinées ici, irrévocables, modelées par ce pays et qui faisaient que c'était vraiment son pays.

Ce qu'Alessan se rappelait, ce qu'il éprouvait, n'avait rien d'un fantasme : il s'agissait de visions crues, brutalement réelles, la trame bafouée de son existence. Tout en chevauchant par cet extraordinaire matin de printemps, au son joyeux des chants d'oiseaux, Devin essayait d'imaginer ce que pouvait ressentir son prince. Il s'en croyait capable sans l'être vraiment. Il dut admettre qu'il se contentait de deviner. Entre autres considérations – mais n'était-ce pas la première de toutes ? –, Alessan se dirigeait là où se mourait sa mère. Il n'y avait donc rien d'étonnant à ce qu'il eût fait passer son cheval en tête et décidé de se taire.

Lui en a le droit, songeait Devin en regardant le prince chevaucher devant lui, le dos droit, l'esprit indépendant. Il a droit à la solitude, à tout ce qui peut l'aider à porter son fardeau. Ce qu'il porte sur ses épaules, c'est le rêve de tout un peuple, et ce peuple, dans sa grande majorité, n'est même pas au courant.

Et, tout en raisonnant de la sorte, il sortit de sa propre confusion, de sa difficile adaptation au lieu où il se trouvait. Le fait de se concentrer sur les problèmes d'Alessan lui permit de raviver son propre enthousiasme, la réponse intérieure latente à ce qui s'était passé et continuait de se passer jour après jour dans cette province pillée, puis mise à feu et à sang, qu'on appelait la Basse-Corte.

Mais, au fond de lui, dans sa tête comme dans son cœur, Devin savait, pour avoir passé l'hiver à réfléchir et à écouter en silence des hommes plus âgés et plus expérimentés que lui, qu'il n'était ni le premier ni le dernier à trouver en un seul homme les caractéristiques et la détermination lui permettant d'accéder à un amour tellement plus difficile : celui d'une abstraction ou d'un rêve.

Et c'est alors, en observant la bande de terre qui s'étalait sous la voussure du ciel bleu, que Devin sentit quelque chose faire vibrer ses cordes sensibles comme celles d'une harpe. Comme si lui-même s'était fait harpe. Il prit conscience des sabots de son cheval qui tambourinaient sur la terre dure, juste derrière le prince, en harmonie avec la harpe.

Ils allaient à la rencontre de leur destin, qu'il se représentait aussi coloré que les tentes sur la plaine des Jeux de la Triade tous les trois ans. Ce qu'ils faisaient était de la plus haute importance, susceptible de modifier le cours de l'histoire. Ils étaient au cœur des événements de leur époque. Devin se sentit entraîné, soulevé par un raz-de-marée, emporté dans le tourbillon du futur. Dans ce qui allait constituer la quintessence de son existence.

Erlein lui jeta un nouveau coup d'œil, et cette fois Devin lui sourit. Un sourire noir, presque féroce. Il vit le magicien se départir de son ironie naturelle ; une lueur d'hésitation passa sur son visage émacié. Une fois de plus, Devin eut presque pitié de lui.

Obéissant à un réflexe, il approcha sa monture du cheval brun d'Erlein et se pencha pour lui toucher l'épaule.

« Nous allons y arriver », dit-il d'une voix radieuse, presque gaie.

Le visage d'Erlein se ferma aussitôt et il prit un air pincé. « Tu n'es qu'un imbécile, dit-il sèchement. Un jeune imbécile doublé d'un ignorant. » Il ne paraissait pas convaincu cependant ; une fois de plus, il avait répondu de manière presque instinctive.

Devin éclata de rire.

Plus tard, il se souviendrait aussi de cet instant, de ses paroles et de celles d'Erlein, de son rire sous le beau ciel bleu sans nuages. Ainsi que des forêts et des massifs montagneux sur leur gauche. Alors, devant eux mais encore loin, apparurent les premières images du Sperion, un ruban scintillant qui se déroulait prestement vers le nord avant d'amorcer sa courbe vers l'ouest et vers la mer.

◆

Le sanctuaire d'Eanna, au cœur d'une haute vallée, était à la fois dissimulé et protégé par une couronne de collines au sud et à l'ouest du Sperion et de l'ancienne ville d'Avalle, non loin de la principale voie d'échanges entre la Tigane et la Quileia, laquelle passait par l'ensellement haut perché du col de Sfaroni.

Dans chacune des neuf provinces, les prêtres d'Eanna et de Morian et les prêtresses d'Adaon possédaient des établissements semblables. Construits sur des sites isolés de la péninsule, trop isolés parfois, ils servaient de centres d'études et de formation pour les membres du clergé nouvellement initiés, de monastères chargés de préserver la sagesse et le canon de la Triade, de lieux de retraite où les prêtres et les prêtresses qui le désiraient pouvaient oublier l'agitation et les charges du monde pour quelque temps, voire pour toujours.

Et pas seulement le clergé. Des laïcs en faisaient parfois autant, s'ils avaient les moyens d'apporter une « contribution » jugée suffisante pour le privilège de séjourner quelques jours ou quelques années dans l'enceinte de ces retraites.

On se rendait dans les sanctuaires pour maintes raisons. Cela faisait longtemps que les habitants de la Palme plaisantaient sur les talents de sages-femmes des prêtresses d'Adaon, si nombreuses étaient les filles de familles distinguées ou tout simplement aisées qui, dans certaines circonstances, choisissaient de se retirer dans un des sanctuaires du dieu plutôt que de mettre leurs familles dans l'embarras. Et, de même, il était de notoriété publique qu'un pourcentage élevé de membres du clergé était constitué d'enfants que ces mêmes jeunes filles laissaient derrière elles avant de réintégrer leur famille. Les bébés de sexe féminin restaient au sanctuaire d'Adaon, tandis que les garçons partaient chez Morian. Les prêtres en robe blanche qui servaient Eanna s'étaient toujours défendus de telles pratiques, mais certaines histoires démentaient leurs démentis.

L'arrivée des tyrans n'avait pas changé grand-chose à cet état de fait. Ni Brandin ni Alberico n'était assez fou ni malavisé pour se mettre le clergé à dos ; les prêtres et prêtresses purent poursuivre leurs activités comme avant, et les habitants de la Palme leur pratique religieuse, laquelle paraissait bizarre, primitive même, aux nouveaux dirigeants d'outremer.

Par contre, les deux tyrans tentèrent avec plus ou moins de succès de monter les temples rivaux les uns contre les autres dès qu'ils eurent constaté – comment auraient-ils pu faire autrement ? – les tensions et l'hostilité qui agitaient et parfois même enflammaient les trois ordres de la Triade. Il n'y avait là rien de très nouveau : des générations de ducs, grands-ducs et princes de la péninsule avaient essayé de tirer parti de ces frictions. Bien des choses avaient changé au fil des ans, certaines étaient devenues méconnaissables, d'autres avaient disparu ou étaient tombées en désuétude, mais pas ce jeu de pouvoir. Pas ce ballet subtil exécuté conjointement par le clergé et l'État.

Aussi les temples étaient-ils toujours debout. Les plus importants continuaient d'exhiber en toute impunité leur or et leurs métaux précieux, leurs statues et leurs surplis brodés au fil d'or pour les offices. À une exception près : en Basse-Corte, où les statues et l'or avaient été pillés, les livres saccagés ou brûlés. Mais cela relevait d'un autre processus et, quelques années après l'installation des tyrans, on avait cessé d'en parler. Même dans une province plongée dans les ténèbres comme l'était celle-ci, le clergé continuait de mener une vie réglée comme une horloge, aussi bien en ville que dans les sanctuaires.

Ces lieux de retraite voyaient défiler toute une palette d'hommes et de femmes, et non seulement des jeunes filles accablées par une grossesse non désirée ; dès qu'apparaissait un conflit, intérieur ou extérieur, les résidents de la Palme évoquaient ces établissements perchés sur des aires abruptes et enneigées, ou à demi perdus dans des vallées brumeuses.

Les gens le savaient, moyennant une certaine somme ils pouvaient fuir le monde et se fondre dans le rythme soigneusement modulé de la vie des sanctuaires tels que celui d'Eanna au fond de sa vallée. Pour un temps du moins. Pour le reste de leur vie s'ils le souhaitaient. Quel qu'ait été leur rang ou leur statut dans les villes au-delà des collines.

Pour quelque temps ou pour toute une vie, songeait la vieille dame en regardant par la fenêtre de sa chambre la vallée dans la clarté printanière. Elle n'avait jamais pu s'empêcher de songer au passé ; un passé si riche comparé à sa vie présente, laquelle se résumait à une descente interminable vers l'ultime fin. Les saisons tombaient les unes après les autres comme des oiseaux atteints au poitrail par une flèche, rapprochant lentement mais inexorablement de sa conclusion cette vie qui était la sienne, la seule qu'elle aurait jamais.

Toute une vie passée à se souvenir, en toutes circonstances : dès l'aube, au cri du courlis ou lors de l'invitation à la prière, et jusqu'au crépuscule, à la lumière de la bougie ; devant la fumée qui montait de la cheminée, droite et noire dans la lumière grise et blafarde de l'hiver ; au bruit de la pluie battante sur les toits à la fin de l'hiver, dans les craquements de son lit la nuit, au son de la voix monocorde du prêtre pendant la prière, devant une étoile échouée à l'orient d'un ciel d'été, dans le froid impitoyable des Quatre-Temps… un souvenir à chaque mouvement qu'elle-même ou le monde décrivait, à chaque bruit, chaque nuance de couleur, chaque parfum transporté par le vent qui soufflait dans la vallée. Le souvenir de tout ce qu'elle avait perdu avant d'être conduite ici, parmi les prêtres en robe blanche avec leurs rites interminables et leurs mesquineries non moins interminables, avec leur acceptation de ce qui leur était arrivé à tous.

Ce qui, d'ailleurs, avait bien failli lui coûter la vie les premières années et la précipitait aujourd'hui vers sa fin, avait-elle répété à Danoleon pas plus tard que la semaine dernière, et non pas, comme le prétendait le prêtre médecin, certaine tumeur au sein.

Ils lui avaient trouvé un guérisseur à l'automne, un personnage anxieux, fébrile, dégingandé et voûté, aux mouvements saccadés, au teint empourpré. Il s'était assis à côté d'elle et l'avait examinée ; elle-même avait constaté qu'il possédait un don, car son agitation s'était calmée tandis que son teint s'éclairait. Et quand il posait les mains sur elle, ici ou là, sa main était ferme et la douleur disparaissait au profit d'une lassitude qui n'avait rien de désagréable.

Il avait secoué la tête en fin de séance, et elle avait lu dans ses yeux pâles un chagrin qu'elle n'aurait jamais soupçonné, bien qu'il ignorât son identité. Sans doute était-il triste de perdre un patient, de se sentir vaincu, indépendamment de l'identité du malade.

« Je n'y survivrais pas, dit-il calmement. Vous êtes à un stade trop avancé. Je mourrais sans pouvoir vous sauver. Il n'y a rien que je puisse faire.

— Vous me donnez combien de temps ? » s'était-elle contentée de demander.

Six mois, lui avait-il répondu, peut-être moins ; cela dépendait si elle était forte ou pas.

Forte ? Elle l'était. Plus qu'ils ne le pensaient ; seul Danoleon, qui la connaissait depuis beaucoup plus longtemps que les autres, savait à quel point. Elle renvoya le guérisseur, puis Danoleon, et enfin le seul serviteur que les prêtres avaient autorisé à la femme qu'ils connaissaient comme la veuve d'un propriétaire terrien au nord de Stévanie.

Le hasard voulait qu'elle eût effectivement connu celle dont elle avait pris l'identité : il s'agissait d'une dame d'honneur à la cour de Valentin. Une jeune femme à la chevelure blonde et aux yeux verts, spontanée et naturellement enjouée : Melina, fille de Tonaro. Au bout d'une semaine de veuvage et même moins, elle s'était donné la mort dans le palais de la Mer à l'issue de la seconde bataille de la Deisa.

Cette supercherie participait d'une nécessité de masquer sa véritable identité ; c'était Danoleon qui en avait eu l'idée, quelque dix-neuf années plus tôt. On allait la rechercher, le garçon aussi, avait déclaré le grand prêtre. Il était sur le point d'emmener l'enfant, qui serait bientôt en sécurité ; désormais c'était lui qui portait tous leurs rêves ; il resterait leur seul espoir tant qu'il vivrait. À l'époque, elle était blonde elle aussi. Tout cela s'était passé tant d'années auparavant. Elle avait pris le nom de Melina, fille de Tonaro, pour venir au sanctuaire d'Eanna niché dans cette haute vallée au-dessus d'Avalle.

Au-dessus de Stévanie.

Et, là, elle avait attendu. Guettant les changements de saison au cours d'années toutes semblables. Attendant que le garçon devînt un homme comme son père avant lui, ou ses frères, et fît ce qu'un descendant en ligne directe de Micaela et du dieu se devait de faire.

Elle avait attendu. Saison après saison ; des oiseaux atteints par une flèche et qui tombaient du ciel.

Jusqu'à l'automne dernier, quand le guérisseur lui avait livré cette vérité dure et froide qu'elle avait déjà devinée. Six mois, avait-il dit. Si elle était forte.

Elle les avait tous fait sortir et s'était allongée sur son lit de fer pour contempler les feuilles sur les arbres de la vallée. C'était l'époque où elles changent de couleur. Cette saison avait toujours été sa préférée. Celle où elle avait eu le plus de plaisir à monter à cheval, jeune fille d'abord, puis femme. Elle s'était alors dit que c'était là son dernier automne, ses dernières feuilles d'automne.

Détournant son esprit de telles pensées, elle s'était mise à compter les jours. Les jours et les mois, outre le nombre des années. Elle avait refait le calcul une seconde fois, puis une troisième, pour être plus sûre. Elle n'avait rien dit à Danoleon alors. Il était encore trop tôt.

Elle attendit la fin de l'hiver ; les arbres étaient entièrement dépouillés et la glace commençait juste à fondre des avant-toits quand elle fit venir le grand prêtre et lui donna ses instructions quant à la teneur de la lettre qu'elle voulait qu'on envoyât à l'endroit où, eux seuls le savaient, son fils se trouverait aux Quatre-Temps qui marquent le début du printemps ; elle avait fait le calcul. Et l'avait dûment vérifié ; à plusieurs reprises.

Le choix du moment ne devait rien au hasard non plus. Elle savait que Danoleon allait protester, essayer de la dissuader, parler de dangers et de prudence. Mais il n'avait pas vraiment d'arguments convaincants à lui opposer, elle le savait à la manière dont il agitait vainement ses grandes mains et promenait ses yeux bleus dans la chambre, comme s'il cherchait un raisonnement sur les murs nus. Elle attendit patiemment qu'il rencontrât son regard, persuadée qu'il finirait par la regarder en face, et elle le vit hocher lentement la tête en signe d'acceptation.

Comment aurait-il pu refuser à une mère mourante de porter un message à son seul fils encore en vie ? Une lettre où elle le suppliait de venir lui faire ses adieux avant qu'elle arrivât chez Morian ? Et plus encore quand cet enfant, qu'il avait lui-même emmené de l'autre côté des montagnes tant d'années auparavant, était le dernier lien avec son passé, avec ses propres rêves brisés et la fin des rêves de son peuple ?

Danoleon promit d'écrire la lettre et de la faire porter. Elle le remercia et se rallongea dans son lit. Elle était lasse, elle souffrait. Mais elle tenait bon. Cela ferait exactement six mois dans la semaine qui suivrait les Quatre-Temps de printemps. Elle avait compté les jours. Elle serait encore en vie s'il venait la voir. Or il viendrait ; elle le savait.

La fenêtre était légèrement entrouverte bien qu'il fît encore froid. Dehors, la neige s'étalait en couches régulières au fond de la vallée et le long des pentes. Elle y posa le regard, mais ses pensées, de manière inattendue, étaient tournées vers la mer. Les yeux secs, car elle n'avait pas pleuré depuis la chute, pas même une fois, elle remonta dans ses souvenirs lointains : elle se trouvait dans un palais, les vagues se brisaient sur le sable blanc de la grève et déposaient des coquillages, des perles et d'autres cadeaux encore sur la plage incurvée.

Ainsi Pasithea de Tigane, fille de Serazi, autrefois princesse dans un palais près de la mer, mère de deux fils disparus et d'un troisième qui vivait encore, attendait tandis qu'à proximité des montagnes l'hiver cédait la place au printemps.

◆

« Deux choses à vous rappeler, dit Alessan. La première, c'est que nous sommes des musiciens ; une troupe nouvellement constituée. La seconde, c'est de ne pas m'appeler par mon nom. Pas ici. » Il parlait de cette voix hachée, sans chaleur, que Devin l'avait entendu prendre la nuit où tout avait commencé pour lui, dans le pavillon Sandreni.

Ils étaient en surplomb d'une vallée orientée à l'ouest, sous un clair soleil de début d'après-midi. Le Sperion coulait derrière eux. Ils avaient suivi des heures durant une route en lacets, irrégulière et étroite, qui permettait d'accéder au sommet d'une succession de collines. Et maintenant la vallée se déroulait sous leurs yeux : ici et là, l'herbe et les arbres laissaient voir de petites touches de vert tendre. Un affluent aux eaux gonflées par la fonte des neiges prenait la direction du nord-ouest et ses reflets irisés resplendissaient au soleil. Un peu plus loin, ils apercevaient le dôme argenté du temple au milieu du sanctuaire.

« Tu as un nom à nous proposer ? » demanda Erlein sans agressivité. Il semblait radouci ; était-ce le ton d'Alessan ou la conscience du danger ? Devin n'aurait su le dire.

« Adreano, dit le prince au bout d'un moment. Adreano d'Astibar. Je serai poète à l'occasion de ces retrouvailles, de ce retour joyeux et triomphant. »

Devin n'avait pas oublié le nom : c'était celui du jeune poète condamné à la roue par Alberico l'hiver dernier, après le scandale des élégies à la gloire des Sandreni. Il regarda attentivement le prince, puis détourna les yeux ; le but de la journée n'était certainement pas d'observer ni d'analyser. S'il était là, c'était pour tenter d'épauler Alessan, de lui faciliter la tâche. Il ne savait pas très bien comment il allait s'y prendre. Il se sentait dépassé, et l'élan d'enthousiasme qu'il avait ressenti un peu plus tôt avait fondu devant l'attitude sévère du prince.

Au sud, dominant la vallée, se dressaient les sommets de la chaîne des Sfaroni, plus élevés encore que ceux qui culminaient au-dessus du château Borso. Il restait de la neige sur les pics et même le long des pentes. L'hiver n'abandonnait pas si facilement la partie à cette altitude, dans ces contrées méridionales. Au nord des contreforts, directement en dessous d'eux, dans le couloir est-ouest de la vallée, Devin distinguait des bourgeons verts sur les arbres. Un faucon gris resta un moment suspendu dans un courant ascendant, quasiment immobile, avant de virer au sud en piqué et de se fondre dans la grisaille des collines. Au fond de la vallée, le sanctuaire, havre de paix et de sérénité, semblait protégé de tous les maux de l'univers par ses hauts murs.

Devin savait qu'il n'en était rien.

Ils amorcèrent la descente sans hâte, car la présence de musiciens dans ces parages dès midi eût été pour le moins incongrue. Devin éprouvait un sens aigu du danger. L'homme qui chevauchait devant lui était le dernier héritier de Tigane. Il se demandait ce que Brandin d'Ygrath ferait d'Alessan s'il lui mettait la main dessus après toutes ces années. Puis il se rappela la remarque de Marius de Quileia, au col du Braccio : ce message n'était-il pas un piège ?

Devin n'avait jamais fait confiance aux prêtres d'Eanna. C'était de loin le clergé le plus redoutable et le plus subtil de tous, qui savait tirer parti de toutes les situations sans qu'on s'en aperçût, sauf peut-être quelques générations plus tard. Peut-être, en tant que serviteurs d'une déesse, avaient-ils une meilleure vue d'ensemble des événements. Mais chacun savait que partout dans la péninsule les trois clergés de la Triade avaient conclu un accord implicite avec les tyrans venus de l'étranger : leur silence collectif, leur complicité tacite en échange du droit de préserver des rites qui, de toute évidence, leur tenaient davantage à cœur que la liberté de la Palme.

Avant même d'avoir rencontré Alessan, Devin s'était déjà fait une opinion là-dessus. Quand il s'agissait de dénoncer le clergé et ses activités, son père s'exprimait toujours ouvertement. Et aujourd'hui Devin se souvenait que lorsqu'il était enfant, en Asoli, Garin, par esprit de bravade, allumait toujours une bougie, une seule, les nuits de Quatre-Temps. En y repensant, il lui semblait que le vacillement de cette chandelle dans l'obscurité était beaucoup plus riche de sens qu'il ne l'avait imaginé ; et le personnage de son père, apparemment d'un seul bloc, beaucoup plus nuancé. Le jeune homme secoua la tête ; ce n'était pas le moment de s'engager dans cette voie.

Quand le sentier de montagne se mit enfin à descendre vers la vallée, il céda la place à une route plus large et moins cahoteuse, qui conduisait au sanctuaire à mi-pente. À un demi-mille environ des murs de pierre qui l'entouraient, une double rangée d'arbres bordait la voie d'accès ; des ormes, dont les feuilles repoussent très tôt dans la saison. Au-delà de ces arbres, de part et d'autre de la route, Devin aperçut des hommes travaillant aux champs. Certains étaient des serviteurs laïques, d'autres des prêtres, vêtus non pas de blanc comme pour les cérémonies mais de robes de grosse toile beige ; les uns et les autres vaquaient à des travaux indispensables au sortir de l'hiver. L'un d'eux chantait, un ténor à la voix pure et agréable.

Les grilles du sanctuaire étaient ouvertes, des grilles sans fioritures avec pour tout ornement une étoile, symbole d'Eanna. Ces grilles étaient hautes cependant, remarqua Devin, et en fer forgé massif. Le mur d'enceinte, en solides pierres de taille, était passablement élevé lui aussi. Il y avait également des tours, huit en tout, qui s'inclinaient à intervalles réguliers dans le mur.

Il était manifeste que l'endroit avait été construit pour résister à l'adversité. À l'intérieur du sanctuaire, le dôme du temple d'Eanna, qui dominait sereinement les autres constructions, brillait au soleil. Ils franchirent les grilles et pénétrèrent dans l'enceinte.

Alessan tira aussitôt sur les rênes de son cheval pour l'arrêter. À quelque distance de là, légèrement sur leur gauche, ils entendirent un bruit inattendu qui ressemblait fort à des rires d'enfants. Dans un terrain de jeux herbu, à proximité d'une étable et d'un grand bâtiment qui devait servir d'internat, une douzaine de jeunes garçons en tunique bleue jouaient au maracco avec des bâtons et une balle, sous la surveillance d'un prêtre en robe de travail beige.

Devin éprouva une tristesse aiguë, une nostalgie soudaine en les regardant. Il se rappelait fort bien qu'à l'âge de cinq ans il était allé dans les bois près de la ferme en compagnie de Povar et de Nico, pour couper son premier bâton de maracco. Il se souvenait également que tous trois profitaient des quelques moments de répit entre deux corvées pour aller chercher leur bâton et le jeu de balles aplaties que Nico avait patiemment façonnées avec force bandes de tissu, et se frayer un chemin dans la boue en poussant des cris, jusqu'à la cour devant la grange ; ils se prétendaient alors de l'équipe d'Asoli aux Jeux de la Triade.

« J'ai marqué quatre fois dans la même rencontre, lors de ma dernière année à l'école du temple, dit Erlein d'une voix songeuse. Je n'ai jamais oublié ce moment et ne l'oublierai jamais, je crois. »

Surpris et amusé, Devin jeta un coup d'œil au magicien. Alessan se tourna sur sa selle pour le regarder lui aussi. Un instant plus tard, les trois hommes échangeaient un sourire. Les cris et les rires des enfants au loin se turent peu à peu. Leur présence n'était pas passée inaperçue. L'arrivée d'étrangers n'était pas un événement ordinaire, surtout à cette période de l'année, juste après la fonte des neiges.

Le jeune prêtre avait quitté le terrain de jeu et se dirigeait vers eux, ainsi qu'un homme plus âgé qui portait un tablier de cuir noir sur sa robe beige ; celui-ci arrivait des enclos de l'autre côté de l'allée centrale, où l'on parquait chèvres et moutons. Devant eux, ils apercevaient l'entrée voûtée du temple et, sur la droite, légèrement en retrait, le dôme plus petit de l'observatoire, car dans tous les sanctuaires d'Eanna les prêtres guettaient et observaient les étoiles qu'elle avait nommées.

Le domaine était beaucoup plus étendu qu'il n'y paraissait du haut des collines environnantes, et Devin fut étonné du nombre de prêtres et de serviteurs qui allaient et venaient ; certains entraient et sortaient du temple, d'autres s'affairaient parmi les animaux ou dans les potagers que Devin apercevait au-delà de l'observatoire. Il perçut également un bruit reconnaissable entre tous, celui d'une forge. De la fumée montait de cette même direction, bientôt dispersée par le léger souffle du vent. Au-dessus d'eux, le même faucon, ou un autre, tournoyait paresseusement dans le bleu du ciel.

Alessan descendit de cheval, et Devin et Erlein l'imitèrent, tandis que les deux prêtres s'approchaient d'eux avec un ensemble parfait. Le plus jeune, dont les cheveux blonds et la petite stature n'étaient pas sans rappeler Devin, se mit à rire ; il désigna son collègue et lui-même, puis il déclara :

« Le comité d'accueil n'a rien d'exceptionnel, je l'avoue. Nous n'attendions pas de visiteurs de si tôt et personne ne vous a vus descendre de la colline. Soyez néanmoins les bienvenus au sanctuaire d'Eanna, quelle que soit la raison qui vous amène. Que la déesse vous reconnaisse comme les siens. » D'un abord agréable, il avait aussi le sourire facile.

Alessan lui rendit ce sourire. « Qu'elle reconnaisse également tous ceux qui résident ici et dont, je suis sûr, elle n'ignore pas les noms. À vrai dire, nous n'aurions pas su comment nous comporter si nous avions reçu un accueil par trop officiel. Nous n'avons pas grande habitude de ce genre de chose. Quant à l'époque de l'année, eh bien, chacun sait que les troupes nouvellement formées ont tout intérêt à se présenter avant les autres si elles entendent obtenir le moindre contrat.

— Vous êtes musiciens ? » demanda le vieux prêtre d'une voix épaisse tout en s'essuyant les mains sur son tablier de cuir. Il avait le visage tanné, les tempes grisonnantes et le crâne dégarni. Devin remarqua qu'il lui manquait deux dents de devant.

« En effet, répondit Alessan en s'efforçant de paraître convaincant. Je m'appelle Adreano d'Astibar et je joue de la flûte trégéenne. Je suis accompagné d'Erlein di Senzio, le meilleur harpiste de toute la péninsule. Et laissez-moi vous dire qu'après avoir entendu mon jeune compagnon, Devin d'Asoli, tous les autres chanteurs vous paraîtront d'une extrême fadeur. »

Le jeune prêtre rit de nouveau. « Bravo ! Vous devriez venir à l'école donner une leçon de rhétorique à mes élèves.

— La flûte est davantage de mon ressort, fit Alessan en souriant. Si tant est que la musique fasse partie de votre programme. »

Le jeune prêtre eut un mouvement d'agacement « La musique sacrée seulement. Nous sommes au service d'Eanna ici, et non de Morian.

— Bien sûr, bien sûr, s'empressa d'acquiescer Alessan. Vous enseignez la musique dans tout ce qu'elle a de plus noble aux enfants. Mais les serviteurs de la déesse eux-mêmes… ? » Il haussa le sourcil.

« J'admets volontiers un faible pour les premières compositions de Rauder, fit le jeune prêtre blondinet sans cesser de sourire.

— Personne ne les interprète comme nous, fit Alessan. Je constate que nous avons frappé à la bonne porte. Devrions-nous présenter nos respects au grand prêtre ?

— Certainement », fit le vieux prêtre sans sourire. Il entreprit de défaire les attaches de son tablier. « Je vais vous conduire jusqu'à lui. Savandi, tes élèves ne vont pas tarder à se battre ou pire encore. N'as-tu donc aucune autorité sur eux ? »

Savandi fit volte-face et se mit à jurer avec une virtuosité inattendue chez un prêtre. Puis il s'élança vers le terrain de jeu en invectivant ses élèves. À cette distance, Devin eut effectivement la nette impression que les pupilles de Savandi se servaient de leurs bâtons de maracco d'une façon qui n'était pas prévue dans les règles du jeu.

Devin surprit Erlein qui regardait les garçons en souriant. Le visage du magicien changeait lorsqu'il souriait ; du moins quand il s'agissait d'un sourire authentique et non de l'expression à la fois ironique et fuyante qu'il prenait si souvent pour vous faire sentir son mépris, son aigreur.

Le vieux prêtre au visage sévère ôta son tablier par la tête, puis le replia soigneusement et le posa sur une des barres de bois du parc à moutons. Il cria un nom que Devin ne parvint pas à comprendre, et un autre jeune homme – un serviteur cette fois – émergea en hâte d'une des étables sur leur gauche.

« Prends leurs chevaux, ordonna-t-il sèchement, et fais porter leurs affaires dans le bâtiment des invités.

— Je préfère garder ma flûte, dit Alessan en hâte.

— Et moi ma harpe, ajouta Erlein. Ce n'est pas par manque de confiance, voyez-vous, mais un musicien sans son instrument… »

Le prêtre n'avait pas l'affabilité de Savandi. « Comme vous voudrez, se contenta-t-il de répondre. Suivez-moi. Je m'appelle Torre et je suis le portier de ce saint sanctuaire. Je dois vous présenter au grand prêtre. » Il leur tourna le dos et se mit en route sans les attendre, en empruntant une allée qui bifurquait devant le temple vers la gauche.

Devin et Erlein se regardèrent et échangèrent un haussement d'épaules. Ils suivirent Torre et Alessan, et passèrent devant bon nombre de prêtres et de serviteurs laïques ; la plupart leur sourirent, compensant quelque peu l'austérité de celui qui s'était désigné comme leur guide.

Ils rattrapèrent les deux autres alors qu'ils contournaient la façade méridionale du temple. Torre s'était arrêté ; Alessan était toujours à ses côtés. Le portier regarda autour de lui avec naturel, puis déclara avec le même naturel : « Ne faites confiance à personne. Ne dites la vérité à personne d'autre que Danoleon ou moi-même. Voilà ce qu'il m'a dit. Nous vous attendions. Nous pensions qu'il vous faudrait une nuit de plus, deux peut-être, mais elle était sûre que vous arriveriez aujourd'hui.

— Eh bien, je lui ai donné raison. Voilà qui est gratifiant », fit Alessan d'une voix bizarre.

Devin sentit un frisson le parcourir. Sur le terrain de jeu à leur gauche, des silhouettes menues, habillées de bleu, couraient après une balle blanche. À l'intérieur du temple, des prêtres psalmodiaient à voix basse. Ce devait être la fin de l'office incantatoire qui avait toujours lieu l'après-midi. Deux prêtres en tenue de cérémonie surgirent à l'autre bout de l'allée, bras dessus, bras dessous, qui discutaient avec animation.

« Voici la cuisine et la boulangerie, dit Torre distinctement en les désignant respectivement. Et voici la brasserie. Vous avez certainement entendu parler de la cervoise que nous fabriquons ici.

— Bien entendu », murmura poliment Erlein en voyant qu'Alessan se taisait.

Les deux prêtres ralentirent et semblèrent remarquer la présence des étrangers et de leurs instruments de musique.

« Et, là-bas, c'est la demeure du grand prêtre, continua Torre, derrière la cuisine et l'école. »

Les deux autres prêtres reprirent leur discussion en avançant d'un pas alerte sur le chemin qui contournait le temple jusqu'à l'entrée principale.

Torre se tut. Puis il ajouta d'une voix douce : « Qu'Eanna soit louée pour son amour, que toutes les bouches chantent sa gloire ! Soyez le bienvenu chez vous, ô mon prince. Au nom de l'amour, vous êtes enfin de retour. »

Devin déglutit avec difficulté ; son regard allait d'Alessan à Torre. Un frisson tout à fait incontrôlable lui parcourut l'échine ; il vit briller des larmes dans les yeux du portier, éclairés par le soleil radieux.

Alessan ne répondit rien. Il baissait la tête et Devin ne distinguait pas son regard. Ils entendirent des rires d'enfants, puis les dernières notes d'une prière chantée.

« Elle est encore en vie ? demanda Alessan en relevant la tête.

— Oui, fit Torre avec beaucoup d'émotion dans la voix. Elle est encore en vie, mais elle est très… » Il ne put finir sa phrase.

« À quoi bon prendre tant de précautions si toi-même fonds en larmes comme un enfant ? fit Alessan sur un ton cinglant. Si tu souhaites ma mort, continue sur ce registre. »

Torre ravala ses larmes et murmura : « Pardonnez-moi, monseigneur.

— Non ! pas de monseigneur. Pas même quand nous sommes seuls. Je suis Adreano d'Astibar, musicien de mon état. » Alessan parlait d'une voix dure. « Maintenant, conduis-moi chez Danoleon. »

Le portier s'essuya rapidement les yeux et redressa les épaules. « Et où pensiez-vous donc que j'allais vous emmener ? » dit-il en s'efforçant de retrouver le ton cassant avec lequel il les avait accueillis. Il pivota sur ses talons et s'éloigna à grandes enjambées.

« Voilà qui est mieux, murmura Alessan au prêtre devant lui. Beaucoup mieux. » Devin, qui les suivait tous deux, vit Torre relever la tête à ces mots ; il jeta un coup d'œil à Erlein, mais cette fois le magicien, la mine songeuse, ne lui rendit pas son regard.

Ils passèrent devant les cuisines et l'école où les élèves de Savandi, des enfants de nobles ou de riches marchands que leurs parents avaient mis en pension, étudiaient et logeaient ; partout dans la Palme, le clergé avait ouvert des écoles semblables qui lui procuraient un revenu non négligeable. Les sanctuaires rivalisaient les uns avec les autres pour accueillir de jeunes pensionnaires et soutirer de l'argent à leurs parents.

Tout était silencieux dans le grand bâtiment maintenant. Si l'effectif se limitait à la poignée de garçons que Devin avait aperçus sur le terrain de jeu, alors le sanctuaire d'Eanna en Basse-Corte devait être en difficulté.

Mais, se dit Devin, qui en Basse-Corte a encore les moyens d'offrir pareille éducation à ses enfants ? Et les hommes d'affaires avisés, venus de Corte ou de Chiara pour acheter de la terre à bas prix, faisaient certainement éduquer leurs fils chez eux. La Basse-Corte offrait des opportunités certaines à tous les étrangers prêts à profiter de l'état de délabrement de la province pour s'enrichir ; mais ce n'était pas un pays qui les incitait à s'installer définitivement. Qui donc aurait envie de s'établir sur une terre marquée du sceau de la haine de Brandin ?

Torre gravit les marches d'un portique couvert et franchit le seuil de la maison du grand prêtre. Toutes les portes étaient ouvertes pour accueillir le soleil printanier, après la période de réclusion et de piété des Quatre-Temps.

Ils se retrouvèrent dans un vaste salon, haut de plafond, élégamment meublé. Une immense cheminée occupait tout le mur orienté au sud-ouest ; des fauteuils confortables et des tables basses couvraient en partie l'épais tapis. Sur un buffet étaient disposées des carafes de cristal contenant un assortiment de vins. Devin aperçut deux bibliothèques sur le mur au sud, mais aucune ne contenait de livres. Le spectacle de ces deux meubles vides était plutôt déconcertant. Mais Devin savait que tous les livres de la Tigane avaient été brûlés.

Les murs à l'est et à l'ouest étaient percés de portes cintrées ouvrant chacune sur un porche où l'on pouvait profiter du soleil matin et soir. À l'autre extrémité de la pièce, une porte close menait sans doute à la chambre du grand prêtre. Devin remarqua quatre niches carrées, de facture exquise, ainsi qu'une cinquième, juste au-dessus de la cheminée, qui avaient dû abriter des statues. Mais celles-ci avaient disparu également. Il ne restait comme seuls éléments décoratifs que les étoiles argentées d'Eanna peintes un peu partout.

La porte de la chambre s'ouvrit et deux prêtres en sortirent.

Ils parurent surpris, mais pas outre mesure, de voir le portier en compagnie de trois visiteurs. L'un d'eux, d'âge moyen et de taille moyenne, avait le visage anguleux et les cheveux poivre et sel coupés en brosse. Il portait un plateau chargé d'herbes et de poudres médicinales autour du cou.

Mais c'est l'autre qui retint l'attention de Devin, celui qui portait le bâton de grand prêtre. Même sans, il ne serait pas passé inaperçu, se dit le jeune homme en observant la silhouette de celui qui ne pouvait être que Danoleon.

Le grand prêtre avait une stature hors du commun, les épaules carrées, la poitrine large et le dos parfaitement droit en dépit de son âge. Ses longs cheveux ainsi que la barbe qui lui descendait sur la poitrine étaient blancs comme neige, même au regard de sa robe blanche. Il avait les sourcils épais et droits, qui se rejoignaient au milieu d'un front serein, et les yeux aussi bleus et transparents que ceux d'un enfant. Il tenait le bâton de grand prêtre, pourtant massif, d'une seule main, avec la même aisance qu'un garçon vacher sa baguette de noisetier.

S'ils étaient tous comme lui, se dit Devin en regardant avec une crainte mêlée de respect l'homme qui était déjà grand prêtre d'Eanna quand les Ygrathiens avaient débarqué, si les dirigeants étaient tous de cette trempe, il y avait certes de grands hommes ici avant la chute.

Ils n'étaient sûrement pas si différents de ceux d'aujourd'hui, il le savait, car les événements ne remontaient qu'à une vingtaine d'années, même si beaucoup de choses avaient disparu ou changé. Il était néanmoins difficile de ne pas se sentir intimidé en présence de cet homme. Il posa alors le regard sur Alessan : mince, sans prétention, les cheveux en bataille qui grisonnaient prématurément, le regard attentif, dans sa tenue de route ordinaire, poussiéreuse, tachée par ce long voyage.

Quand il regarda de nouveau Danoleon, celui-ci fermait les yeux en plissant les paupières et respirait bruyamment. À cet instant, Devin comprit avec un frisson proche de la douleur lequel de ces deux hommes, en dépit des apparences, détenait le pouvoir. C'était Danoleon, il s'en souvenait, qui des années auparavant avait emmené le jeune Alessan – dernier prince de Tigane – dans les contrées méridionales en se cachant dans les montagnes.

Il ne l'avait pas revu depuis. Et voici qu'il avait devant lui un homme fatigué aux tempes argentées. Danoleon s'en était certainement aperçu et s'efforçait de composer avec cette réalité. Devin avait mal pour eux deux. Il songea à toutes ces années perdues qui avaient chuté, tournoyé, dérivé entre les deux hommes comme autant de feuilles mortes ou de flocons de neige, alors et maintenant.

Il aurait voulu être plus âgé, plus sage, plus à même de comprendre. Il s'était trouvé assailli par un éventail de constatations et de vérités récemment, qui flottaient à la périphérie de sa conscience, juste hors de portée, et attendaient qu'il les saisît et les fît siennes.

« Nous avons des invités, dit Torre avec sa brusquerie habituelle : trois musiciens, une troupe nouvellement constituée.

— Ah, grommela le prêtre à l'attirail de médecin en prenant un air revêche, nouvellement constituée, dis-tu ? Je n'en doute pas, pour qu'ils s'aventurent ici aussi tôt dans la saison. Je ne sais même plus depuis quand un musicien de talent s'est produit dans ce sanctuaire. Êtes-vous capables de jouer quelque chose qui ne fasse pas fuir votre auditoire, tous les trois ?

— Cela dépend de l'auditoire », fit Alessan d'une voix suave.

Danoleon ne put réprimer un sourire ; puis il se tourna vers l'autre prêtre et dit : « Idrisi, ne penses-tu pas que, si nos visiteurs bénéficiaient d'un accueil un tant soit peu plus chaleureux, ils seraient peut-être plus enclins à nous prodiguer leurs talents ? »

L'autre grommela quelque chose qui se voulait peut-être une excuse sous le regard insistant mais placide des yeux bleus de Danoleon.

Ce dernier se tourna vers ses trois visiteurs. « Pardonnez-nous, murmura-t-il d'une voix grave et lénifiante, mais nous venons d'apprendre des nouvelles quelque peu déconcertantes, et, en ce moment même, nous avons une patiente qui souffre ; comme toujours en pareil cas, Idrisi di Corte, notre médecin, en est sincèrement affecté. »

Devin ne put s'empêcher de se demander si les manières impolies du prêtre cortéen étaient véritablement imputables à son chagrin, mais il ne souffla mot.

Alessan accepta les excuses du grand prêtre d'une brève inclinaison de la tête. « Je suis désolé, dit-il à Idrisi. Pouvons-nous vous être d'une aide quelconque ? La musique est réputée apaiser la douleur. Nous ne serions que trop heureux de jouer pour l'un ou l'autre de vos patients. » Devin remarqua qu'Alessan avait choisi d'ignorer l'allusion de Danoleon à quelque mauvaise nouvelle. Le fait qu'il avait présenté Idrisi en insistant sur ses origines cortéennes n'était sans doute pas un hasard non plus.

Celui-ci haussa les épaules. « Comme vous voudrez. Notre patiente ne dort pas, et un peu de musique ne peut pas lui faire de mal. Le grand prêtre l'a fait venir ici contre ma volonté. Non pas que je puisse grand-chose pour elle. En vérité, elle appartient à Morian désormais. » Il se tourna vers Danoleon. « S'ils la fatiguent, ce n'en sera que mieux, et, si elle parvient à dormir un peu, ce sera une bénédiction. Vous pourrez me trouver à l'infirmerie ou dans mon jardin. À défaut d'un mot de votre part, je repasserai ce soir.

— Vous ne voulez pas nous écouter jouer, alors ? demanda Alessan. Vous auriez peut-être une bonne surprise. »

Idrisi fit la grimace. « Je n'ai pas de temps pour ces choses-là. Ce soir après dîner, peut-être, vous pourrez me surprendre. » Il eut un sourire inattendu qui disparut aussi vite qu'il était venu. Il passa prestement devant eux et se dirigea vers la porte, un rien d'irritation dans la démarche.

Il y eut un bref silence.

« C'est un brave homme, fit Danoleon en s'excusant presque.

— Un Cortéen », marmonna Torre, la mine sombre.

Le grand prêtre secoua sa belle tête. « Un brave homme, répéta-t-il. Mais il ne supporte pas de voir mourir ses patients. » Il observa de nouveau Alessan. Sa main glissa légèrement sur le bâton. Il ouvrit la bouche comme pour dire quelque chose.

« Monseigneur, laissez-moi me présenter : Adreano d'Astibar, dit Alessan d'une voix assurée. Et voici Devin... Devin d'Asoli, dont vous avez peut-être connu le père, un certain Garin, de Stévanie. » Il attendit. Danoleon ouvrit de grands yeux et dévisagea Devin. « Enfin, conclut Alessan, voici notre ami Erlein di Senzio, qui, entre autres talents manuels, joue de la harpe. »

À ces mots, Alessan leva la main gauche en repliant deux doigts. Danoleon regarda brièvement Erlein, puis de nouveau le prince. Il avait pâli, et Devin eut soudain la sensation que le grand prêtre était un très vieil homme.

« Qu'Eanna nous protège tous ! » murmura Torre derrière eux.

Alessan regarda intentionnellement les portes grandes ouvertes. « Cette malade est proche de la mort, si je comprends bien ? »

Danoleon dévorait Alessan du regard. On aurait dit un affamé. « Je le crains, répondit-il en gardant un ton égal au prix d'un gros effort. Je lui ai cédé ma propre chambre afin qu'elle puisse entendre les offices au temple de son lit. L'infirmerie et ses propres appartements sont beaucoup trop éloignés. »

Alessan hocha la tête. Il se tenait le plus droit possible – le seul moyen qu'il semblait avoir trouvé pour contrôler ses mouvements et ses paroles. Il prit sa flûte de Tregea dans son étui de cuir brun et la regarda.

« Alors peut-être pourrions-nous lui jouer quelque chose ? L'office de l'après-midi m'a l'air terminé. »

C'était le cas. Les chants s'étaient tus. Dans les prairies derrière la maison, les élèves de Savandi couraient et riaient au soleil. Devin les entendait par les portes ouvertes. Il hésita, peu sûr de lui, puis toussa maladroitement et dit : « Peut-être préférerais-tu jouer seul ? La flûte trégéenne est particulièrement apaisante, cela la ferait peut-être dormir. »

Danoleon hocha la tête, anxieux de manifester son approbation, mais Alessan se retourna tour à tour vers Devin puis Erlein. Il avait pris une expression voilée, indéchiffrable.

« Comment ? dit-il enfin. Vous m'abandonneriez si tôt après que nous avons formé cet ensemble ? » Puis il ajouta d'une voix radoucie : « Rien ne sera dit que vous n'ayez le droit de savoir ; et une partie de ce qui va se dire mérite d'être su.

— Mais elle est mourante, protesta Devin qui avait le sentiment très net que quelque chose était bancal. Elle est mourante et puis c'est… » Il s'arrêta tout net.

Le regard d'Alessan avait quelque chose de tellement déconcertant.

« Elle est mourante et c'est ma mère, murmura-t-il. Je sais. Et c'est pourquoi je vous veux présents. Il semble d'autre part qu'elle détienne une nouvelle d'importance. Nous ferions mieux d'en prendre tous connaissance. »

Il fit demi-tour et se dirigea vers la porte de la chambre. Danoleon se tenait à proximité. Alessan s'arrêta devant lui, et tous deux se dévisagèrent. Le prince murmura quelque chose que Devin ne put entendre ; il se pencha et déposa un baiser sur la joue du vieil homme.

Puis il passa devant lui. Une fois devant la porte, il s'arrêta un instant et prit une longue inspiration pour se donner de la force. Il leva la main comme s'il allait se la passer dans les cheveux mais s'arrêta. Il eut un sourire étrange ; on aurait dit qu'il cherchait à effacer un souvenir.

« Une bien mauvaise habitude », murmura-t-il sans s'adresser à personne. Puis il ouvrit la porte et entra. Erlein et Devin le suivirent.

La chambre du grand prêtre était presque aussi grande que le salon, mais le mobilier restait d'une simplicité austère : deux fauteuils, deux carpettes rustiques et usées, une table de toilette, un bureau, une malle, un cabinet d'aisances dans l'angle sud-est. Le mur au nord s'ornait d'une vaste cheminée qui faisait pendant à celle du salon, ouverte sur le même conduit. Un feu y brûlait bien qu'il fît doux dehors, et la pièce était tiède. Les rideaux et fenêtres ouvertes laissaient entrer un rai de lumière oblique qui se frayait un chemin à travers le feuillage du portique à l'ouest.

Le lit adossé au mur du fond, sous l'étoile d'argent d'Eanna, était suffisamment large pour accueillir quelqu'un de la stature de Danoleon, mais il était simple et sans ornementation : quatre pieds et un montant en pin, pas de baldaquin.

Il était vide.

Devin, qui avait suivi Alessan et le grand prêtre d'un pas nerveux, s'attendait à y trouver une femme mourante. Il jeta un coup d'œil embarrassé à la porte du cabinet et fit un bond lorsqu'une voix monta de l'angle de la chambre dans l'ombre, près de la cheminée, que le jour ne pouvait atteindre.

« Qui sont ces étrangers ? »

Alessan, quant à lui, s'était aussitôt tourné vers la cheminée en pénétrant dans la pièce, guidé par quelque sixième sens dont Devin ignorait tout. Aussi parut-il parfaitement maître de lui quand la voix glaciale se fit entendre. Et qu'une femme émergea de l'ombre, s'approcha d'un fauteuil puis s'y assit, le dos très droit, la tête haute. Elle le regarda, ainsi qu'eux tous.

Pasithea de Tigane, fille de Serazi, épouse du prince Valentin. Elle avait dû être étonnamment belle dans sa jeunesse, car cette beauté transparaissait toujours, alors même qu'elle s'apprêtait à franchir la dernière porte de Morian. C'était une grande femme très mince, encore qu'elle dût en partie cette minceur à la maladie qui la rongeait de l'intérieur. Cela se voyait également à la pâleur presque translucide de son visage, qui mettait en relief la proéminence des pommettes. Sa robe s'ornait d'un col haut et empesé qui lui couvrait la gorge ; le rouge du vêtement accentuait sa pâleur exceptionnelle qui appartenait à un autre monde. On aurait dit, pensa Devin, qu'elle était déjà au royaume de Morian et les regardait d'une autre rive.

Mais les bagues en or sur ses longs doigts étaient bien de ce monde, ainsi que le magnifique pendentif de couleur bleue sur sa robe. Ses cheveux étaient coiffés en chignon et retenus dans une résille noire, une mode qui avait disparu de la Palme depuis fort longtemps. Mais Devin avait l'absolue certitude que cette femme se moquait éperdument de la mode. Elle posa le regard sur lui et le jaugea avec une rapidité qui le déconcerta, avant de passer à Erlein, et de s'arrêter enfin sur son fils.

Ce fils qu'elle n'avait plus revu depuis l'âge de quatorze ans.

Ses yeux étaient du même gris que ceux d'Alessan, mais plus durs, brillants et froids, cachant leur profondeur, telles des pierres semi-précieuses encastrées juste sous la surface. Ils brillaient dans la lumière de la chambre, farouches et provocants, et avant qu'elle ouvrît de nouveau la bouche sans même attendre la réponse à sa première question, Devin comprit que ce qui se lisait dans ses yeux ressemblait fort à de la fureur.

Cette rage était aussi présente dans le visage arrogant, le port hautain et la façon qu'elle avait d'agripper les bras du fauteuil de ses longs doigts. Un feu intérieur la dévorait depuis longtemps, étranger au royaume des mots comme de toute forme d'expression. Elle se mourait dans cet endroit retiré tandis que l'homme qui avait tué son mari régnait en tyran sur leur province. Tout était résumé dans cette phrase pour quiconque ne connaissait que les grandes lignes de l'histoire.

Devin refoula la tentation de reculer près de la porte, hors de portée. Un instant plus tard, il s'aperçut qu'il n'avait nul besoin de s'inquiéter ; car, pour la femme assise dans le fauteuil, il n'était qu'un zéro, un petit rien. Il n'était même pas là. Sa question se passait de réponse ; elle se moquait de savoir qui ils étaient. Elle avait un compte à régler.

Pendant un long moment – une succession d'instants destinés à rester suspendus à tout jamais dans le silence –, elle regarda Alessan de haut en bas sans un mot, son visage livide, aux traits autoritaires, parfaitement insondable. Enfin, elle secoua lentement la tête et dit : « Ton père était si bel homme. »

Devin tressaillit à ces mots, à ce ton, mais Alessan, lui, réagit à peine. Il se contenta d'acquiescer d'un lent hochement de tête. « Je sais. Je n'ai pas oublié. Et mes frères lui ressemblaient. » Il sourit, d'un petit sourire ironique. « Le filon était déjà épuisé quand je suis arrivé. »

Il s'était exprimé d'une voix douce, mais il lança alors un regard aigu à Danoleon ; celui-ci y lut un message et murmura quelque chose à Torre qui sortit prestement de la chambre.

Pour monter la garde à l'extérieur, comprit Devin qui sentit un frisson le parcourir malgré la chaleur ambiante. Des mots venaient d'être prononcés qui pouvaient leur coûter la vie à tous. Il se tourna vers Erlein et vit que le magicien avait sorti sa harpe de son étui. Tout en prenant une expression concentrée, il alla se poster près de la fenêtre à l'est et entreprit d'accorder l'instrument.

Erlein savait ce qu'il faisait, se dit Devin. Ils étaient venus ici pour jouer de la musique à l'intention d'une femme mourante. Il eût été étonnant qu'aucune mélodie ne sortît de la chambre. Néanmoins, il n'avait pas vraiment envie de chanter.

« Des musiciens, fit la femme dans le fauteuil avec un certain mépris. C'est tout simplement merveilleux. Êtes-vous venus me jouer une ritournelle ? Me montrer l'étendue de vos talents ? Aider une mère mourante à passer chez Morian ? » Elle parlait sur un ton quasiment insoutenable.

Alessan ne bougea pas, bien que lui aussi eût singulièrement pâli. Il ne montra pas d'autre signe de tension cependant, si ce n'est à travers l'attitude excessivement bénigne, le naturel un peu forcé qu'il affichait.

« Si cela pouvait vous faire plaisir, ma mère, je ne serais que trop heureux de jouer pour vous, dit-il sur un ton paisible. Il fut un temps où la perspective d'un récital vous réjouissait. »

Les yeux de la femme dans le fauteuil brillèrent d'un éclat froid.

« Il fut un temps où il y avait place pour la musique. Quand nous gouvernions cette province. Quand les hommes de la famille étaient vraiment des hommes et ne se contentaient pas de porter un nom.

— Oh, je sais, répondit Alessan d'une voix légèrement plus cassante. De vrais hommes, tous plus fiers les uns que les autres. Des hommes qui auraient pris d'assaut les murs de Chiara et tué Brandin depuis longtemps ; d'ailleurs le tyran serait mort de peur – une peur abjecte – devant leur détermination féroce. Mère, ne pouvez-vous renoncer à ce discours dans un moment comme celui-ci ? Nous sommes les seuls survivants de la famille, et nous ne nous sommes pas parlé depuis dix-neuf ans. » Alessan changea brusquement de ton, se radoucit et, à la surprise de Devin, parut presque gêné. « Devons-nous poursuivre l'altercation ? Cette conversation ne peut-elle être autre chose qu'un échange houleux ? Et m'avez-vous fait venir ici uniquement pour me répéter ce que vous m'avez déjà écrit maintes et maintes fois ? »

La vieille femme secoua la tête. Arrogante, sinistre, implacable comme la mort qui fondait sur elle.

« Non, dit-elle. Je ne puis me permettre de gaspiller mon souffle. Je t'ai fait venir pour que tu reçoives la malédiction d'une mère ; pour toi-même et ta descendance.

— Non ! » s'écria Devin, incapable de se contrôler.

Au même moment Danoleon fit un pas en avant. « Non, madame, non, dit-il, sa voix grave déformée par l'angoisse. Ce n'est pas…

— Je suis mourante », fit Pasithea, fille de Serazi, en l'interrompant brutalement. Elle avait les joues tachetées d'un rouge factice. « Je n'ai plus à t'écouter, Danoleon. Ni toi ni personne. Attendez, m'avez-vous répété pendant toutes ces années. Patientez, disiez-vous. Eh bien, je n'ai plus le temps de patienter. Je serai morte demain. Morian m'appelle. Je n'ai plus le temps d'attendre que mon poltron de fils gambade ici et là dans la Palme en jouant des chansonnettes aux mariages champêtres. »

Une note discordante jaillit de la harpe.

« Voilà qui est stupide et injuste ! » s'exclama Erlein di Senzio depuis la fenêtre. Il s'arrêta, surpris par sa propre audace. « La Triade sait que j'ai plus d'une raison de détester votre fils. Et je sais désormais d'où lui vient son arrogance, son mépris des autres et de tout ce qui le détourne de son but. Mais, si vous le traitez de poltron uniquement parce qu'il n'a pas tenté d'assassiner Brandin d'Ygrath, alors vous n'êtes qu'une vieille femme égarée et prétentieuse ; ce qui, pour être parfaitement franc, ne me surprend pas du tout dans une province comme celle-ci ! »

Il s'appuya contre le rebord, le souffle court, le regard absent. Dans le silence qui suivit, Alessan se décida à bouger. Son immobilité était trop inhumaine et contre nature. Il s'agenouilla près du fauteuil de sa mère.

« Vous m'avez déjà maudit autrefois, dit-il gravement. Vous vous en souvenez ? J'ai passé le plus clair de ma vie dans l'ombre de cette malédiction. À bien des égards il eût été plus facile de mourir dès le début: Baerd et moi massacrés à Chiara, alors que nous tentions de tuer le tyran… ou peut-être même que nous venions de le tuer, par quelque miracle. Nous en parlions la nuit, figure-toi, toutes les nuits même, lorsque nous étions encore enfants, en Quileia. Nous avions mis au point une cinquantaine d'assassinats possibles sur l'île. Nous nous imaginions adulés et vénérés dans une province dont le nom aurait été restauré grâce à nous.»

Il parlait d'une voix basse, sur un rythme presque hypnotique. Devin vit Danoleon s'asseoir dans le second fauteuil, le visage travaillé par l'émotion. Pasithea, elle, arborait la même expression impénétrable, la même froideur de marbre. Devin s'approcha de la cheminée sans bruit et tenta vainement de venir à bout du tremblement qui s'était emparé de lui. Erlein n'avait pas bougé de la fenêtre. Il jouait doucement de la harpe, pas vraiment une mélodie, juste quelques notes isolées au hasard des cordes.

«Puis nous avons grandi, poursuivit Alessan dont la voix trahissait le besoin impérieux, la nécessité de se faire entendre. Et, par une nuit d'été, Marius devint roi de l'année en Quileia avec notre aide. Après cela, nos conversations prirent une autre tournure. Baerd et moi commencions à découvrir un certain nombre de vérités sur l'exercice du pouvoir et les affaires de ce monde. Et c'est alors que tout a changé pour moi. Il m'est venu une autre conception des choses, qui s'est bâtie peu à peu, une pensée nouvelle, un rêve bien plus vaste et plus ambitieux que l'assassinat d'un des tyrans. Nous sommes revenus dans la Palme et nous avons entrepris de voyager. En nous prétendant musiciens, certes. Mais aussi artisans, commerçants, athlètes à l'occasion des Jeux de la Triade, maçons, gardes d'un banquier senzian, marins sur une bonne douzaine de navires marchands. Mais, avant même d'entreprendre ces voyages, avant même de franchir les montagnes et de repasser au nord, j'avais déjà acquis une autre vision des choses.

Je savais pourquoi j'étais en vie et ce que je devais accomplir, ou essayer d'accomplir. Vous étiez au courant, Danoleon aussi : je vous ai écrit à tous deux pour vous expliquer ma nouvelle conception des choses et implorer votre bénédiction. Il s'agissait d'une vérité si élémentaire : il fallait éliminer les deux tyrans au même moment pour permettre à la péninsule tout entière de recouvrer sa liberté. »

La voix de sa mère s'éleva soudain, dure, implacable, bafouant l'émotion contenue d'Alessan : « Je m'en souviens. Je me souviens très bien du jour où cette lettre est arrivée. Et je vais te répéter ce que je t'ai répondu dans la missive expédiée à cette courtisane dans son château du Certando : Tu achèterais la liberté de la Corte, de l'Astibar et de la Tregea au prix du nom de Tigane. De notre existence même. Au prix de tout ce que nous avions, de ce que nous étions avant la venue de Brandin. Au prix de notre vengeance et de notre fierté.

— Notre fierté, répéta Alessan d'une voix si douce qu'ils l'entendaient à peine, notre fameuse fierté… J'en sais long sur le sujet, et ce depuis ma plus tendre enfance. Et plus encore que Père, c'est toi qui m'en as tout enseigné. Mais depuis que j'ai atteint l'âge adulte j'ai appris autre chose. Pendant mon exil, j'ai appris que l'Astibar aussi avait sa fierté, et le Senzio, et l'Asoli et le Certando. J'ai appris comment la fierté avait causé la perte de la Palme l'année où les tyrans sont arrivés.

— La Palme ? demanda Pasithea d'une voix aiguë. Qu'est-ce donc que la Palme ? Un éperon, un peu de roche, de terre et d'eau. Qu'est-ce donc qu'une péninsule pour que nous y attachions autant d'importance ?

— Et qu'est-ce donc que la Tigane ? » demanda brutalement Erlein di Senzio en faisant taire sa harpe.

Pasithea lui lança un regard méprisant. « J'aurais pensé qu'un magicien attaché à notre service connaîtrait la réponse ! » dit-elle d'une voix corrosive avec le désir manifeste de blesser. Devin était sidéré par son sens de l'observation ; personne ne lui avait rien dit d'Erlein, elle avait compris en moins de quelques minutes en s'aidant de quelques indices éparpillés.

« Tigane est la terre où vécut Adaon en compagnie de Micaela aux premiers temps du monde ; c'est là qu'il lui fit don de son amour et d'un enfant, et qu'il dota cet enfant et tous ses descendants d'un cadeau divin, sous la forme d'un pouvoir. Beaucoup de temps s'est écoulé depuis cette nuit-là, et le dernier descendant de cette union est dans cette pièce ; or tout le passé de son peuple est en train de lui filer entre les doigts. » Elle se pencha en avant ; ses yeux gris lançaient des flammes et elle haussa le ton pour donner davantage de poids encore à son accusation. « De lui échapper pour toujours. C'est un imbécile et un lâche à la fois. Il est des enjeux tellement plus importants que la liberté d'une péninsule ! »

Elle retomba en arrière, secouée par une quinte de toux, et elle tira un mouchoir de soie bleu d'une poche dans sa robe. Devin vit Alessan esquisser un mouvement pour se mettre debout, puis se raviser.

Sa mère toussait atrocement. Avant d'avoir eu le temps de détourner les yeux, Devin constata que la soie se teintait de rouge. Sur le tapis près d'elle, Alessan baissa la tête.

À l'autre bout de la chambre, trop loin peut-être pour apercevoir le sang, Erlein di Senzio lança : « Et vais-je vous narrer les légendes qui établissent la prééminence du Senzio ? ou de l'Astibar ? Voulez-vous que je vous chante l'histoire d'Eanna sur l'Île donnant forme aux étoiles dans l'extase de son union au dieu ? Savez-vous que le Certando prétend être le cœur et l'âme de la Palme ? Avez-vous oublié Carlozzi et ses disciples ? Et les Marcheurs de la Nuit dans leurs montagnes, il y a deux cents ans ? »

La femme dans son fauteuil se redressa, le foudroyant du regard une fois encore. Il avait beau la craindre, abhorrer ses paroles autant que son comportement et le mal insigne qu'elle faisait à son fils,

Devin se sentait tout à coup très humble devant tant de courage et de volonté.

« Précisément, dit-elle plus calmement pour ménager ses forces. Tout est là ; ne le comprenez-vous pas ? Je n'ai pas oublié une seule de ces histoires. Quiconque détient un peu d'instruction ou possède une bibliothèque les connaît, je dirais même n'importe quel imbécile ayant jamais entendu les pleurnicheries sentimentales d'un troubadour ; quiconque est susceptible d'entendre vingt chansons différentes à propos des amours d'Eanna et d'Adaon sur le Sangarios. Notre histoire, non. Ne voyez-vous pas ? Il n'y a plus de Tigane. Qui chantera Micaela sous les étoiles, au bord de la mer, quand nous ne serons plus là ? Qui restera-t-il pour chanter quand la dernière génération aura vécu et mourra ?

— Moi », fit Devin, les mains sur les hanches.

Il vit Alessan lever la tête tandis que Pasithea se tournait vers lui et le dévisageait de ses yeux froids. « Nous serons tous là », dit-il aussi fermement qu'il put. Il regarda le prince, puis de nouveau, au prix d'un gros effort sur lui-même, la vieille femme mourante qui enrageait du plus profond de sa morgue. « Toute la Palme entendra de nouveau ce chant, madame. Car votre fils n'est ni un lâche ni un imbécile prétentieux cherchant une mort rapide et une gloire fugitive. Il s'efforce d'accomplir une œuvre autrement plus grande, et il va y parvenir. Il s'est passé quelque chose en ce début de printemps qui va lui permettre de faire ce qu'il s'est promis de faire : libérer cette péninsule et faire renaître le nom de Tigane partout dans le monde. »

Il se tut, la respiration aussi haletante que s'il venait de faire la course. Un instant plus tard, il se sentit rougir d'humiliation. Pasithea, fille de Serazi, riait. Elle se moquait de lui. Son corps gracile se balançait d'avant en arrière dans le fauteuil. Ce rire se mua en une autre quinte de toux sévère ; le mouchoir bleu réapparut et, quand elle le reposa, il était maculé de sang. Elle agrippa les bras du fauteuil, le temps de se ressaisir.

« Vous n'êtes encore qu'un enfant, dit-elle enfin. Mon fils aussi, en dépit de ses cheveux gris. Et je ne doute pas que Baerd, fils de Saevar, vous ressemble en tous points, la grâce et le talent de son père en moins. " Il s'est passé quelque chose en ce début de printemps " », singea-t-elle avec une précision cruelle. Sa voix était devenue dure et froide comme la glace : « Est-ce que vous autres gamins avez la moindre idée de ce qui vient de se produire dans la Palme ? »

Son fils se releva lentement pour venir se placer juste devant elle.

« Nous avons passé plusieurs jours et plusieurs nuits à cheval. Nous n'avons pas entendu les nouvelles. De quoi s'agit-il ?

— Je vous ai dit qu'il y avait du nouveau, intervint aussitôt Danoleon. Mais je n'ai pas eu l'occasion de vous donner…

— Je suis heureuse, si heureuse, l'interrompit Pasithea, de constater qu'il me reste quelque chose à apprendre à mon fils avant de le quitter pour toujours. Quelque chose qu'il n'a pas appris ou deviné par lui-même. » Elle se redressa brusquement dans son fauteuil ; elle avait les yeux froids et brillants comme le givre au clair de la lune bleue. Et pourtant transparaissait dans sa voix quelque chose d'insensé, de hagard. Une peur terrible, plus grande encore que la peur de la mort.

« Un messager, dit-elle, est venu hier au coucher du soleil, à la fin des Quatre-Temps. Un Ygrathien qui venait de Stévanie, porteur d'une nouvelle en provenance de Chiara. Une nouvelle si urgente que Brandin l'a communiquée directement à tous ses gouverneurs par voie de sorcellerie en leur demandant de la diffuser.

— Quelle nouvelle ? » Alessan avait rassemblé ses forces comme s'il s'attendait à recevoir un coup.

« Quelle nouvelle ? La nouvelle, enfant sans cervelle, c'est que Brandin vient juste d'abdiquer la couronne d'Ygrath. Il s'apprête à renvoyer son armée. Et ses gouverneurs. Tous ceux qui décideront de rester avec lui deviendront citoyens de cette péninsule, d'un nouvel

État : le royaume de la Palme occidentale. Chiara, la Corte, l'Asoli, la Basse-Corte. Quatre provinces sous la férule de Brandin de l'Île. Il a déclaré que nous n'étions plus une colonie ygrathienne. Les impôts seront répartis de manière équitable désormais, et réduits de moitié, voire plus, notamment ici, en Basse-Corte. Notre fardeau ne sera pas plus lourd qu'ailleurs désormais. Le messager a ajouté que les gens de cette province, ceux que ton père gouvernait, scandaient le nom de Brandin dans les rues de Stévanie. »

Alessan se déplaça prudemment, comme s'il transportait quelque objet lourd et encombrant qui risquait de lui échapper des mains, et se tourna vers Danoleon. Celui-ci confirma d'un hochement de tête.

« Il semblerait qu'il y ait eu une tentative d'assassinat sur l'île, il y a trois jours de cela, dit le grand prêtre. C'est la reine et Girald, le fils de Brandin, qui auraient ourdi le complot. Il n'a échoué que par l'intervention d'une de ces femmes qui sont amenées sur l'île dans les bateaux collecteurs du tribut ; une femme du Certando, en l'occurrence, qui a bien failli déclencher une guerre en son temps. Vous vous en souvenez peut-être ? C'était il y a treize ou quatorze ans. Il semblerait qu'à l'issue de cette conspiration Brandin ait changé d'avis sur la conduite à tenir. Non pas qu'il ait renoncé à la Palme ni à sa vengeance sur la Tigane, mais il entend changer d'attitude à l'égard d'Ygrath s'il doit continuer ce qu'il a entrepris ici.

— Et il va continuer, reprit Pasithea. La Tigane mourra, sans aucun espoir de vengeance, tandis que notre peuple chantera les louanges du tyran qui a tué ton père. »

Alessan hochait la tête, songeur. Il ne semblait guère écouter, comme s'il s'était brusquement retiré à l'intérieur de lui-même. Pasithea s'en aperçut et se tut, sans cesser de regarder son fils. Il régnait un silence de mort dans la chambre, et les cris ainsi que les rires spontanés des enfants au loin leur parvinrent avec d'autant plus de clarté. Devin écouta ces manifestations de gaieté tout en essayant de calmer les battements incontrôlés de son cœur et de réfléchir à ce qu'il venait d'entendre.

Il regarda Erlein qui avait posé sa harpe sur le rebord de la fenêtre et s'était avancé de quelques pas, l'air préoccupé et circonspect. Devin tentait désespérément de se concentrer, de rassembler ses pensées éparpillées, mais la nouvelle l'avait pris au dépourvu. Ils n'étaient plus sous la tutelle d'Ygrath. N'était-ce pas précisément ce qu'ils voulaient ? Non, pourtant. Car Brandin avait décidé de rester, ils n'étaient donc pas libérés : ni du personnage ni du poids de sa magie. Et la Tigane ? Que dire de la Tigane ?

Mais quelque chose d'autre le préoccupait. D'une nature différente. Quelque chose s'était glissé dans un coin de son esprit qui l'empêchait de se concentrer et lui signifiait qu'il ferait bien de rester sur ses gardes.

Puis, de façon tout aussi inattendue, tout s'éclaira. Car à cet instant…

À cet instant, il sut exactement ce qui n'allait pas.

Devin ferma les yeux un instant pour maîtriser une brusque terreur qui le clouait sur place. Puis, du plus discrètement qu'il put, il s'éloigna de la cheminée près de laquelle il se tenait depuis le début, et entreprit de longer le mur à l'ouest.

Alessan avait pris la parole, mais il semblait s'adresser à lui-même.

« Cela change pas mal de choses, disait-il, bien sûr. Je vais avoir besoin de temps pour réfléchir, mais je pense que cette situation nouvelle peut nous aider en fin de compte. Il s'agit peut-être davantage d'un cadeau que d'une malédiction.

— Comment cela ? As-tu toute ta raison ? fit sa mère d'une voix cassante. Ils scandent le nom du tyran dans les rues d'Avalle ! »

Devin tressaillit en l'entendant prononcer l'ancien nom de la ville et en percevant la douleur, le désespoir qui sous-tendaient ce cri, mais il se força à poursuivre sa progression. Une terrible certitude s'imposait à lui.

« J'entends ce que vous me dites, mais ne voyez-vous pas ce qui se prépare ? répondit Alessan qui s'agenouilla de nouveau sur le tapis, près de la chaise de sa mère. L'armée ygrathienne ne va pas tarder à rentrer dans son pays. Si Brandin doit se battre, ce sera avec une armée de notre peuple et des quelques Ygrathiens qui auront décidé de rester avec lui. Et… mère ! que pensez-vous que le Barbadien d'Astibar fera quand il prendra connaissance de la nouvelle ?

— Rien du tout, dit Pasithea d'une voix sans expression. Alberico est un timoré empêtré dans ses propres manigances pour s'arroger la tiare de l'empereur. Un quart de l'armée de Brandin au moins lui restera fidèle. Et les gens qui chantent sa gloire sont les plus opprimés de toute la péninsule. Si ceux-là sont satisfaits, que dire des autres dans la Palme ? Ne vois-tu pas à quel point il sera facile de lever une armée à Chiara, en Corte ou en Asoli pour combattre le Barbadien et soutenir un homme qui aura préféré la péninsule à son royaume ? » Elle se remit à tousser ; son corps était secoué de spasmes encore plus impressionnants.

Devin ne connaissait pas la réponse. Il n'en avait pas la moindre idée. Il savait que l'équilibre allait être profondément modifié, cet équilibre sur lequel Alessan misait depuis si longtemps. Il y avait plus urgent, cependant.

Devin atteignit la fenêtre. Le rebord lui arrivait à la poitrine car il n'était pas grand, ce dont il se plaignait souvent. Il remercia néanmoins la Triade pour les compensations dont il jouissait, fit une brève prière à Eanna et, posant les mains à plat sur le rebord pour prendre appui, se propulsa dans le portique de l'autre côté avec l'aisance d'un gymnaste. Pasithea toussait toujours – une toux rauque et douloureuse. Danoleon poussa un cri.

Devin trébucha et tomba, s'écrasant l'épaule et la hanche contre un des piliers. Il recula et se remit debout à temps pour voir une silhouette en robe beige, accroupie sous la fenêtre, se redresser et s'enfuir en jurant abondamment. Devin chercha le couteau accroché à sa ceinture ; il sentit monter en lui une rage aveugle qui oblitérait toutes ses pensées. Il y avait trop de bruit sur ce terrain de jeux, signe que les enfants étaient sans surveillance.

Leur maître les avait laissés seuls pour espionner ce qui se disait dans la chambre du grand prêtre.

Alessan était à côté de la fenêtre, Erlein juste derrière.

« Savandi, fit Devin, le souffle court, Savandi nous écoutait ! » Il leur lança ces mots par-dessus son épaule tandis qu'il s'élançait à la poursuite du prêtre. Il trouva le temps d'admirer les prouesses que Rinaldo le guérisseur avait accomplies sur sa jambe dans cette grange du Certando, et de l'en remercier. Puis la colère le submergea de nouveau, ainsi que la peur et le besoin impérieux d'arrêter cet homme.

Il sauta par-dessus la balustrade de pierre à l'arrière du portique sans ralentir l'allure. Savandi avait pris ses jambes à son cou et, coupant à l'ouest, s'était élancé dans les champs derrière le sanctuaire. Devin aperçut les enfants qui jouaient sur le terrain, sur sa gauche. Il grinça des dents et continua sa course. Maudits prêtres ! se dit-il, suffocant de colère. Vont-ils continuer à tout gâcher, encore à cette époque ?

Si l'identité d'Alessan venait à être divulguée dans le sanctuaire, Brandin serait mis au courant en moins de temps qu'il n'en fallait pour le dire, Devin ne l'ignorait pas. Il savait aussi ce qui arriverait ensuite.

Il fut alors assailli par une pensée plus déroutante encore, et cette fois il prit réellement peur. Il accéléra, les muscles des jambes tendus, les poumons cherchant l'oxygène : il venait de songer à la transmission mentale. Savandi avait-il le pouvoir de communiquer directement avec le roi ? Et d'entrer tout de suite en contact avec Brandin sur Chiara ?

Devin jura intérieurement, afin de ne pas gaspiller son souffle et de maintenir le même rythme. Savandi, souple et rapide, courait toujours. Il passa devant un petit bâtiment sur sa gauche et prit brutalement à droite, comme pour contourner l'arrière du temple proprement dit. Son poursuivant était à vingt pas derrière lui.

Devin tourna à son tour. Mais Savandi était introuvable. Le jeune homme s'arrêta un instant, en proie à la panique. Il ne distinguait aucune porte d'accès au temple ; il n'y avait qu'une haie touffue qui verdissait tout juste et formait une sorte de barrière naturelle sur sa gauche.

C'est alors qu'il décela un léger mouvement dans la haie. Il s'élança. Il découvrit une brèche, là où un arbuste avait été aplati de force. Il se mit à genoux et s'y engouffra, s'écorchant les bras et le visage au passage.

Lorsqu'il se releva, il se trouvait dans la vaste cour d'un cloître entourée de végétation, de conception élégante et propice à la sérénité, avec en son centre une fontaine et un jet d'eau. Il n'avait pas vraiment le temps de s'émerveiller, cependant. À l'angle nord-ouest, le cloître s'ouvrait sur un portique en contre-haut et un long bâtiment surmonté d'un petit toit en dôme en son extrémité la plus proche. Savandi était justement en train de gravir les marches du portique au pas de course ; puis il s'engouffra dans le bâtiment. Devin leva les yeux. À une des fenêtres du second étage, il aperçut un vieillard aux joues creuses et aux cheveux blancs qui fixait le cloître ensoleillé de son regard vide.

Tandis qu'il approchait du portique à son tour, il comprit où il se trouvait. Il s'agissait de l'infirmerie, et le petit dôme était sans doute un temple pour les malades cherchant un peu de réconfort auprès d'Eanna mais incapables de faire le chemin jusqu'au grand dôme.

Il gravit les trois marches menant au portique en une seule enjambée et se rua dans l'infirmerie, son couteau à la main. Il savait qu'à le suivre de si près il ferait une proie facile si Savandi décidait de lui tendre un piège. Il réussit alors à se persuader du contraire, ce qui ne fit que raviver une autre crainte, plus réelle celle-là.

L'homme avait l'air de chercher à éviter les lieux fréquentés par ses collègues prêtres – le temple, les cuisines, le dortoir, la salle à manger. Cela voulait dire qu'il n'attendait ni aide ni soutien et n'espérait pas vraiment s'échapper.

Cela signifiait également qu'il n'avait qu'un objectif en tête, à condition que Devin lui laissât le temps d'y parvenir.

La porte donnait sur un long couloir ; un escalier menait à l'étage supérieur.

Savandi avait disparu, mais Devin baissa les yeux et adressa une courte prière de remerciement à Eanna : en courant sur la terre humide du cloître, le prêtre s'était collé de la boue sous les chaussures. Il n'y avait pas à s'y méprendre : les traces de pas sur le dallage de pierre désignaient le couloir et non l'escalier.

Devin s'engagea aussitôt à sa poursuite. Il dévala le couloir et tourna sur la gauche à l'extrémité. Il y avait des chambres de part et d'autre et, au bout, une porte cintrée donnant sur le petit temple. La plupart des portes étaient ouvertes car la plupart des chambres étaient vides.

Mais dans ce second couloir, plus petit que l'autre, il aperçut enfin une porte close. Les traces de pas de Savandi s'arrêtaient devant. Devin manœuvra la poignée et donna un grand coup d'épaule dans la lourde porte de bois. Elle était fermée à clé ; inébranlable.

À bout de souffle, il s'agenouilla et se mit à fouiller ses poches en quête d'un fil de fer qu'il avait toujours sur lui ; c'était Marra qui lui avait donné cette habitude, à l'époque où elle lui transmettait son savoir en matière de serrurerie. Il déplia le fil de fer et entreprit de lui imprimer une forme, mais ses mains tremblaient. La sueur lui coulait dans les yeux. Il l'essuya avec humeur et tâcha de se calmer. Il fallait qu'il force cette serrure avant que l'homme de l'autre côté transmette le message qui signerait leur arrêt de mort à tous.

Il entendit une porte s'ouvrir derrière lui et des pas rapides dans le vestibule.

Sans lever les yeux, Devin dit : « Gare à celui qui me touchera ou se mettra sur mon chemin ! Savandi est un espion à la solde du roi d'Ygrath. Trouvez-moi une clé susceptible d'ouvrir cette porte, vite !

— C'est chose faite, fit une voix connue. Elle est ouverte. Entre ! »

Devin jeta un coup d'œil par-dessus son épaule et aperçut Erlein di Senzio, une épée à la main.

Il se mit prestement debout et tourna la poignée. La porte s'ouvrit toute grande. Il se rua dans la pièce. Les murs étaient masqués par des étagères sur lesquelles s'alignaient des bocaux et des fioles ; sur les tables, des instruments étaient soigneusement rangés. Savandi était assis sur un banc au centre de la salle, les mains sur les tempes, et il essayait manifestement de se concentrer.

« Que la peste dévore ton âme ! » hurla Devin. Savandi parut se réveiller brutalement. Il se leva avec un grognement sauvage et chercha à s'emparer d'un scalpel sur la table à côté de lui.

Il n'y parvint jamais.

Hurlant toujours, Devin lui sauta dessus, la main gauche tendue vers les yeux du prêtre. De la droite il fit décrire un arc de cercle mortel à son couteau et plongea la lame entre les côtes de Savandi. Il l'enfonça sauvagement et la fit remonter. Il sentit la lame se tordre et crisser au contact d'un os, et crut qu'il allait vomir. Le jeune prêtre avait la bouche ouverte et les yeux écarquillés par la surprise. Il hurla – un cri bref et aigu ; puis il leva les bras en croix et mourut.

Devin libéra le corps et s'effondra sur le banc en essayant de reprendre son souffle. Il sentait le sang affluer à sa tête et lui battre les tempes. Sa vision se brouilla et il ferma les yeux quelques instants. Quand il les rouvrit, il constata que ses mains tremblaient toujours.

Erlein avait rengainé son épée. Il s'approcha de lui.

« Est ce qu'il a… est-ce qu'il a transmis… ? » Devin s'aperçut qu'il ne pouvait même pas parler normalement.

« Non, fit le magicien en secouant la tête. Tu es arrivé à temps. Il n'a pas pu établir le contact. Aucun message n'est passé. »

Devin regarda les yeux fixes et sans expression, puis le corps du jeune prêtre qui avait essayé de les trahir. Depuis quand ? s'interrogea-t-il. Depuis quand se prêtait-il à ce jeu ?

« Comment es-tu parvenu jusqu'ici ? » demanda-t-il à Erlein d'une voix rauque. Ses mains tremblaient toujours. Il laissa tomber le couteau ensanglanté qui heurta le plateau de la table avec un bruit métallique.

« Je t'ai suivi depuis la chambre jusqu'à l'arrière du temple. À ce moment-là je t'ai perdu de vue, et j'ai dû recourir à la magie. C'est l'aura de Savandi qui m'a conduit ici.

— Nous avons franchi une haie puis traversé le cloître. Il a essayé de me perdre.

— Je vois bien. Tu saignes encore.

— Peu importe. » Devin prit une profonde inspiration. Un bruit de pas résonna dans le couloir. « Pourquoi es-tu venu ? Pourquoi as-tu fait cela pour nous ? »

L'espace d'un instant, Erlein parut sur la défensive, mais il ne tarda pas à retrouver son expression sardonique. « Pour vous ? Ne te fais pas plus bête que tu n'es, Devin. Si Alessan meurt, je mourrai moi aussi. Mon destin est lié au sien, rappelle-toi. J'ai agi par instinct de survie, un point c'est tout. »

Devin leva les yeux vers lui et fut sur le point d'ajouter autre chose, une chose importante, mais les bruits de pas se rapprochaient et Danoleon fit irruption, suivi de Torre. Aucun d'eux ne dit mot tandis qu'ils découvraient le spectacle.

« Il s'apprêtait à établir un contact mental avec Brandin, expliqua Devin. Erlein et moi l'avons rattrapé juste à temps. »

Erlein émit un bruit visant à contredire cette affirmation. « C'est Devin qui l'a arrêté. J'ai dû me servir d'un premier sortilège pour les localiser, puis d'un second pour ouvrir la porte. Je ne pense pas qu'ils aient été suffisamment puissants pour attirer l'attention, mais nous ferions mieux de partir demain à l'aube au cas où il y aurait un pisteur dans les environs. »

Danoleon ne semblait pas avoir entendu. Il regardait le corps de Savandi, le visage en larmes.

« Ne gaspillez pas votre chagrin sur ce charognard, fit Torre sans ménagements.

— Je n'y peux rien, répondit le grand prêtre en s'appuyant sur son bâton, je ne peux pas m'en empêcher. Comprenez-moi, il est né en Avalle, c'était un des nôtres. »

Devin détourna brusquement la tête. Il avait la nausée et sentait revenir la colère noire qui l'avait poussé jusqu'ici et incité à tuer si violemment. *Un des nôtres.* Il se souvint de Sandre d'Astibar dans son pavillon au milieu des bois, trahi par son petit-fils. Il craignait sérieusement de se mettre à vomir.

Un des nôtres.

Erlein di Senzio éclata de rire, et Devin se mit à lui tourner autour, les poings résolument fermés. Et il devait avoir un regard meurtrier car le magicien retrouva aussitôt son sérieux ; toute trace d'ironie avait disparu de son visage, comme lavée par un gant de toilette.

Il y eut un bref silence.

Danoleon se reprit et redressa ses épaules massives. « Nous devons faire preuve de prudence si nous ne voulons pas que l'affaire s'ébruite. La mort de Savandi ne doit en aucun cas être imputable à nos invités. Torre, ferme la porte à clé dès que nous serons sortis. Nous nous occuperons du corps cette nuit, lorsque chacun dormira.

— On va remarquer son absence au dîner, fit Torre.

— Non. Après tout, le portier c'est toi. Dis que tu l'as vu franchir la grille en fin d'après-midi. Nous prétendrons qu'il allait rendre visite à sa famille. C'est cohérent, juste après les Quatre-Temps et dans la perspective des nouvelles que nous avons reçues de Chiara. Il sortait assez souvent, et pas toujours avec ma permission. Je crois savoir pourquoi désormais. Je me demande s'il se rendait vraiment chez son père. Malheureusement pour lui, cette sortie-ci lui sera fatale : il va se faire tuer par quelqu'un sur la route juste à l'issue de cette vallée. »

Il y avait dans la voix du grand prêtre une dureté que Devin n'avait pas remarquée précédemment. *Un des nôtres.* Il regarda une dernière fois le mort. Sa troisième victime. Mais celui-là était différent des deux autres. Le garde dans la grange des Nievolene, le soldat dans le défilé, ceux-là accomplissaient sur la péninsule la tâche qui leur incombait. Loyaux envers le pouvoir qu'ils servaient, ne cachant rien de leur nature, fidèles à leur cause. Il s'était affligé de leur mort, déplorant que leurs destins se fussent croisés.

Il n'en était pas de même pour Savandi. Sa mort était différente. Devin s'interrogea et découvrit qu'il ne regrettait pas ce qu'il venait d'accomplir. Il s'aperçut non sans un certain malaise qu'il ne pouvait faire qu'une chose : se retenir pour ne pas replonger son couteau dans le corps du défunt. Comme si la traîtrise corrosive du jeune prêtre envers les siens, son sourire fourbe, étaient venus nourrir quelque passion violente dont Devin ignorait jusqu'à l'existence. Tout comme l'avait fait Aliénor au château Borso, dans un domaine certes différent.

Mais peut-être pas si fondamentalement différent, après tout. Il s'agissait pourtant d'un nœud trop dur et trop dangereux pour qu'il essayât de le démêler au moment où il était crûment confronté à la mort. Il se mit alors à penser à une autre mort proche et prit soudain conscience d'une absence. Il jeta un regard à Danoleon.

« Où est Alessan ? demanda-t-il avec une certaine brusquerie. Pourquoi ne vous a-t-il pas suivis ? »

Mais, avant même d'entendre la réponse, il avait deviné. Une seule raison au monde pouvait justifier l'absence du prince.

Le grand prêtre le regarda. « Il est toujours dans ma chambre. Avec sa mère. Encore que tout soit probablement terminé à l'heure qu'il est.

— Non, fit Devin, oh non ! » Il se leva, se dirigea vers la porte, parcourut le couloir et sortit en empruntant la porte à l'est. Lorsqu'il fut dehors dans la lumière oblique de cette fin d'après-midi, il se remit à courir.

Il contourna le mur arrondi à l'arrière du temple, passa devant le même petit bâtiment et aperçut un jardinet qu'il n'avait pas remarqué à l'aller, puis s'élança dans le sentier qui descendait à la demeure du grand prêtre, gravit les marches du portique et atteignit la fenêtre par laquelle il avait sauté il n'y avait guère longtemps. Les événements formaient une pelote de laine qu'il rembobinait, comme s'il eût été à même de remonter le temps, non pas jusqu'au moment précédant le drame de Savandi ou leur arrivée au sanctuaire, non, il éprouvait brusquement le besoin irrationnel de refaire tout le chemin jusqu'à l'époque fatidique où les tyrans avaient semé les graines de l'affliction.

Mais il n'était pas permis de remonter le temps, ni dans son cœur ni dans l'univers tel qu'on le connaissait. Le temps poursuivait sa course, inéluctable, tandis que les choses évoluaient pour le meilleur ou pour le pire ; les saisons se suivaient, la lumière du jour déclinait peu à peu, la nuit tombait et se prolongeait jusqu'à ce que la lumière revînt à l'aube, les années se succédaient, les gens naissaient et vivaient par la grâce de la Triade, puis ils mouraient.

Tous finissaient par mourir.

Alessan était encore dans la chambre et se tenait toujours à genoux sur le tapis grossier, non plus à côté du fauteuil en chêne sombre et massif, mais près du lit. Il avait bougé, les heures s'étaient écoulées et le soleil était descendu plus à l'ouest dans la voûte du ciel.

Devin aurait voulu refaire le parcours accompli en sens inverse, à toute vitesse. Pour qu'Alessan ne fût pas seul dans un moment pareil ; au premier jour de son retour en Tigane depuis l'adolescence. Or il n'avait plus rien d'un adolescent avec ses tempes argentées. Le temps avait passé. Vingt années s'étaient écoulées, et voici qu'il était de retour.

Sa mère était étendue sur le lit du grand prêtre. Les deux mains d'Alessan étaient enlacées autour d'une des siennes et l'encerclaient tendrement, à la manière dont on tient un oisillon qui risque de mourir de peur s'il est tenu trop serré, ou de s'envoler pour toujours s'il ne l'est pas assez.

Devin avait dû faire un peu de bruit en s'approchant de la fenêtre, car le prince leva les yeux. Leurs regards se croisèrent. Devin souffrait intérieurement, et cette douleur le rendait muet. Il se sentait assailli, meurtri, parfaitement incapable de faire face à une telle situation. Si seulement Baerd avait été là, ou Sandre ; même Catriana aurait su se débrouiller mieux que lui.

« Il est mort, fit-il. Je veux dire : Savandi est mort. Nous l'avons arrêté à temps. » Alessan hocha la tête pour lui montrer qu'il avait enregistré l'information. Puis son regard retomba sur le visage de sa mère, plus serein maintenant que tout à l'heure. Plus serein qu'il ne l'avait probablement été durant les longues années d'avant sa mort. Le temps, qui avait coulé inexorablement, lui dérobant ses souvenirs et sa fierté. La privant d'amour.

« Je te demande pardon, Alessan, fit Devin. Du fond du cœur. »

Le prince leva de nouveau les yeux ; ses yeux gris étaient transparents mais terriblement lointains. Il recherchait des images dans l'écheveau des années. Devin crut qu'il allait dire quelque chose, mais il n'en fut rien. Un instant plus tard, par contre, il eut un de ses petits haussements d'épaules, ce mouvement tranquille et rassurant qu'ils connaissaient tous si bien et qui voulait dire qu'il se résignait, qu'il acceptait un nouveau fardeau de plus.

Devin eut tout à coup l'impression que c'en était trop. Le consentement d'Alessan lui donnait le coup de grâce. Il se sentait blessé, déchiré, écartelé par les dures réalités de ce monde, par la fugacité de toute chose. Il baissa la tête et pleura comme un enfant confronté à une épreuve trop lourde pour ses frêles épaules.

Dans la chambre, Alessan était agenouillé en silence près du lit, tenant toujours la main de sa mère entre les siennes. Le soleil se couchait à l'occident, qui dardait un rai oblique de lumière ambrée sur le parquet, sur lui-même, sur le lit, sur la femme étendue là, sur les pièces d'or qui couvraient ses yeux gris.

Chapitre 16

Le printemps fut précoce dans la ville d'Astibar. C'était presque toujours le cas au nord-ouest de la province, le long de la côte abritée qui surplombait la baie et les îles échelonnées de l'Archipel. À l'est et au sud, où aucune barrière naturelle ne venait tempérer les vents du large, le printemps n'arrivait que quelques semaines plus tard, ce qui obligeait les petits bateaux de pêche à rester près de la côte en cette période de l'année.

Le Senzio, lui, était déjà en fleur, racontaient les marchands au port d'Astibar, et les fleurs blanches des acacias qui embaumaient contenaient la promesse de l'été à venir. À Chiara, il faisait encore froid, disait-on, mais cela n'était pas rare sur l'île au tout début du printemps. Les brises en provenance du Khardhun ne tarderaient pas à radoucir l'air et les mers.

Le Senzio, l'île de Chiara.

Alberico de Barbadior se couchait avec en tête ces deux entités et se réveillait de même, à l'issue de nuits épuisantes parce qu'agitées et ponctuées de rêves affreux et perturbants.

L'hiver, une série de menus incidents et de rumeurs lui avaient paru quelque peu inquiétants, mais les événements de ce début de printemps étaient d'une tout autre nature. Car il ne s'agissait plus d'événements mineurs ou de vagues provocations. Tout arrivait en même temps. En quittant sa chambre pour descendre dans les bureaux de l'État, Alberico sentait son humeur s'assombrir à chaque pas, tant il appréhendait les rapports qu'on allait encore lui présenter.

Les fenêtres du palais étaient ouvertes pour laisser pénétrer la tiédeur de la brise. Cela faisait des mois que le temps n'avait pas été assez clément pour permettre qu'on ouvrît les fenêtres, et pendant la majeure partie de l'automne et de l'hiver des corps n'avaient cessé de pourrir sur les roues de la mort implantées sur la place.

Les corps des Sandreni, des Nievolene et des Scalvaiane. Sans compter une douzaine de poètes condamnés au hasard. Voilà qui n'incitait guère à ouvrir les fenêtres. La sanction était nécessaire cependant, et lucrative car elle lui avait permis de confisquer les terres des comploteurs. Il n'était pas fâché quand la nécessité et le gain faisaient ainsi bon ménage ; ce n'était pas souvent le cas mais, quand cela se produisait, Alberico de Barbadior avait l'impression de jouir du plaisir le plus pur qu'on pût trouver dans l'exercice du pouvoir.

Ce printemps néanmoins, ses plaisirs avaient été peu nombreux, souvent très limités, et l'émergence de nouveaux problèmes faisait passer ceux de l'hiver pour des petites misères sans conséquence, de menues averses de neige au cœur de la nuit. Ce qui lui arrivait maintenant ressemblait davantage à un blizzard qui le cernait de toutes parts.

Dans les tout premiers jours du printemps, on avait repéré un magicien dans les montagnes méridionales après qu'il eut fait usage de son pouvoir, mais le pisteur et les vingt-cinq hommes que Siferval s'était empressé d'envoyer avaient été massacrés jusqu'au dernier dans un défilé tenu par des hors-la-loi. Un acte de révolte dont l'insolence dépassait tout ce qu'on avait vu jusque-là.

Et il ne pouvait même pas infliger de châtiment à la hauteur de l'affront : les villageois et les fermiers dispersés dans les montagnes haïssaient ces brigands autant sinon plus que les Barbadiens. Le massacre avait eu lieu une nuit de Quatre-Temps et, comme aucun citoyen respectable ne s'aventurait dehors ce soir-là, personne n'avait vu les auteurs de ce crime sans précédent. Siferval avait détaché une centaine d'hommes de Fort-Ortiz avec ordre de rechercher les brigands, mais ils n'avaient trouvé que quelques feux de camp éteints. On aurait dit que les vingt-cinq hommes avaient été tués par des fantômes: d'ailleurs, c'était sans doute ce que les montagnards racontaient déjà. La tuerie avait eu lieu une nuit de Quatre-Temps après tout, et chacun savait que les morts étaient de sortie ces nuits-là. Les morts en quête de vengeance.

Très adroits, les morts, de se servir de flèches tout fraîchement empennées, avait écrit Siferval dans un rapport truffé de sarcasmes, qu'il avait fait dépêcher au nord par deux capitaines. Ses hommes avaient fui sans demander leur reste, terrorisés devant l'expression d'Alberico. Car c'était la troisième compagnie qui avait laissé mourir vingt-cinq de ses soldats et en avait envoyé une centaine d'autres, tout aussi incompétents, qui n'avaient rien obtenu que de susciter les rires en errant dans la montagne.

C'était à devenir fou. Alberico avait dû se retenir pour ne pas faire flamber le hameau le plus proche du défilé; il s'en était abstenu uniquement parce qu'il savait les conséquences à long terme d'un tel geste. Voilà qui réduirait à néant tous les bénéfices tirés de la retenue étudiée dont il avait fait preuve à l'issue du complot Sandreni. Cette nuit-là, sa paupière se remit à s'affaisser comme au début de l'automne.

Peu de temps après arrivèrent des nouvelles en provenance de Quileia.

Il avait nourri d'immenses espoirs après la chute sidérante du régime matriarcal. Ce pays constituait un immense marché, mûr à point, une véritable manne pour l'Empire. Et, qui plus est, cet eldorado allait tomber sous l'égide du Barbadior grâce au gardien zélé et vigilant des frontières occidentales de l'Empire, Alberico de la Palme orientale.

Un espoir, une promesse qu'aucune difficulté prévisible ne venait contrarier. Même si ce Marius, ce tueur de prêtresses estropié sur son trône précaire, choisissait de commercer également avec l'Ygrath, cela ne poserait pas de problème. La Quileia était plus qu'assez grande pour satisfaire l'Ouest et l'Est. Pour un temps du moins. Il devrait être possible de montrer bientôt à ce gros rustaud les avantages multiples qu'il y aurait à donner l'exclusivité au Barbadior.

L'empire du Barbadior avait mis au point, et testé à maintes reprises, un certain nombre de procédés – certains plus subtils que d'autres – qui tendaient tous à faire voir aux individus concernés les choses sous un angle bien précis. Albèrico avait quelques idées personnelles quant à la mise en œuvre de moyens nouveaux pour persuader les petits monarques d'adopter le plus juste point de vue. Il avait l'intention de les exploiter pleinement dès qu'il serait de retour chez lui.

Comme empereur de son pays. Car tel était le but, la justification de toutes choses.

Or les événements du printemps vinrent tous contrarier ses projets.

Marius de Quileia eut l'obligeance de répondre promptement à la proposition gracieuse d'Alberico de commercer. Un émissaire remit la lettre à Siferval en mains propres à Fort-Ortiz.

Malheureusement, ce bref plaisir fut réduit en mille morceaux quand la lettre atteignit Astibar. En raison de son importance, Siferval avait décidé de la porter lui-même au nord. Rédigée dans une langue d'une surprenante sophistication, elle contenait un message qui, même s'il était exprimé en termes châtiés et polis, n'en était pas moins clair et précis : le Quiléian estimait que Brandin d'Ygrath représentait la puissance la plus grande et la plus solide de la Palme, et qu'étant lui-même novice dans l'exercice du pouvoir il ne voulait pas risquer d'encourir la colère du roi en commerçant avec Alberico, simple seigneur de l'Empire, bien qu'il le souhaitât vivement.

Pareille lettre pouvait conduire un homme à la folie meurtrière.

Tandis qu'il faisait un gros effort pour se dominer, Alberico surprit une appréhension croissante dans le regard de ses secrétaires et conseillers, et même un soupçon de crainte dans les yeux du capitaine de la troisième compagnie. Puis, quand Siferval lui tendit la seconde lettre, celle, expliqua-t-il, qu'il avait recopiée après l'avoir si brillamment extraite de la sacoche du messager quiléian – un bavard impénitent –, Alberico sentit toute mesure l'abandonner.

Il fut contraint de se retourner et de marcher seul jusqu'aux fenêtres à l'arrière de ses bureaux ; là, étouffant à moitié, il se força à avaler de longues bouffées d'air pour calmer son esprit en ébullition. Il sentait revenir ce tremblement révélateur de sa paupière droite, dont il n'avait jamais réussi à se débarrasser depuis cette fameuse nuit où il avait failli mourir dans le bois des Sandreni. De ses mains robustes il saisit le rebord de la fenêtre qu'il serra de toutes ses forces, et tâcha de recouvrer l'impassibilité qui lui permettrait d'analyser les implications du message intercepté, mais la sérénité n'était pas chose facile à atteindre, et ses pensées, en cette belle matinée ensoleillée, étaient aussi noires et tumultueuses qu'un océan déchaîné.

Le Senzio ! Cet imbécile de Quiléian cherchait à se lier avec les marionnettes dissolues au pouvoir dans la neuvième province ! Il était difficile de croire que le bonhomme, aussi novice fût-il dans l'exercice du pouvoir, pût se conduire aussi sottement.

Tournant toujours le dos à ses conseillers et capitaines, Alberico, le regard fixé sur la grand-place trop lumineuse, se mit brusquement à songer à la manière dont cette affaire allait être considérée par le reste du monde. Le reste du monde qui comptait en tout cas, c'est-à-dire l'empereur et ceux qui avaient son oreille, dont la plupart convoitaient la tiare au même titre qu'Alberico. Comment la nouvelle serait-elle interprétée si Brandin d'Ygrath commerçait activement avec le

Sud, si les marchands senzians s'aventuraient au-delà de la Tregea et des montagnes pour pénétrer dans les ports quiléians et accéder à tous ces merveilleux produits condamnés à rester sur place à l'époque des prêtresses?

Imaginons seulement que l'Empire se voie refuser l'accès à ce nouveau marché, pour la seule raison que le pouvoir d'Alberico de Barbadior avait été jugé trop incertain comparé à celui de l'Ygrathien qui contrôlait l'ouest de la péninsule... Alberico se mit à transpirer; il sentit un filet de sueur froide couler de son aisselle, puis une douleur vive tandis qu'un muscle dans la région du cœur se contractait violemment. Il se força à respirer calmement en attendant que la douleur passât.

Du tréfonds des espoirs qu'il avait nourris, il crut voir émerger une arme, plus aiguisée et plus dangereuse que toutes celles dont ses ennemis du Barbadior rêvaient.

Le Senzio. Il n'avait cessé de songer à cette neuvième province tout au long des mois d'hiver, avant même que ces nouvelles d'au-delà des montagnes ne lui parviennent.

Peu de temps après, alors que les premières fleurs éclosaient dans les jardins d'Astibar, d'autres événements survinrent. Cette semaine-là, des nouvelles arrivèrent de l'Ouest, révélant qu'on avait essayé d'assassiner Brandin d'Ygrath.

La tentative s'était néanmoins soldée par un échec. Pendant toute une nuit, Alberico mit au point différents scénarios dans son sommeil, qui avaient ceci en commun qu'ils étaient tous triomphants et glorieux. Il rêva encore et encore, tant le plaisir était inépuisable, que l'assassin – armé d'une arbalète, lui avait-on précisé – avait réussi. C'eût été parfait: le moment aurait été on ne peut plus favorable, il aurait à point nommé rencontré ses désirs. D'aucuns n'auraient pas manqué d'y voir un don des cieux, un rayon de lumière dardé sur son visage par les principaux dieux de l'Empire. Toute la péninsule serait entrée en sa possession en moins d'un an, en six mois à vrai dire. Le monarque estropié de la

Quileia, qui avait tant besoin de s'ouvrir au monde, eût été contraint de s'accommoder des conditions d'Alberico, quelles qu'elles fussent.

Quant à l'Empire, il en aurait pris la tête moins d'un an plus tard.

Fort d'un pouvoir aussi incontestable, il n'aurait même pas eu besoin d'attendre que l'empereur souffrant se fût enfin décidé à mourir. Il aurait pu rentrer avec ses armées, en champion, en héros du peuple, ce peuple auquel il n'aurait pas manqué de distribuer le blé, l'or, le vin généreux de la Palme et toutes ces richesses redécouvertes de la Quileia.

C'eût été extatique. Cette nuit-là seulement, Alberico laissa venir les rêves à lui, tout en souriant dans son sommeil. Puis il se réveilla et retourna à ses bureaux du gouvernement où l'attendaient trois de ses capitaines, la mine consternée. Un nouveau messager les accompagnait. En provenance de l'Ouest lui aussi, vingt-quatre heures seulement après son collègue. Mais les nouvelles qu'il apportait suffisaient à briser vingt années d'équilibre en morceaux trop petits et trop pointus pour qu'on pût les recoller et reconstituer l'ensemble tel qu'auparavant.

Brandin avait renoncé à l'Ygrath après s'être proclamé roi de la Palme occidentale.

À Chiara, poursuivit le messager qui tremblait autant que son seigneur, on s'était mis à fêter l'événement quelques heures seulement après l'annonce.

« Et les Ygrathiens ? demanda Karalius de la première compagnie, bien qu'il n'eût pas vraiment droit à la parole.

— La plupart vont rentrer chez eux, répondit le messager. S'ils décident de rester, ils doivent devenir citoyens du nouveau royaume, sans statut privilégié. »

— Tu dis qu'ils vont rentrer, fit Alberico, le regard lourd et froid pour tenter de masquer ses émotions. Tu le sais de source sûre, on te l'a dit, ou c'est une simple supposition de ta part ? »

Le messager vira au gris et bredouilla une réponse où il était question de conséquences logiques, évidentes, que tout le monde était susceptible de prédire…

« Qu'on lui coupe la langue avant de l'achever, ordonna Alberico. Peu m'importent les moyens. Et qu'on le donne en pâture aux animaux. Mes messagers ont pour mission de m'informer. Mais c'est moi qui tire les conclusions. »

Le messager s'évanouit aussitôt et s'affaissa sur le plancher. Il était visible qu'il avait fait sur lui. Grancial de la deuxième compagnie fit signe à deux hommes de l'emmener sans tarder. Alberico ne prit même pas la peine de regarder. Finalement, il n'était pas mécontent que l'homme se fût montré aussi présomptueux. Il lui avait fourni une bonne raison de tuer à un moment où il en avait terriblement besoin.

Il fit un signe de deux doigts, et son secrétaire fit sortir tout le monde excepté les trois capitaines. D'ailleurs, aucun des subalternes n'avait manifesté la moindre envie de rester. C'était bien ainsi : ils ne lui inspiraient pas confiance.

Alberico n'était pas entièrement sûr de ses capitaines non plus, mais il avait besoin d'eux comme eux de lui ; il avait aussi pris garde à entretenir la méfiance qu'ils éprouvaient les uns pour les autres. L'arrangement fonctionnait. Du moins avait-il fonctionné jusqu'à présent.

Mais c'était ce présent qui importait, et Brandin venait de semer le chaos dans la péninsule. Non que la Palme fût très importante en soi, mais c'était un passage obligé, un tremplin. Jeune homme, Alberico avait quitté le Barbadior pour partir à la conquête du monde et revenir en grand seigneur à l'âge mûr ; à quoi auraient servi ces vingt années d'exil s'il ne rentrait pas chez lui en triomphateur ou, mieux encore, en maître absolu.

Il tourna le dos aux capitaines et s'approcha de la fenêtre, tout en se massant l'œil à la dérobée. Il attendit, histoire de voir lequel parlerait le premier et ce qu'il dirait. Il sentait monter en lui une crainte qu'il avait du mal à dissimuler. Rien ne se passait comme prévu ; ni sa prudence ni sa discrétion ne portaient les fruits escomptés.

« Monseigneur, fit Karalius d'une voix douce, juste derrière lui, je vois là une opportunité certaine. Une opportunité considérable, en fait. »

C'était précisément ce qu'il craignait d'entendre. Parce que c'était la vérité, mais une vérité qui nécessitait de reprendre les armes sans tarder, de s'engager dans un ensemble d'actions aussi dangereuses que décisives. Ici même, et non dans l'Empire comme il s'y était préparé. Une guerre dans cette lointaine péninsule, sauvage et obstinée, où il pouvait tout perdre – tout ce qu'il avait semé depuis le début – dans une conquête dont il se moquait ou presque.

« Nous devons nous montrer prudents », s'empressa de déclarer Grancial. Davantage pour s'opposer à Karalius que dans un but précis, Alberico le savait. Mais il prit note de l'emploi du « nous ».

Il se retourna et décocha un regard glacial au capitaine de la seconde compagnie. « Je n'entreprendrai certes rien sans avoir dûment réfléchi au préalable », dit-il en insistant clairement sur le premier mot. Grancial battit des paupières et détourna les yeux. Siferval sourit derrière sa moustache blonde et ondulée.

Karalius, lui, ne sourit pas. Il conservait une expression contenue et réfléchie. C'était de loin le plus fin des trois, Alberico le savait. C'était aussi le plus dangereux car les deux allaient de pair chez un individu tel que lui. Alberico fit quelques pas derrière son imposant bureau en chêne et se rassit. Il regarda le chef de la première compagnie et attendit.

« Il y a une opportunité immédiate, répéta Karalius. Il va se produire des remous à l'ouest, voire des troubles ; bon nombre d'Ygrathiens vont rentrer. Dois-je vous exprimer mon opinion ? » Son visage à la peau claire prenait des couleurs à mesure que son excitation croissait. Alberico comprit que l'homme entrevoyait une opportunité pour lui-même, la chance d'acquérir de la terre, de s'enrichir.

C'eût été une erreur que de laisser Karalius trop en dire. Il allait finir par s'imaginer qu'il était l'auteur de la stratégie qu'adopterait Alberico. « Je connais exactement votre opinion et je sais en quels termes vous alliez l'exprimer. Alors abstenez-vous. Je n'ai besoin de personne pour me dire ce qui va se passer à l'ouest. Il ne me manque qu'une information : nul ne sait encore quelle proportion de l'armée va rester. J'ai l'impression que la plupart des soldats préféreront rentrer plutôt que d'être rabaissés au même rang que des gens qu'ils dominent depuis tant d'années. Ils ne sont pas venus dans la Palme pour devenir des citoyens de second ordre.

— Pas plus que nous », fit remarquer Siferval tout de go.

Alberico réprima un mouvement de colère. Il avait le sentiment d'avoir dû produire pareil effort un peu trop fréquemment avec ces trois-là depuis quelque temps. Ils poursuivaient leur propre but, selon des plans établis de longue date, à l'issue desquels ils espéraient devenir riches et célèbres, comme tous les ambitieux de l'Empire : à quoi d'autre un ambitieux pourrait-il bien aspirer ?

« J'en suis conscient, dit-il le plus calmement qu'il put.

— Alors que décidons-nous ? » demanda Grancial qui, loin de lancer un défi, posait sincèrement la question. Grancial était le plus limité et le plus fidèle des trois, en raison même de ses limites.

Alberico leva les yeux. En direction de Karalius et non de Grancial.

« Rassemblez mes armées », fit-il posément bien que son pouls battît très vite. Une telle manœuvre n'était pas sans danger et pouvait lui être fatale, comme le lui soufflait son instinct. Mais il savait aussi que le temps et les dieux avaient jeté du haut des cieux un joyau scintillant sur son chemin et que, s'il ne faisait rien, il risquait fort de lui échapper.

« Rassemblez mes armées dans chacune des quatre provinces et conduisez-les au nord. Je les veux massées à la frontière le plus tôt possible.

— Où cela ? » Les yeux de Karalius brillaient d'excitation à cette seule perspective.

« Au nord du Ferraut, bien sûr. À proximité de la frontière du Senzio. » Les mots se bousculaient dans sa tête : le Senzio. La neuvième province. L'objet de sa convoitise. Le champ de bataille.

« Combien de temps vous faudra-t-il ? leur demanda-t-il.

— Cinq semaines, pas plus, s'empressa de répondre Grancial.

— Quatre, renchérit Siferval, le sourire aux lèvres.

— La première compagnie, déclara Karalius, sera à la frontière dans trois semaines exactement. Vous pouvez compter dessus.

— Je n'y manquerai pas », fit Alberico. Qui les congédia.

Il resta un long moment assis à son bureau, tripotant un presse-papiers, réfléchissant à toutes les facettes du problème : le dessus, le dessous et le pourtour. Mais, quel que fût l'angle d'observation qu'il choisît, les choses semblaient se mettre en place d'elles-mêmes. Le pouvoir était au bout du chemin, le triomphe aussi ; il crut voir le joyau chatoyant tomber du ciel, survoler l'océan, puis la terre, et venir se poser dans sa main tendue.

Il agissait. Il modelait les événements au lieu de les subir. Son ennemi serait vulnérable, ô combien, tant que le calme ne serait pas revenu dans l'Ouest. Quant à la Quileia, on pouvait lui dicter ses choix, qui n'auraient plus de choix que le nom. Et, au moment où il s'apprêtait à rentrer chez lui, l'Empire aurait peut-être l'occasion de découvrir ce dont il était capable avec ses armées et son pouvoir de sorcier. L'époque lui offrait un joyau, ni plus ni moins, tombé tout droit du ciel. À lui de s'en emparer et de le poser sur son front.

Il n'en demeurait pas moins mal à l'aise ; c'en était presque inquiétant. La clarté du jour s'intensifiait à mesure que la matinée s'avançait, mais lui restait assis, seul, essayant de se persuader que cette promesse alléchante n'était pas un leurre. Il avait la bouche sèche et ce soleil printanier lui semblait hostile, douloureux presque. Il se demanda s'il était malade. Une force inconnue rongeait les profondeurs obscures de son esprit, tel un rat dans la nuit. Il s'obligea à la traquer et s'efforça de transformer sa pensée rationnelle et prudente en un flambeau, de regarder à l'intérieur de lui-même et d'extirper cette angoisse.

Et c'est alors qu'il vit et comprit qu'elle était inextirpable et que jamais âme vivante ne devait en avoir connaissance.

Car il s'agissait d'une vérité empoisonnée, humiliante : Alberico avait peur. Terriblement peur, jusqu'au plus profond de lui-même. Peur de cet autre. Peur de Brandin d'Ygrath, ou plutôt de Brandin de la Palme occidentale. Le seul fait qu'il avait changé de nom bouleversait l'équilibre de la péninsule.

La peur d'Alberico, elle, n'avait pas évolué au cours de ces vingt dernières années.

Un moment plus tard, il quittait la salle et descendait au sous-sol pour voir comment on mettait fin aux jours du messager.

◆

Alaïs savait pertinemment pourquoi elle s'était vu offrir un cadeau aussi exceptionnel – un voyage sur *la Sirène* en compagnie de son père : Selvena allait se marier à la fin de l'été.

Catini, fils d'Edinio, dont le père possédait une oliveraie considérable et des vignobles au nord d'Astibar, ainsi qu'une banque d'affaires prospère en ville, avait demandé à Rovigo la main de sa seconde fille au début du printemps. Rovigo, dûment averti par sa fille, avait donné son consentement, une décision destinée, entre autres choses, à empêcher Selvena de se tuer, comme elle avait si souvent menacé de le faire si elle n'était pas mariée à l'automne. Catini était un garçon sérieux et agréable quoiqu'un peu insipide, et Rovigo, qui avait fait des affaires avec Edinio par le passé, appréciait l'homme.

Selvena se montrait à la fois passionnée et extatique. Tout était si excitant : la perspective de la cérémonie, la promesse d'une demeure à elle – Edinio avait offert d'installer le jeune couple dans une petite maison sur une colline dominant le vignoble – et les plaisirs anticipés de la couche conjugale.

Rovigo se sentait comblé par le bonheur de sa fille et attendait avec impatience la célébration du mariage. Il essayait de masquer les moments de tristesse qui parfois l'assaillaient et qu'il attribuait à un sentiment naturel chez un homme qui constate que sa fille est devenue femme avant même qu'il ait eu le temps de s'y préparer. Lorsqu'il découvrit Selvena en train de coudre un gant rouge pour la nuit de noces, il en fut plus perturbé qu'il ne l'aurait cru. Le plus souvent, il l'abandonnait à ses bavardages joyeux et fébriles pour se tourner vers Alaïs, calme, impeccable, observatrice ; un sentiment proche de la tristesse l'effleurait alors, tandis que toute la demeure vivait dans l'effervescence des préparatifs.

Alix paraissait comprendre, peut-être même comprenait-elle mieux que lui. Au moment où il s'y attendait le moins, sa femme venait lui tapoter l'épaule comme pour l'apaiser.

Et, de fait, il était nerveux. Des nouvelles stupéfiantes, qui promettaient d'être décisives, lui parvinrent ce printemps-là. Les troupes barbadiennes encombraient les routes ; toutes remontaient vers le nord du Ferraut, à la frontière du Senzio. Le nouveau royaume de la Palme occidentale n'avait pas encore clairement répondu à cette provocation. Ou, s'il l'avait fait, personne n'était encore au courant en Astibar. Rovigo n'avait plus reçu de nouvelles d'Alessan depuis les semaines précédant les Quatre-Temps, mais, cela faisait longtemps qu'il le savait, ce printemps risquait fort de marquer le début d'une ère nouvelle.

Et quelque chose dans l'atmosphère – une impression de changement accéléré qui accompagnait le bourgeonnement printanier et allait même au-delà – parlait de danger imminent, de violence potentielle. Il lui semblait voir et entendre ces mêmes indices un peu partout, dans le pas martelé des troupes en mouvement, dans les propos chuchotés des hommes à la taverne, qui levaient les yeux un peu trop vite dès que quelqu'un franchissait le seuil.

Un matin, Rovigo se réveilla avec une image tenace: celle des grands blocs de glace compacts des rivières qu'il avait aperçus dans l'extrême Sud, des années auparavant, lors d'un long voyage le long de la côte de la Quileia. Et dans l'image mentale qui se forma alors qu'il était encore au lit, à mi-chemin entre le sommeil et l'éveil, il crut voir la glace se briser et les eaux des rivières se remettre à couler et charrier les blocs qui se fracassaient et se pulvérisaient jusqu'à la mer.

En buvant son khav ce matin-là, debout dans la cuisine, il annonça qu'il partait en ville en vue d'armer *la Sirène* pour sa première sortie de la saison ; il allait embarquer pour la Tregea avec des marchandises, du vin peut-être, pourquoi pas le vin d'Edinio? qu'il échangerait contre une cargaison de laine de printemps et de fromage de chèvre.

La décision était impulsive mais non dépourvue de fondement. Il lui arrivait souvent de faire route au sud au début du printemps ou juste après, essentiellement pour ses affaires, mais aussi pour apprendre des nouvelles susceptibles d'intéresser Alessan. Pour ces deux raisons, il faisait le voyage depuis des années, depuis qu'il avait rencontré Alessan et Baerd et passé la nuit entière avec eux dans une taverne du Sud. En les quittant, il savait déjà qu'ils étaient dévorés par la même passion et qu'ils défendaient la même cause, même s'il leur faudrait toute une vie pour la voir triompher.

Ainsi ce voyage de printemps faisait-il partie de son programme annuel. Par contre, la proposition qu'il avait faite à Alaïs, entre deux gorgées de khav, de l'emmener avec lui, était totalement impulsive.

Son aînée, sa fierté, la plus brillante de toutes. Il n'avait pas assez de mots pour dire à quel point il la trouvait belle. Personne n'avait demandé sa main. Et, bien qu'il la sût sincèrement heureuse du mariage de sa sœur, loin de se lamenter sur elle-même, cela ne l'empêchait pas d'éprouver un chagrin pénible chaque fois qu'il la regardait au milieu de l'excitation croissante que suscitaient les préparatifs du mariage.

C'est ainsi qu'il lui demanda sur un ton un peu trop désinvolte si elle voulait l'accompagner ; Alix leva promptement les yeux de son travail et lui décocha un regard perçant et inquiet, tandis qu'Alaïs, plus rapide encore, s'empressait de répondre avec une passion inhabituelle chez elle : « Oh que oui ! La Triade soit louée, rien ne pourrait me faire davantage plaisir ! »

Elle rêvait d'un tel voyage depuis toujours.

C'était même un de ses plus vieux rêves, bien qu'elle n'eût jamais rien demandé et n'en eût jamais parlé à quiconque. Alaïs savait qu'elle avait pris des couleurs éloquentes. Elle vit son père et sa mère échanger un regard. Il y avait des moments où elle leur enviait cette communion de sentiments et d'idées que traduisaient ces échanges de regards. Ils s'abstinrent de tout commentaire; la plupart du temps ils se passaient de mots. Puis Alaïs vit sa mère hocher la tête et elle se retourna juste à temps pour voir son père esquisser un sourire en guise de réponse. Elle sut alors qu'elle allait enfin pouvoir voyager à bord de *la Sirène* pour la première fois de sa vie.

Elle en avait envie depuis si longtemps qu'elle avait l'impression d'être née avec ce désir. Elle se rappelait le jour où, toute gamine, son père l'avait soulevée et emmenée au port d'Astibar avec sa mère qui, elle, portait Selvena, pour voir le nouveau bateau qui allait être la clé de leur petite fortune en ce bas monde.

Elle en était immédiatement tombée amoureuse. Les trois mâts qui lui avaient paru si hauts à l'époque et s'élançaient vers le ciel, la proue qui s'ornait de l'effigie d'une sirène brune, la couche de peinture bleu vif le long des garde-corps, le crissement des cordes et du bois. Le port lui-même l'avait conquise : l'odeur de poix, de pin, de poisson, de bière et de fromage, de laine, d'épices et de cuir. Le roulement des charrettes chargées de marchandises qui partaient vers de lointaines contrées du monde connu ou arrivaient de pays inconnus dont les seuls noms lui semblaient empreints de magie.

Un marin habillé de vert et de rouge était passé devant eux, un singe sur l'épaule, et son père lui avait adressé un salut familier. Il avait l'air chez lui ici, il connaissait ces hommes et les terres sauvages et exotiques où ils allaient et dont ils revenaient. Elle entendait des cris, des rires brusques et tapageurs et des voix qui s'élevaient dans une langue impie pour discuter du poids de ceci, du coût de cela. Tout à coup quelqu'un avait crié que des dauphins venaient de pénétrer dans la baie ; son père l'avait aussitôt assise sur ses épaules, qu'elle pût les voir.

Selvena s'était mise à pleurer, effrayée par cet incroyable remue-ménage, se souvint Alaïs, et ils étaient retournés à leur charrette peu après puis s'en étaient allés. Ils avaient laissé derrière eux les Barbadiens attentifs et menaçants – de grands hommes blonds juchés sur de grands chevaux qui gardaient le port d'Astibar. Elle était trop jeune pour comprendre les raisons de leur présence, mais le silence brutal de son père, son visage inexpressif, étaient déjà révélateurs. Plus tard, elle en avait appris beaucoup plus, à mesure qu'elle grandissait dans un territoire occupé.

Son amour des bateaux et de la vie du port ne l'avait jamais quittée. Chaque fois qu'elle le pouvait, elle accompagnait Rovigo sur la côte. C'était plus facile en hiver, quand la famille venait s'installer en ville, mais même au printemps, en été ou au début de l'automne, elle trouvait des excuses, des moyens, de bonnes raisons de l'accompagner en ville et de descendre jusqu'au quai où était ancrée *la Sirène*. Elle savourait la scène, et la nuit faisait des rêves d'océans qui s'ouvraient devant elle et de vagues qui l'aspergeaient de sel.

Des rêves. Car elle était née femme et les femmes ne prennent pas la mer. Pas plus que les jeunes filles intelligentes et obéissantes n'ennuient leur père en leur demandant pareilles faveurs. Mais certains matins, de façon tout à fait inattendue, Eanna se penche pour apercevoir le monde entre ses lumières célestes ; elle sourit, et quelque chose de miraculeux vous est soudain proposé qu'on n'aurait jamais cherché à obtenir.

Il s'avéra qu'elle avait le pied marin et supportait sans peine les mouvements de tangage et de roulis du bateau sur les vagues, au large des côtes de l'Astibar qui défilaient à tribord. Ils remontèrent la baie par le nord, puis se frayèrent un chemin entre les îles de l'Archipel, avant de s'élancer dans l'immensité du large. Rovigo et ses cinq marins manœuvraient le bateau avec calme et précision. Alaïs était en extase et contemplait tout ce qui se présentait de ce monde inconnu avec une fougue qui les amusait. Ils la taquinèrent à ce sujet, mais elle connaissait ces cinq-là depuis toujours et les savait dépourvus de toute malice.

Ils contournèrent la pointe nord de la province, un cap réputé pour ses tempêtes, lui indiqua l'un des hommes, mais en ce jour de printemps l'endroit était paisible et facile d'accès, et elle se tint près du garde-corps tandis qu'ils viraient au sud, pour admirer les vertes collines de son pays qui descendaient vers les grèves de sable blanc et les villages de pêcheurs échelonnés le long de la côte.

Quelques nuits plus tard, une tempête se leva bel et bien, à hauteur des falaises de la Tregea. Rovigo l'avait vue venir au coucher du soleil, ou bien il l'avait tout simplement sentie dans l'air ambiant, mais la côte était rocheuse et peu avenante et il n'y avait nulle part où mettre le voilier à l'abri. Ils se préparèrent donc à affronter le grain à une distance respectable de la côte et de ses rochers. Quand la tempête frappa, Alaïs descendit dans sa cabine afin de ne pas les gêner.

Même un temps pareil, constata-t-elle avec joie, ne l'affectait guère. Elle ne trouvait rien de très agréable à entendre *la Sirène* craquer et trembler de la sorte, pas plus qu'à se sentir ballottée par le vent et la pluie, mais elle se dit que son père avait enduré bien pire depuis trente ans qu'il naviguait et qu'elle n'allait pas laisser un petit grain d'est printanier de rien du tout l'effrayer ou ternir sa joie.

Elle insista pour remonter sur le pont dès qu'elle sentit les vagues et le vent se calmer. Il pleuvait encore, et elle se couvrit la tête de son capuchon. Prenant garde à ne pas gêner les manœuvres, elle se tint près du bastingage et n'en bougea plus. Elle leva les yeux : à l'orient les cumulus couraient à toute allure, révélant des trouées de ciel bleu ; Vidomni réussit un instant à transpercer la barrière des nuages. Puis le vent s'apaisa davantage encore, la pluie cessa, les nuages se dispersèrent et elle découvrit les étoiles lointaines et brillantes d'Eanna au-dessus de la mer, telle une promesse ou un cadeau. Elle repoussa son capuchon et secoua sa chevelure brune. Elle inspira une bouffée d'air frais et pur, et savoura quelques instants de bonheur sans mélange.

Elle tourna la tête et vit son père qui la regardait, et elle lui sourit. Il ne lui retourna pas son sourire mais, tandis qu'il s'approchait, elle surprit dans ses yeux un regard grave et tendre à la fois. Il s'appuya sur le garde-corps à côté d'elle et regarda la côte à l'ouest. Des gouttes d'eau miroitaient dans ses cheveux et dans la barbe qu'il avait entrepris de se laisser pousser. En face d'eux, une succession de formes trapues éclairées par la lune défilaient lentement: les falaises de la Tregea.

« C'est en toi, fit son père d'une voix tranquille, juste assez sonore pour couvrir les claques et les soupirs des vagues. C'est dans ton sang et dans ton cœur, davantage que dans les miens ; tu tiens cela de ton grand-père et de ton arrière-grand-père. » Il demeura silencieux, puis ajouta : « Mais, Alaïs, ma chérie, une femme ne peut pas passer sa vie en mer, pas dans le monde tel qu'il est. »

Son rêve. Aussi clair et lumineux que le reflet laiteux de Vidomni sur les vagues. Exposé puis démantelé en termes si simples.

Elle avala sa salive et se prépara à lui tenir un discours qu'elle répétait depuis longtemps mais n'avait encore jamais prononcé. « Tu n'as pas de fils et c'est moi l'aînée. Abandonneras-tu *la Sirène* quand tu auras atteint le but que tu t'es fixé… quand tu ne souhaiteras plus mener cette vie-là ?

— Quand je mourrai ? » Il avait prononcé les mots sur un ton badin, mais quelque chose de lourd et de douloureux à la fois prit forme qui se mit à peser sur le cœur de la jeune fille. Elle passa son bras sous le sien et le serra, tout en se rapprochant pour poser la tête sur son épaule.

Sans mot dire, ils regardèrent les falaises s'éloigner et le clair de lune danser à la surface de l'eau. Le bateau, lui, ne restait jamais silencieux, mais elle aimait chacun de ses bruits. Les nuits précédentes, elle s'était endormie en écoutant son interminable litanie comme s'il s'était agi d'une berceuse.

La tête toujours posée sur l'épaule de son père, elle lui demanda : « Pourrais-tu m'apprendre ? À t'aider dans ton travail, je veux dire, même si je ne participe pas aux voyages. »

Il mit un certain temps avant de répondre. Appuyée tout contre lui, elle percevait le rythme régulier de sa respiration. Il tenait le garde-corps à deux mains, mais détendu.

« C'est possible, Alaïs, dit-il enfin. Si tu le souhaites, c'est possible. Nombreuses sont les femmes à la tête d'une affaire dans la Palme. Essentiellement des veuves, mais ce ne sont pas les seules. » Il eut une brève hésitation. « Ta mère pourrait tenir ce commerce, je pense, à condition d'avoir de bons conseillers. » Il tourna la tête pour la regarder mais elle maintint la sienne sur son épaule. « Mais c'est une existence impitoyable et sans chaleur, ma chérie, pour un homme comme pour une femme, si l'on n'a pas de foyer où se réchauffer en fin de journée, ni suffisamment d'amour pour se trouver de bonnes raisons de sortir et de rentrer du port. »

À ces mots, elle ferma les yeux. Il y avait là quelque chose qui touchait à l'essentiel. Ils ne l'avaient jamais poussée, ni harcelée, ni même pressée, bien qu'elle fût proche de ses vingt ans. Mais il était temps, grand temps même… Et elle avait fait ce rêve étrange à plusieurs reprises au cours de l'hiver passé : elle se voyait au clair de lune en compagnie d'un homme dont elle ne distinguait pas les traits, dans un paysage inconnu – une colline parsemée de fleurs, juste sous la voûte céleste ; l'homme se penchait vers elle tandis qu'elle-même tendait les mains pour l'accueillir.

Elle releva la tête et dégagea son bras. « J'aime bien Catini, dit-elle, le regard tourné vers les vagues, en prenant soin de bien choisir ses mots. Je suis heureuse pour Selvena. Elle est prête : il y a si longtemps qu'elle attend ce moment ! Je pense qu'il fera un bon mari. Mais, père, j'ai besoin d'autre chose, je ne sais pas exactement de quoi, mais d'autre chose. »

Son père eut un mouvement. Elle le vit respirer profondément avant de déclarer : « Je sais, ma chérie, je sais. Et, si je connaissais la nature de ce que tu cherches, si je pouvais te le donner, je le ferais. Le monde entier jusqu'aux étoiles d'Eanna t'appartiendrait. »

Elle fondit en larmes, ce qui lui arrivait rarement. Mais elle l'aimait, elle lui avait causé du chagrin, et lui-même venait d'évoquer sa propre mort à deux reprises. C'était la première fois qu'elle voyait la lune blanche danser sur les falaises et sur la mer après la tempête, et sans doute la dernière.

◆

Catriana remontait la pente du vallon ; elle ne distinguait pas encore la route, mais les bruits au loin et l'attitude rigide et vigilante de Sandre et Baerd, debout sur le tapis d'herbe à l'orée des arbres, suffisaient à lui indiquer que quelque chose n'était pas normal. Elle savait depuis un certain temps déjà que les hommes s'y prennent encore plus mal que les femmes pour cacher leurs émotions dans de telles situations.

Elle avait les cheveux encore mouillés pour s'être baignée dans l'étang – un endroit qu'elle affectionnait tout particulièrement et où ils s'arrêtaient chaque fois qu'ils passaient du Certando au Ferraut – mais elle se hâta de gravir l'escarpement pour aller voir ce qui se passait.

Les deux hommes ne dirent rien quand elle arriva à leur hauteur. La charrette était rangée à l'écart de la route nord-sud, dans un endroit ombragé, tandis que les deux chevaux paissaient à proximité. Baerd avait posé son arc et ses flèches dans l'herbe au pied des arbres, mais ils restaient à portée de la main en cas d'urgence. Elle observa la route et vit défiler des troupes de Barbadiens, à pied et à cheval, qui soulevaient un épais nuage de poussière sur leur passage.

« Encore des soldats de la troisième compagnie, fit Sandre sur un ton de froide colère.

— On dirait qu'ils y vont tous », murmura Baerd, la mine sombre.

Ce qui, en soi, était une bonne nouvelle, une excellente nouvelle même, exactement ce qu'ils souhaitaient. La colère de l'un et la sévérité de l'autre paraissaient superflues ; elles participaient davantage de la réponse instinctive d'un homme qui sent son ennemi approcher. Catriana avait envie de les secouer tous deux.

C'était pourtant si clair. C'est Baerd lui-même qui le lui avait expliqué, ainsi qu'à Sandre et Aliénor de Borso, le jour où Alessan, accompagné d'Erlein et de Devin, était allé rencontrer Marius dans la montagne avant de partir pour l'Ouest.

Et en l'écoutant ce jour-là, tandis qu'elle faisait un gros effort pour garder son calme devant Aliénor, Catriana avait enfin compris ce que voulait dire Alessan quand il leur répétait qu'il leur faudrait attendre le printemps. Ce qu'ils attendaient, c'était la réponse de Marius. Accepterait-il de mettre en jeu sa couronne déjà menacée et sa propre vie pour eux ? Et ce jour-là, au col du Braccio, il avait dit oui, il avait accepté. Baerd leur avait très succinctement expliqué pourquoi.

Dix jours plus tard, Sandre, Baerd et elle-même faisaient le guet au sommet des collines qui dominaient Fort-Ortiz quand des émissaires porteurs du drapeau quiléian arrivèrent, qui furent accueillis à l'extérieur des murs puis conduits à l'intérieur en grande pompe par les Barbadiens.

Le lendemain matin, les Quiléians avaient poursuivi leur chemin, sans se presser, empruntant la route du nord. Deux heures après leur départ, les portes du fort s'ouvraient de nouveau et six hommes montés sortaient en hâte. L'un d'eux – ce fut Sandre qui le remarqua – n'était autre que Siferval, le capitaine de la troisième compagnie.

« Ça y est ! s'était exclamé Baerd avec une sorte de joie mêlée de crainte. Je n'arrive pas à y croire, mais il me semble que cette fois c'est en bonne voie ! »

Une semaine plus tard, les premières troupes se mettaient en marche. Ils surent alors qu'il avait raison. Ce n'est que quelques jours après, dans un village d'artisans au nord du Certando, tandis qu'ils cherchaient à acheter des bois sculptés et de la toile ourlée, qu'ils apprirent avec un certain retard ce que Brandin d'Ygrath avait fait à Chiara et l'existence du tout nouveau royaume de la Palme occidentale.

« Es-tu joueur ? avait demandé Sandre à Baerd. Les dés ont commencé de rouler et nul ne pourra plus les retenir ni les contrôler avant qu'ils s'arrêtent. » Baerd n'avait rien répondu, mais quelque chose dans l'expression de son visage, à mi-chemin entre l'ahurissement et le traumatisme, avait poussé Catriana à s'approcher de lui pour lui prendre la main. Ce qui ne lui ressemblait pas du tout.

Mais tout avait changé ou tout était en train de changer. Baerd n'était plus le même depuis leur séjour au château Borso, à l'époque des Quatre-Temps. Quelque chose lui était arrivé à lui aussi, mais il ne leur avait fourni aucune explication à ce sujet. Alessan était parti ainsi que Devin et, bien qu'elle se refusât à l'admettre, il lui manquait presque autant que le prince. Même leur rôle ici, dans l'Est, s'était grandement modifié.

Ils avaient attendu les émissaires dans la montagne, au cas où quelque chose irait de travers. Mais à présent Baerd les entraînait de ville en ville à toute allure, pour alerter des hommes, des femmes aussi, dont Catriana n'avait jamais entendu parler. À tous il disait de se tenir prêts car il risquait d'y avoir un soulèvement au cours de l'été.

À certains d'entre eux – ils étaient peu nombreux – il transmettait un message plus spécifique : Le Senzio. Rendez-vous au Senzio cet été. Prenez une arme si possible.

Et ce sont ces derniers mots qui firent prendre conscience à Catriana, avec force et acuité, que le moment d'agir était bel et bien arrivé ; que l'heure était venue. Plus moyen d'esquiver, de biaiser, voire d'hésiter à l'orée des événements. Les événements avaient un centre maintenant, qui était ou serait bientôt le Senzio, et c'est là qu'ils se rendaient. Qu'allait-il se passer là-bas ? elle l'ignorait encore. Baerd, lui, le savait peut-être, mais il n'en avait toujours rien dit.

Ce qu'il lui apprit par contre, ainsi qu'à Sandre, c'est le nom de dizaines de gens, des noms qu'il avait gardés en mémoire, certains depuis plus de dix ans. Ces noms étaient ceux de personnes partageant le même idéal qu'eux et dignes de confiance. Il s'agissait de les informer, ici, dans les provinces contrôlées par le Barbadior, que le rassemblement des troupes d'Alberico était pour eux le signal de se tenir prêts, de suivre attentivement le déroulement des événements et de se préparer à réagir.

Le soir, tous trois s'asseyaient autour d'un feu sous les étoiles ou dans l'angle isolé d'une salle d'auberge, dans un hameau ou un village, et Baerd leur récitait alors les noms qu'ils devaient connaître.

Ce n'est que la troisième nuit, en s'endormant, que Catriana comprit pourquoi il leur fallait apprendre tous ces noms : Baerd pouvait mourir, et Alessan était encore à l'ouest.

« Ricaso, fils de Dellano, disait Baerd. Tonnelier à Marsilian, le premier village au sud de Fort-Ciorone. Il est né en Avalle. Il n'a pas pu faire la guerre à cause d'une malformation au pied. Allez le voir. Il ne pourra pas faire le voyage jusqu'au Nord, mais il connaît les nôtres. Il fera passer le mot et saura les guider dans cette région si un soulèvement devient nécessaire.

— Ricaso, fils de Dellano, répétait-elle. À Marsilian.

— Porrena, fille de Cullion. À Delonghi, juste après la frontière de la Tregea sur la grand-route en provenance du Ferraut. Elle est un peu plus âgée que toi, Catriana. Son père est mort à la bataille de la Deisa. Elle sait à qui faire passer l'information.

— Porrena, murmurait Sandre en se concentrant, ses longs doigts noueux croisés sur les genoux. À Delonghi. »

Catriana s'émerveillait de tous ces noms – il y en avait tant et tant ! – et du nombre de gens qu'Alessan et Baerd avaient croisés au cours de leurs pérégrinations, depuis douze ans qu'ils avaient quitté la Quileia, se préparant et préparant ces inconnus à une échéance encore indéfinie, un terme incertain. Or voici que l'échéance était imminente désormais, et qu'il leur était donné de le vivre. Et c'est le cœur rempli d'espoir qu'elle murmurait ces noms encore et encore comme autant de talismans.

Les semaines suivantes, ils poursuivirent leur chemin tandis que le printemps fleurissait. Leur progression devint précipitée et c'est tout juste s'ils prenaient la peine de se prétendre marchands. Partout où ils passaient, ils se contentaient de transactions hâtives et désavantageuses, car ils n'avaient aucune envie de s'attarder pour en conclure de meilleures. Ils s'arrêtaient juste assez longtemps pour mettre la main sur l'homme ou la femme qui leur servait de contact dans tel village ou tel groupe de fermes, celle ou celui qui connaissait les autres et diffuserait l'information.

Ils perdaient de l'argent, mais Aliénor leur avait donné de quoi subsister. Catriana, quand elle était parfaitement honnête avec elle-même, devait reconnaître qu'elle avait encore du mal à accepter le rôle qu'avait pu jouer cette femme dans les activités d'Alessan tout au long de ces années. Alors qu'elle-même grandissait dans la plus totale ignorance aux confins d'un village de pêcheurs de l'Astibar.

Un jour, Baerd la laissa établir le contact dans une ville. La femme était une tisserande réputée. Catriana trouva sa maison, aux limites du bourg. Deux chiens se mirent à aboyer en l'entendant arriver, mais une voix douce à l'intérieur les fit taire, et Catriana découvrit une femme à peine plus jeune que sa mère. Quand elle fut certaine qu'elles étaient seules, elle se conforma aux instructions de Baerd : elle lui montra sa bague ornée d'un dauphin, cita le nom d'Alessan et lui transmit le message, l'invitation à se tenir prêt qu'ils avaient donnée à tous les autres. Puis elle lui confia le nom de deux hommes et prononça les termes du second message : Le Senzio. Cet été. Dis-leur d'emporter des armes si possible.

La femme pâlit et se redressa brusquement à ces mots. Elle était très grande, plus grande que Catriana. À l'issue du second message, elle demeura immobile un instant, puis s'avança et embrassa Catriana sur la bouche.

« Que la Triade vous bénisse et vous protège, vous et eux, dit-elle. Je ne pensais pas vivre assez vieille pour voir ce jour arriver. » Elle pleurait ; ses lèvres avaient goût de sel.

Catriana prit congé et alla rejoindre Baerd et Sandre sur la route ensoleillée. Ils venaient d'acheter douze fûts de bière du Certando. Une très mauvaise affaire.

« Mais nous allons au nord, imbéciles ! s'exclama-t-elle, exaspérée, son sens du commerce reprenant le dessus. On ne boit pas de bière au Ferraut ! Vous devez pourtant le savoir.

— Eh bien, c'est nous qui la boirons alors ! » fit Sandre en remontant en selle. Il éclata de rire, et Baerd, qui riait si peu d'ordinaire mais avait changé depuis les Quatre-Temps, pouffa à son tour. Puis, lorsqu'elle fut assise près de lui et qu'ils sortirent de la ville, elle aussi se mit à rire en les écoutant. L'air pur et vivifiant soufflait dans ses cheveux et, semblait-il, jusque dans son cœur.

Dans l'après-midi, ils avaient atteint ce vallon qu'elle aimait tant. Baerd était au courant, aussi tira-t-il la charrette à l'écart de la route pour qu'elle pût descendre à l'étang se baigner. Quand elle remonta, tous deux avaient cessé de rire alors que les Barbadiens défilaient sous leurs yeux.

C'est la manière dont ils se tenaient tous deux au bord de la route qui fut à l'origine de l'incident, elle en était sûre. Quand elle arriva à leur hauteur, il était déjà trop tard. L'attitude de Baerd surtout avait attiré leur attention. Sandre, dans son déguisement de Khardhu, laissait les soldats barbadiens parfaitement indifférents.

Mais que penser d'un marchand, d'un vulgaire petit commerçant avec pour tout équipage une charrette et un cheval efflanqué, qui regarde passer une armée de cette façon, avec froideur et arrogance, et qui ne manifeste aucune crainte, pas même de la soumission, dans un moment comme celui-ci ?…

Le langage du corps, se dit Catriana, n'est que trop explicite parfois. Elle se tourna vers Baerd qui, de ses yeux sombres, jaugeait froidement la compagnie défilant devant eux. Il lui sembla que ce n'était pas vraiment de l'arrogance ni de la fierté masculine mais autre chose de plus ancien : une réponse primitive à cet étalage de force et de puissance de la part du tyran, qu'il ne parvenait pas à cacher, pas plus que les douze fûts de bière sur la charrette.

« Fais-toi oublier ! » murmura-t-elle d'une voix farouche. Mais, à ce moment précis, elle entendit un Barbadien aboyer un ordre brusque, et une demi-douzaine d'hommes sortirent de la colonne en mouvement pour se diriger vers eux au galop. Catriana avait la gorge sèche. Elle vit Baerd jeter un coup d'œil à l'endroit où il avait posé son arc, dans l'herbe. Il changea légèrement de position pour prendre un meilleur appui dans le sol. Sandre fit de même.

« Qu'est-ce que vous faites ? siffla-t-elle. Auriez-vous oublié où nous nous trouvons ? »

Elle n'eut pas le temps d'en dire davantage. Les Barbadiens – tous de grands gaillards – s'arrêtèrent devant eux pour examiner du haut de leur cheval cet homme et cette femme de la Palme, accompagnés d'une relique dégingandée et grisonnante, originaire du Khardhu, elle.

« Je n'aime pas beaucoup ton air », fit le chef en dévisageant Baerd. L'homme avait les cheveux plus foncés que les autres, mais ses yeux étaient pâles et durs.

Catriana déglutit péniblement. C'était la première fois de l'année qu'ils se trouvaient impliqués dans une confrontation aussi directe avec les Barbadiens. Elle baissa les yeux et, en son for intérieur, adjura Baerd de garder son calme et de trouver les mots qu'il faudrait.

Ce qu'elle ne savait pas, car ceux qui n'avaient pas vécu son expérience n'avaient aucun moyen de le savoir, c'est ce que Baerd voyait alors.

Non pas six Barbadiens à cheval au bord d'une route du Certando, mais autant de soldats ygrathiens sur une place, devant la maison de son père, des années auparavant ; bien des années auparavant, et pourtant ce souvenir lui faisait aussi mal qu'une blessure fraîche de la veille. Les repères temporels les plus ordinaires se défont et s'envolent dans des moments pareils.

Baerd se força à détourner les yeux devant le regard furibond du Barbadien. Il était conscient d'avoir commis une erreur, erreur qu'il était susceptible de répéter encore s'il n'y prenait pas garde. Il s'était senti si euphorique, comme porté par une vague d'émotions, en voyant cette colonne en marche qui obéissait si scrupuleusement aux ordres qu'Alessan et lui leur avaient lancés. Mais il était trop tôt, beaucoup trop tôt, et tant d'éléments du futur étaient encore totalement imprévisibles. Et il leur fallait rester en vie s'ils voulaient vivre ce futur, sinon ils auraient parcouru tout ce chemin pour rien. Des années, toute une vie à faire en sorte qu'un rêve se réalisât.

Les yeux baissés, il dit sur un ton poli : « Pardonnez-moi si je vous ai offensés. Je ne faisais que vous admirer. Cela fait des années que nous n'avions pas vu autant de soldats sur les routes.

— Et nous nous sommes poussés pour vous faire de la place, ajouta Sandre de sa voix grave.

— Tais-toi, toi, fit le chef des Barbadiens d'une voix grinçante. Lorsque j'aurai envie de parler aux serviteurs, je te ferai signe. » Un des soldats fit avancer son cheval sur Sandre et le força à reculer. Derrière lui, Catriana avait les jambes flageolantes. Elle se retint au bras de la charrette et constata qu'elle avait les paumes moites de peur. Elle vit deux soldats la dévisager avec un rictus d'approbation évidente, et elle songea soudain que ses vêtements devaient lui coller à la peau après le bain qu'elle venait de prendre.

« Pardonnez-nous, répéta Baerd d'une voix étouffée. Nous n'avions aucune mauvaise intention, vous pouvez me croire.

— Vraiment ? Et pourquoi nous comptais-tu ?

— Vous compter ? Pourquoi vous compterais-je ?

— À toi de me le dire, marchand.

— Je n'ai rien fait de tel », protesta Baerd en se maudissant intérieurement pour sa bêtise et son amateurisme. Au bout de dix ans, commettre une telle maladresse ! Le contrôle de la situation lui avait échappé, et il devait admettre qu'il était précisément en train de compter les soldats barbadiens. « Nous ne sommes que des commerçants, ajouta-t-il. De petits commerçants.

— Avec un guerrier khardhu à leur service ? Pas si petits que ça, m'est avis. »

Baerd cligna des yeux et croisa les mains en signe de déférence. Il avait commis une erreur impardonnable. Et cet homme était vraiment malin.

« J'avais peur pour ma femme, dit-il. Des rumeurs ont circulé ; il paraît que des bandes de hors-la-loi sèment le désordre dans le Sud. » C'était vrai. Il s'agissait d'ailleurs de faits réels et non de simples rumeurs. Vingt-cinq Barbadiens s'étaient fait massacrer dans un défilé. Il était presque certain qu'Alessan était dans le coup.

« Peur pour ta femme ou pour tes marchandises ? railla un des Barbadiens. Nous savons ce qui vous importe le plus, vous autres. »

Il regarda dans la direction de Catriana. Il avait les traits mous, les paupières lourdes. Les autres soldats se mirent à rire. Baerd s'empressa de baisser à nouveau la tête ; il n'avait pas envie qu'ils surprennent son regard meurtrier. Il se souvenait de ce rire, de sa résonance, de ce qu'elle pouvait engendrer ; de ce qu'elle avait engendré sur une place de Tigane il y avait dix-huit ans. Il demeura silencieux, le regard baissé, éprouvant une envie de tuer intimement liée au souvenir.

« Que transportes-tu ? demanda le premier Barbadien d'une voix brusque et dissonante.

— De la bière, répondit Baerd en serrant les mains. Quelques fûts de bière que nous emportons au nord.

— De la bière au Ferraut ? Tu es un menteur ou un imbécile.

— Non, non, s'empressa de répondre Baerd. Pas le Ferraut. D'ailleurs nous l'avons eue à très bas prix. Onze astins le fût. Ça vaut la peine de la transporter au nord à ce prix-là. Nous nous dirigeons vers l'Astibar, en vérité ; nous pouvons la vendre trois fois plus cher là-bas. »

C'eût été vrai s'il n'avait pas payé chaque fût vingt-trois astins.

Sur un geste de leur chef, deux des soldats descendirent de cheval. Ils percèrent un des fûts en se servant de leur épée comme d'un levier. L'odeur tenace de la bière les enveloppa.

Le chef les suivait du regard et, lorsqu'il les vit hocher la tête, il se tourna de nouveau vers Baerd, un sourire méchant aux lèvres.

« Onze astins le fût ? Un bon prix, en vérité. Tellement bon que même un commerçant près de ses sous n'hésiterait pas à en faire cadeau à l'armée du Barbadior qui vous défend, toi et les tiens. »

Baerd s'attendait à quelque chose de ce genre. Prenant garde à rester cohérent, il répondit : « Si… si tel est votre désir, j'accepte. Cela vous dirait-il de l'acheter à… disons… au prix que je l'ai payée ? »

Il y eut un silence. Derrière les six Barbadiens, l'armée continuait de défiler et les derniers rangs arrivaient à leur hauteur. Il avait une idée assez précise de leur nombre. Le soldat juste devant lui tira son épée. Baerd entendit Catriana pousser un petit gémissement tandis que le Barbadien se penchait par-dessus l'encolure de son cheval et, tendant le bras, caressait délicatement la joue barbue de Baerd avec le plat de son arme.

« Nous n'avons pas pour habitude de marchander, dit-il doucement ; et nous ne volons pas davantage. Nous ne faisons qu'accepter les cadeaux qui nous sont offerts. Alors fais-nous un cadeau, marchand. » Il enfonça la lame un peu plus. Baerd la sentait prête à lui entailler le visage.

« S'il vous plaît… acceptez cette bière : c'est le cadeau d'un humble marchand à la troisième compagnie. » Au prix d'un sérieux effort, il continua de détourner son regard du Barbadien.

« Nous te remercions, marchand », fit l'homme sur un ton sarcastique. Il éloigna lentement son épée en la faisant glisser le long de la joue de Baerd, telle une caresse diabolique. « Et maintenant que tu nous as fait cadeau des fûts, tu ne vas sûrement pas nous refuser le cheval et la charrette dont nous avons besoin pour les transporter ?

— Prenez la charrette aussi », s'entendit-il lui répondre. Il eut brusquement l'impression de ne plus habiter son corps. Comme s'il flottait et observait la scène de loin.

Du haut de son observatoire, il vit les Barbadiens s'emparer de la charrette. Il se sentait détaché. Ils attelèrent le cheval entre les limons. L'un d'eux, plus jeune que les autres, jeta leur paquetage et leurs provisions à terre. L'air un peu confus, il lança un regard timide à Catriana, puis grimpa prestement sur le siège et donna un coup de fouet au cheval. La charrette s'ébranla et se mit à rouler doucement derrière les derniers soldats de la colonne.

Les cinq autres prirent les rênes de son cheval et le suivirent. Ils riaient de ce rire facile et expansif des hommes entre eux, sûrs de la position qu'ils occupent et de l'existence qu'ils mènent. Baerd regarda de nouveau son arc. Il était pratiquement sûr de pouvoir les tuer tous les six avant que quiconque eût le temps d'intervenir.

Il ne bougea pas. Aucun d'eux trois ne leva le petit doigt avant que les derniers soldats de la colonne eussent disparu, la charrette roulant derrière eux. Baerd se tourna et regarda Catriana. Elle tremblait, mais il la connaissait assez pour savoir qu'elle était plus furieuse qu'effrayée.

« Pardonne-moi, Catriana, dit-il en levant la main pour lui toucher le bras.

— Je te tuerais volontiers, Baerd, pour m'avoir causé une telle frayeur.

— Je sais, dit-il. Et je mériterais d'être mort. Je les ai sous-estimés.

— Ç'aurait pu être pire, fit Sandre, prosaïque.

— Oh, certes, dit Catriana sur un ton acerbe. Nous pourrions être morts tous les trois.

— C'eût été bien pire en effet », répondit Sandre, l'air grave. Elle mit quelques instants à comprendre qu'il la taquinait. Elle éclata d'un rire incontrôlé qui la surprit elle-même.

Sandre fit alors une remarque quelque peu inattendue. « Tu ne peux pas savoir, murmura-t-il, combien j'aurais aimé que tu sois de ma famille. Ma fille. Ma petite-fille. Me permets-tu de m'enorgueillir de ce que tu es ? »

Elle en resta muette de stupéfaction. Un instant plus tard, profondément émue, elle s'avançait et lui déposait un baiser sur la joue. Il l'entoura de ses grands bras osseux et la tint quelques instants contre sa poitrine, avec délicatesse, comme s'il s'agissait d'un être fragile ou précieux, peut-être les deux. Elle ne se rappelait pas qu'on l'ait jamais ainsi étreinte.

Il se recula et s'éclaircit la gorge, manifestement gêné. Elle vit que Baerd les regardait tous deux d'un air attendri, pour le moins inhabituel chez lui.

« Tout cela est très joli, fit-elle sur un ton volontairement sec, mais nous n'allons tout de même pas passer le reste de la journée à nous dire tout le bien que nous pensons les uns des autres. »

Baerd sourit. « Ce n'est pas une mauvaise idée, remarque, mais peut-être pas la meilleure ; je pense que nous allons devoir retourner là où nous avons acheté la bière. Il nous faut un nouvel attelage.

— Bonne idée. Une bouteille de bière ne me ferait pas de mal », dit Sandre. Catriana lui jeta un regard incisif et, remarquant l'éclair d'ironie dans ses yeux, se mit à rire. Elle avait deviné ses intentions mais elle ne se serait pas crue capable de rire de la sorte si peu de temps après avoir vu une épée pointée contre le visage de Baerd. Baerd ramassa son arc et son carquois. Chacun des deux hommes prit un sac sur le dos. Ils la sommèrent d'enfourcher le cheval ; c'était la seule solution socialement acceptable, précisa Sandre. Elle eut envie de discuter mais fut obligée de se soumettre. Et elle n'était pas fâchée d'être sur le cheval en définitive, car elle ne se sentait pas très solide sur ses jambes.

La route était poussiéreuse après le passage des soldats, et ils avancèrent sur le bas-côté pendant un mille ou deux. Son cheval débusqua un lapin et, avant qu'elle ait pu s'en apercevoir, Baerd avait bandé son arc et tiré une flèche : l'animal était mort. Quelque heures plus tard ils l'échangèrent dans une ferme contre du pain, du fromage et un broc de bière.

Quand ils furent enfin revenus au village, dans la soirée, Catriana se dit que l'incident du jour était certes regrettable mais n'avait rien de catastrophique après tout.

Huit jours plus tard, ils arrivaient dans la ville de Tregea. Ils n'avaient pas vu d'autres soldats au cours de la semaine écoulée, car ils n'avaient pas emprunté de grandes routes. Ils laissèrent leur nouvelle charrette et leurs possessions à l'auberge habituelle et descendirent au marché du centre en fin d'après-midi. L'air était exceptionnellement doux. En regardant au nord, dans la direction des docks, Catriana aperçut les mâts des premiers bateaux à remonter le fleuve après l'hiver. Sandre s'était arrêté devant l'étal d'un cordonnier pour faire réparer le baudrier de cuir de son épée. Tandis que Baerd et elle poursuivaient leur chemin sur cette place encombrée, un mercenaire barbadien, plus vieux que la plupart, boiteux et vraisemblablement ivre de vin bourru, sortit d'une taverne d'un pas mal assuré. Il tituba jusqu'à elle et tenta maladroitement de lui toucher les seins et le sexe.

Elle poussa un cri, plus surprise que froissée.

Un instant plus tard, elle regrettait amèrement de n'avoir su se contenir. À quelques pas devant elle, Baerd se retourna et, apercevant l'homme, il obéit au même réflexe fulgurant qui lui avait fait tuer le lapin et assomma le Barbadien d'un terrible coup sur la tempe.

Et Catriana sut aussitôt – avec la plus complète certitude – qu'il ne se contentait pas de frapper un soldat de réserve ivre, mais l'officier qui l'avait menacé de son épée dans ce vallon du Certando, une semaine plus tôt.

Un silence craintif les entoura brusquement ; immédiatement suivi d'une rumeur. Ils se jetèrent un regard bref et incertain.

« File ! lui ordonna Baerd d'un ton brusque. Rendez-vous ce soir à l'endroit où tu es remontée du fleuve l'hiver dernier. Si je n'y suis pas, continuez sans moi. Vous connaissez les noms. Il ne reste qu'une poignée de gens à prévenir. Qu'Eanna vous garde ! »

Puis il disparut à toute allure à travers la place par le chemin d'où ils venaient, au moment où une escouade de mercenaires se déployaient à travers la foule dans leur direction. L'homme à terre n'avait pas l'air de bouger. Catriana ne prit pas le temps de vérifier. Elle s'élança en sens inverse. Du coin de l'œil, elle aperçut Sandre devant l'étal du cordonnier, qui les observait, ébahi. Elle fit attention, très attention même à ne pas le regarder et à ne pas passer près de lui. Celui-là, si la Triade le voulait bien, pouvait encore sortir de là vivant et libre ; il connaissait les noms et pourrait porter le rêve jusqu'aux feux de l'été.

Elle partit comme une flèche en direction d'une rue encombrée et tourna brusquement à gauche au premier carrefour. Elle s'enfila alors dans le dédale de rues sinueuses qui traversaient le plus vieux quartier de Tregea, près du fleuve. Au-dessus de sa tête, les étages supérieurs de part et d'autre de la rue penchaient dangereusement les uns vers les autres, et, par endroits, le peu de soleil qui parvenait à filtrer s'arrêtait sur les passerelles qui reliaient les immeubles délabrés entre eux.

Elle tourna la tête et aperçut quatre mercenaires qui la suivaient, martelant le pavé de la rue. « Halte ! » cria l'un d'entre eux. S'ils sont armés d'un arc, songea Catriana, je n'en ai plus pour longtemps. Zigzaguant d'un côté à l'autre, elle s'engouffra dans une ruelle sur sa droite, puis tourna encore à droite au premier carrefour, pour repartir en sens inverse.

La liste de Baerd comprenait les noms de trois Trégéens ; elle connaissait l'adresse de deux d'entre eux, mais ne pouvait pas se permettre de solliciter leur aide, avec les Barbadiens à ses trousses. Il lui fallait semer la chasse toute seule, si c'était possible, et laisser Sandre établir le contact. Ou Baerd, s'il survivait.

Elle se baissa pour passer sous le linge qui pendait dans la rue et coupa à gauche, en direction du fleuve. Les rues fourmillaient de gens qui se tournaient sur son passage, vaguement curieux. Leurs regards changeraient d'ici peu, quand les Barbadiens débouleraient à sa recherche.

Les rues formaient un labyrinthe parfaitement inextricable. Elle ne savait pas exactement où elle se trouvait ; son seul repère fiable, c'était le fleuve, au nord ; par moments, elle apercevait le plus haut mât d'un bateau. Les quais n'étaient pas recommandés parce que trop à découvert. Elle repartit vers le sud, les poumons à court d'oxygène. Derrière elle, quelque chose s'écrasa en tombant, et elle entendit bientôt un chapelet de bruits discordants, tantôt cris de colère, tantôt malédictions.

Elle trébucha alors qu'elle tournait de nouveau à droite. À chaque instant elle craignait que cet enchevêtrement de rues ne la renvoyât nez à nez avec ses poursuivants. S'ils se déployaient, c'en était fait d'elle. La carriole d'un charron bloquait l'extrémité de la ruelle. Elle s'écrasa contre le mur et parvint à se glisser de biais. Elle arriva à un nouveau carrefour. Elle courut droit devant elle cette fois, et passa devant un groupe d'enfants qui jouaient à la corde à sauter, puis elle tourna deux rues plus loin.

Quelqu'un lui empoigna le bras droit juste au-dessus du coude. Elle poussa un cri mais sentit une main se poser sur sa bouche. Elle se préparait à mordre, tout en se contorsionnant violemment pour s'échapper. Mais la stupéfaction la cloua sur place.

« Doucement, chère amie, venez par ici, fit Rovigo d'Astibar en ôtant sa main de la bouche de la jeune fille. Ne courez pas : ils sont à deux rues d'ici. Faites comme si vous m'accompagniez. » Posant une main sur son bras, il la guida promptement vers une petite allée quasiment déserte. Il regarda une dernière fois pardessus son épaule, puis la poussa dans l'entrée d'une échoppe de tisserand. « Derrière le comptoir, vite !

— Comment avez-vous… ? fit-elle, haletante.

— Je vous ai vue sur la place. Et je vous ai suivie jusqu'ici. Dépêchez-vous, jeune fille ! »

Elle se dépêcha. Une vieille femme lui prit la main et la pressa, puis souleva le comptoir qui pivota sur ses charnières. Catriana plongea et se laissa tomber sur le plancher juste derrière. Un instant plus tard, le comptoir se refermait et son cœur s'arrêta de battre tandis qu'une ombre se dessinait au-dessus d'elle, munie d'un objet long et pointu.

« Pardonne-moi, chuchota Alaïs, fille de Rovigo, en s'agenouillant à côté d'elle. Mon père dit que ta chevelure pourrait te trahir quand tu sortiras d'ici. » Elle lui montra la paire de ciseaux qu'elle tenait à la main.

Catriana se raidit puis, fermant les yeux sans un mot, tourna le dos à Alaïs. Un moment plus tard, elle sentit que la jeune fille rassemblait ses longues tresses rousses et tirait dessus. Puis les ciseaux pointus du tisserand taillèrent proprement, juste au-dessus des épaules, et quelques instants suffirent à couper une chevelure qui poussait depuis dix ans.

Dehors, un bruit soudain se fit entendre – un cliquetis suivi de cris rauques. Il se rapprocha, arriva à leur hauteur, puis s'éloigna. Catriana s'aperçut qu'elle tremblait. Alaïs posa une main sur son épaule, puis la retira par timidité. De l'autre côté du comptoir, la vieille femme allait et venait sans hâte parmi les ombres de son échoppe. Rovigo était hors de vue. Catriana respirait par saccades rauques ; son côté droit lui faisait mal ; elle avait dû se baisser violemment et heurter quelque chose. Elle ne se souvenait pourtant de rien.

Quelque chose à ses pieds attira son attention. Elle se pencha et ramassa les épaisses boucles rousses qu'Alaïs venait de couper. La jeune fille avait fait si vite qu'elle s'en était à peine rendu compte.

« Pardonne-moi, Catriana », chuchota de nouveau Alaïs. Un regret sincère perçait dans sa voix.

Catriana secoua la tête. « Ce n'est rien… rien du tout », dit-elle. Elle avait du mal à parler. « Une simple

affaire de vanité. Mais quelle importance après tout ? »
On aurait dit qu'elle pleurait. Elle avait terriblement mal aux côtes. Elle leva la main et palpa ses cheveux coupés. Puis elle se tourna légèrement sur le côté, à même le sol de la boutique, et posa lourdement la tête sur l'épaule de sa compagne. Alaïs l'entoura de ses deux bras et la tint serrée contre elle tandis qu'elle éclatait en sanglots.

De l'autre côté du comptoir, la vieille femme fredonnait sans chanter vraiment, tout en pliant et triant des étoffes aux multiples couleurs et aux multiples textures, à la lumière blafarde de l'après-midi, dans une ruelle où les maisons s'inclinaient au point d'empêcher le soleil de pénétrer.

◆

Allongé près de la rivière dans l'obscurité tiède de cette fin de journée, Baerd se souvenait du froid qu'il faisait la dernière fois qu'il était venu ici, accompagné de Devin, pour attendre que Catriana nageât jusqu'à eux.

Cela faisait déjà plusieurs heures qu'il avait semé ses poursuivants. Il connaissait bien Tregea. Alessan et lui y avaient vécu plus d'un an après leur retour de Quileia ; tous deux avaient estimé que cette province montagneuse et sauvage était un endroit propice pour débusquer et nourrir une flamme révolutionnaire, si petite fût-elle.

Ils cherchaient un individu en priorité, qu'ils n'avaient d'ailleurs jamais trouvé – un capitaine ayant participé au siège de Borifort –, mais ils avaient découvert d'autres personnes à défaut de celui-là, leur avaient parlé et les avaient ralliées à leur cause. Ils étaient revenus maintes et maintes fois au fil des années, dans la ville elle-même aussi bien que dans les montagnes environnantes. Ils trouvaient dans la vie simple et rude de cette province une force et une saine franchise qui les aidaient à supporter le chemin terriblement long et tortueux qui était le leur.

Baerd connaissait le dédale des rues infiniment mieux que les Barbadiens en garnison. Il savait quels murs escalader, quels toits emprunter et quels édifices éviter parce qu'ils ne menaient nulle part. Il leur était important de savoir tout cela étant donné la vie qu'ils menaient.

De la place du marché, il avait coupé au sud puis à l'est, et s'était hissé sur l'abri pentu où l'on entreposait le bois afin de prendre son élan et de sauter sur le toit de *la Houlette du Berger*, la taverne où ils s'arrêtaient toujours. Il se rappelait avoir suivi le même chemin des années auparavant pour éviter les gardes, après le couvre-feu. Courbé en deux, il avait enjambé deux toits en courant, puis traversé une rue en rampant le long du faîte d'un des ponts couverts et délabrés qui reliaient les maisons de part et d'autre.

Le bruit de ses poursuivants lui paraissait de plus en plus lointain, et il disparut bientôt, couvert par le tumulte qu'engendraient de menus incidents dus à l'inadvertance de certains. Il en devinait machinalement la nature : la charrette du laitier était sur le point de perdre une roue, un groupe de badauds s'était promptement rassemblés pour assister à une dispute, un tonneau de vin que deux hommes livraient à la taverne avait commencé de se vider. Connaissant la Tregea, il connaissait aussi la mentalité des habitants.

Il fut bientôt loin de la place du marché, après s'être déplacé de toit en toit, léger, invisible. Il aurait pris du plaisir à cette poursuite s'il ne s'était pas fait autant de souci pour Catriana. Sur les hauteurs de la ville, au sud, les maisons étaient plus élevées, les rues plus larges. Mais sa mémoire ne lui faisait pas faux-bond. Il savait où bifurquer afin de continuer son ascension vers le haut de la ville et de parvenir à la maison qu'il cherchait. Il fit un dernier bond et atterrit sur le toit.

Il resta là quelques instants, guettant une alerte dans la rue à ses pieds ; il n'entendit que la circulation normale en cette fin d'après-midi. Il sortit alors la clé de sa cachette habituelle, sous le seul bardeau de bois noirci, ouvrit la trappe et se glissa dans le grenier de Tremazzo sans un bruit.

Il referma la trappe derrière lui et attendit que sa vue s'accoutumât à l'obscurité. Plus bas, dans l'officine de l'apothicaire proprement dite, il entendait distinctement des voix, et il eut tôt fait de reconnaître les inflexions uniques du timbre de basse de Tremazzo. Cela faisait longtemps qu'il n'était pas venu, mais il est des choses qui semblent immuables. Le grenier embaumait le savon et le parfum. Baerd flaira aussi diverses odeurs de remèdes, certaines douceâtres, d'autres plus acides. Dès qu'il parvint à voir, il repéra le fauteuil déglingué que Tremazzo abandonnait là-haut à son intention, et s'y laissa choir. Ce geste même évoquait de vieux souvenirs. Certaines choses sont immuables.

Les voix du dessous finirent par se taire. En se concentrant, il ne distinguait plus que le pas lourd et caractéristique dans la boutique. Il se pencha et se mit à gratter le sol, comme le ferait un rat dans un grenier. Un rat capable de gratter trois coups rapides, puis un autre. Trois pour la Triade, un quatrième pour l'unique dieu. La Tregea et la Tigane avaient en commun un attachement fort ancien à Adaon, et ils avaient choisi de s'en souvenir lorsqu'ils avaient mis au point ce signal.

Les pas en dessous s'interrompirent, puis reprirent un instant plus tard comme si de rien n'était. Baerd s'enfonça dans son fauteuil et se prépara à attendre.

Ce ne fut pas long. L'après-midi s'avançait, il allait être bientôt l'heure de fermer boutique de toute façon. Il entendit Tremazzo essuyer le comptoir et balayer le plancher, puis claquer la porte et pousser le verrou. Un instant plus tard, il mettait l'échelle en place et commençait son ascension. Puis la trappe dans le plancher s'ouvrit et Tremazzo entra dans le grenier, une chandelle à la main. Il était passablement essoufflé après cet effort, et plus corpulent que jamais. Il posa la bougie sur un cageot et, les mains sur ses larges hanches, se mit à détailler Baerd. Il était fort bien habillé et portait la barbe soigneusement taillée en pointe. Et parfumée, constata Baerd une seconde plus tard.

Il sourit et se leva de son fauteuil. Il eut un geste pour souligner l'élégance de Tremazzo, puis fit mine de renifler. L'apothicaire grimaça. « Ce sont mes clients, grogna-t-il. C'est leur toute dernière lubie. Que n'attendent-ils pas d'une boutique comme la mienne ? Ce sera bientôt pire qu'au Senzio. Est-ce toi qui es à l'origine du remue-ménage de cet après-midi ? » Ce fut tout : pas de salutations, pas d'effusions. Tremazzo avait toujours été ainsi, aussi froid et direct que le vent de la montagne.

« J'en ai bien peur, répondit Baerd. Le soldat est-il mort ?

— Certainement pas, dit Tremazzo sur un ton de dédain familier ; tu n'es pas assez costaud pour cela.

— As-tu entendu dire qu'une femme ait été arrêtée ?

— Non ; de qui s'agit-il ?

— D'une des nôtres, Tremazzo. Maintenant, écoute, il y a du neuf et j'ai besoin que tu me déniches certain guerrier khardhu pour lui remettre un message de ma part. »

Tremazzo écarquilla brièvement les yeux tandis que Baerd se lançait dans des explications, puis les rétrécit en fentes à mesure qu'il en apprenait davantage. D'ailleurs, il ne mit pas longtemps à comprendre car, s'il y avait bien une qualité qu'on ne pouvait lui nier, c'était la vivacité d'esprit. Le gros apothicaire n'était pas homme à s'aventurer au Senzio en personne, mais il pouvait contacter des gens susceptibles de faire le voyage et les informer. Et il était probable qu'il trouverait Sandre à leur auberge. Il descendit l'échelle et revint peu après en soufflant ; il portait une miche de pain, de la viande froide et une bouteille de bon vin pour accompagner le tout.

Ils se saluèrent brièvement, paume contre paume, puis Tremazzo partit à la recherche de Sandre. Assis parmi les articles remisés au-dessus de la boutique de l'apothicaire, Baerd se restaura en attendant que la nuit tombât. Quand il fut certain que le soleil s'était couché, il se glissa à nouveau sur le toit et reprit la direction du nord de la ville. Au bout d'un moment, il redescendit à terre en évitant les torches des gardes et, prenant à l'est, se faufila dans les rues sinueuses jusqu'aux confins de la ville où Catriana avait émergé après son plongeon de l'hiver dernier. Là, il s'assit dans l'herbe au bord du fleuve et se prépara à attendre ; la nuit était calme, il y avait très peu de vent.

Il ne s'était jamais senti franchement menacé. Il y avait trop d'années qu'il vivait ainsi, ses sens s'étaient aiguisés, son corps endurci, et son cerveau mémorisait promptement tout ce qui se présentait et réagissait avec une rapidité fulgurante en toutes circonstances.

Tout cela n'expliquait pas ni n'excusait le comportement qu'il avait eu au marché et qui les avait mis dans cette situation. En frappant le Barbadien ivre de manière aussi impulsive, il avait commis un acte parfaitement stupide, même si la plupart des gens qui se pressaient sur la place ce jour-là avaient rêvé d'en faire autant un jour ou l'autre. Dans la Palme des tyrans, il fallait apprendre à dominer de telles impulsions ou mourir ; ou encore voir mourir ceux auxquels on tenait.

Cette dernière pensée le ramena à Catriana. Dans l'obscurité semée d'étoiles du printemps, il la revit émergeant de l'eau glaciale tel un fantôme. Il s'allongea dans l'herbe en silence tout en pensant à elle, puis à Elena, selon une logique prévisible. Et enfin, de même que le soleil se lève le matin et se couche le soir, ses pensées allèrent à Dianora, qui était morte ou inaccessible quelque part au monde. Il en serait toujours ainsi.

Il perçut un bruissement, trop ténu pour être inquiétant, dans les feuilles d'un arbre derrière lui. Un moment plus tard un trialla se mit à chanter. Il écouta son chant, ainsi que le clapotis du fleuve, seul mais chez lui dans l'obscurité – lui qui se définissait par son besoin de solitude et le jeu silencieux de ses souvenirs.

Par une ironie du sort, son père avait fait la même chose sur les rives de la Deisa, la nuit qui avait précédé sa mort.

Peu après, une chouette lança un cri quelque part le long de la berge, directement à l'ouest de sa position. Il lui répondit d'un hululement très doux qui fit taire l'oiseau. Sandre s'approcha en silence ; il avançait dans l'herbe avec précaution, dérangeant à peine le feuillage. Il s'accroupit, puis s'assit en poussant un léger grognement. Les deux hommes se regardèrent.

« Et Catriana ? murmura Baerd.

— Je ne sais pas. Je ne pense pas qu'elle se soit fait prendre, je l'aurais su. Je me suis attardé près de la place. J'ai vu les gardes revenir. L'homme que tu as frappé va bien. Ils se sont abondamment moqués de lui. Je ne crois pas que cette histoire aura des répercussions. »

Baerd s'autorisa à relâcher ses muscles tendus. « Il y a des moments, fit-il sur le ton de la conversation, où je me comporte comme un parfait imbécile, tu l'avais remarqué ?

— Pas vraiment. Il faudra que tu m'en dises davantage un de ces jours. Qui est cet homme plus que corpulent qui m'a accosté ?

— Tremazzo. Cela fait un bon moment qu'il est des nôtres. Nous tenions nos réunions dans son grenier quand nous habitions ici, et par la suite également. »

Sandre grogna. « Il m'a abordé devant l'auberge pour me proposer de me vendre une potion qui ferait mourir de désir pour moi toute femme ou tout jeune homme que je viendrais à convoiter. »

Baerd ne put s'empêcher de rire. « C'est la réputation des guerriers khardhus qui te poursuit.

— De toute évidence. » Les dents blanches de Sandre luirent dans l'obscurité. « Remarque, le prix était très raisonnable et j'en ai acheté deux flacons. »

Tout en riant doucement, Baerd éprouva une curieuse sensation, comme si son cœur se dilatait et le portait vers l'homme en face de lui. Il se souvint de Sandre le soir où ils avaient fait connaissance, au moment où tous les projets du vieil homme avaient tourné court, après que tous les membres de la famille Sandreni eurent connu une fin violente. Une nuit qui s'était terminée lorsque Sandre avait usé de magie pour pénétrer dans les cachots d'Alberico, et tué son propre fils, Tomasso. *Toute femme ou tout jeune homme que je viendrais à désirer.*

Baerd se sentait tout petit devant la force du vieillard en face de lui. Pas une seule fois depuis plus de six mois qu'ils voyageaient ensemble par tous les temps, dans le froid et les ornières, pas une seule fois Sandre n'avait demandé qu'on s'arrêtât ou qu'on ralentît l'allure. Pas plus qu'il n'avait rechigné à l'ouvrage, montré la moindre lassitude ni mis du temps à se lever dans l'humidité du petit matin. Il n'avait jamais rien laissé percer de la fureur et du chagrin qui devaient le prendre à la gorge chaque fois qu'ils entendaient parler de nouvelles victimes de la roue en Astibar. Il leur avait fait don de tout ce qu'il possédait, sa connaissance de la Palme, du monde, et surtout d'Alberico ; toutes les subtilités du pouvoir qu'il avait saisies au cours de sa longue vie, il les leur offrait sans arrogance aucune ni réserve, sans rien dissimuler.

Ce sont des hommes de sa trempe, songea Baerd, qui ont fait la gloire et le malheur de la Palme avant sa chute. Sa gloire par leur grandeur, son malheur par leurs haines et leurs conflits qui ont permis aux tyrans de prendre les provinces une à une, chacune enfermée dans la solitude de son incommensurable orgueil.

Et, assis au bord du fleuve dans l'obscurité, Baerd éprouva de nouveau la certitude que la quête d'Alessan, qui était aussi la sienne, était juste ; que leur cause valait tous les efforts fournis, qu'il fallait réunifier la Palme pour en chasser les tyrans, et faire en sorte que les provinces restent unies dans les temps à venir. Cette cause valait bien qu'un homme y consacrât ses jours et ses nuits, même s'il ne devait jamais atteindre son but ni le concrétiser ; elle était indissociable de l'immense et amer grief que constituait la perte de la Tigane et de son nom.

Certaines choses étaient difficiles pour Baerd, fils de Saevar, presque impossibles en vérité, et il en allait ainsi depuis que sa jeunesse lui avait été violemment arrachée l'année où la Tigane était tombée. Mais, la première nuit des Quatre-Temps, il avait fait l'amour à une femme dans un monde imprégné de magie. Dans l'obscurité aux verts reflets, il avait senti le carcan qui lui assujettissait le cœur se desserrer. Et voici qu'il se retrouvait de nouveau dans le calme et l'obscurité, par la présence du fleuve, et que dans la Palme les choses commençaient à prendre bonne tournure, alors qu'il craignait de ne pas vivre assez vieux pour en être témoin.

« Monseigneur, dit-il au vieil homme assis près de lui, vous ai-je jamais dit que j'avais appris à vous aimer au fil des mois passés ensemble ?

— Par la Triade ! fit Sandre avec un peu trop d'empressement. Et moi qui ne t'ai même pas encore administré l'élixir ! »

Baerd sourit mais n'ajouta rien, car il devinait le vieux duc lui aussi prisonnier d'un carcan. Quelques instants plus tard, il entendit Sandre prendre une voix toute différente et murmurer : « Moi aussi je t'aime, mon ami. Comme vous tous. Vous m'avez donné une seconde existence, avec une raison de la vivre ; ainsi que l'espoir de connaître un avenir qui en vaille la peine. Cela suffit à ce que je vous aime jusqu'à la fin de mes jours. »

Il lui tendit gravement la main, paume ouverte, et il se touchèrent les doigts dans l'obscurité. Ils étaient assis de la sorte, sans bouger, quand ils perçurent le léger clapotis d'une rame dans l'eau. Les deux hommes se levèrent sans bruit et mirent la main à l'épée. Puis ils entendirent le hululement d'une chouette en provenance du fleuve.

Baerd répondit par un autre hululement et, peu après, un canot heurtait doucement la berge pentue ; Catriana en descendit d'un pas léger, puis elle vint les rejoindre sur la rive.

En l'apercevant, Baerd poussa un soupir de pur soulagement ; il avait eu plus peur pour elle qu'il n'aurait su le dire. Un homme tenait les rames mais, aucune des deux lunes ne s'étant encore levée, Baerd ne pouvait le distinguer.

« Ce fut un coup sévère, dit Catriana. Devrais-je me sentir flattée ? »

Sandre se mit à glousser. Baerd admirait cette femme de tout son cœur – son courage naturel et posé. Prenant le même ton qu'elle au prix d'un effort, il se contenta de répondre : « Tu n'aurais pas dû crier. La moitié de la ville a cru qu'on te violait.

— Eh bien, à vrai dire, je n'en était pas très sûre moi-même.

— Qu'est-il arrivé à tes cheveux ? » demanda brusquement Sandre. Baerd se mit légèrement de côté et vit qu'ils avaient été taillés juste au-dessus des épaules et dessinaient une ligne irrégulière.

Elle haussa les épaules et prit un ton faussement indifférent. « Ils me gênaient. Alors nous avons décidé de les couper.

— Qui entends-tu par " nous " ? » demanda Baerd. Il se sentit ému par le détachement qu'elle affectait. « Qui t'accompagne ? Un ami, je suppose, étant donné l'endroit où nous nous trouvons.

— Tu supposes bien, répondit l'homme dans le bateau. Encore que j'aurais pu choisir un endroit plus agréable pour tenir une réunion d'affaires avec les membres de notre association.

— Rovigo ! s'exclama Baerd, stupéfait et ravi à la fois. Quelle bonne surprise ! Cela fait bien longtemps !

— Rovigo d'Astibar ? fit soudain Sandre en s'avançant. Est-ce bien de lui qu'il s'agit ?

— Il m'avait bien semblé reconnaître cette voix », fit Rovigo en posant ses rames dans le canot. Il se leva brusquement. Baerd descendit promptement la rive pour tenir le bateau. Rovigo fit deux pas précis et sauta sur la berge devant lui. « Je la reconnais, et pourtant j'ai peine à croire que ce soit bien elle. Au nom de Morian des Portes, êtes-vous revenu du royaume des morts, monseigneur ? »

Tandis qu'il s'exprimait ainsi, il s'agenouilla devant Sandre parmi les hautes herbes. À l'est de leur position, par-delà la ligne où le fleuve se jetait dans la mer, Ilarion se leva et darda sa lumière bleue le long de l'eau et au-dessus des herbes ondulantes de la rive.

« C'est vrai d'une certaine manière, répondit Sandre. Et j'ai changé de peau, grâce au talent de Baerd. » Il se baissa pour relever Rovigo. Les deux hommes se regardèrent.

« Alessan ne m'a pas livré votre nom l'automne dernier. Il s'est contenté de me dire que je serais heureux lorsque je connaîtrais l'identité de notre nouvel associé, murmura Rovigo, manifestement ému. Il ignorait sûrement à quel point il disait vrai. Que s'est-il passé au juste, monseigneur ?

— Je ne suis pas mort, déclara Sandre en toute simplicité. C'était un subterfuge, qui lui-même faisait partie d'un plan conçu par un vieillard imbécile. Si Alessan et Baerd n'étaient pas retournés au pavillon ce soir-là, je me serais tué après le passage des Barbadiens. » Il marqua une pause. « Ce qui signifie, me semble-t-il, que je vous dois des remerciements pour m'avoir sauvé la vie, Rovigo, mon voisin. Pour toutes les nuits que vous avez passées sous mes fenêtres au cours de ces dernières années, à suivre les étapes d'un complot défaillant. »

Ses yeux brillaient, éclairés par le rai de lumière oblique de la lune bleue. Rovigo recula un peu, mais il ne baissa pas la tête ni ne détourna le regard. « Pour une cause que vous connaissez bien désormais, monseigneur. Une cause que vous avez épousée. Je me serais coupé la langue plutôt que de vous trahir aux Barbadiens. Je pense que vous le savez.

— Je le sais, fit Sandre au bout d'un moment. Je ne peux certes pas en dire autant de ma propre famille.

— De l'un d'eux seulement, s'empressa de rectifier Rovigo, et il est mort.

— Il est mort, répéta Sandre. Ils sont tous morts. Je suis le seul survivant des Sandreni. Et comment allons-nous riposter, Rovigo ? Qu'allons-nous faire d'Alberico de Barbadior ? »

Rovigo ne répondit pas. Ce fut Baerd qui prit la parole, debout près du fleuve.

« Nous l'anéantirons. Nous les anéantirons tous les deux. »

Cinquième partie

Le souvenir d'une flamme

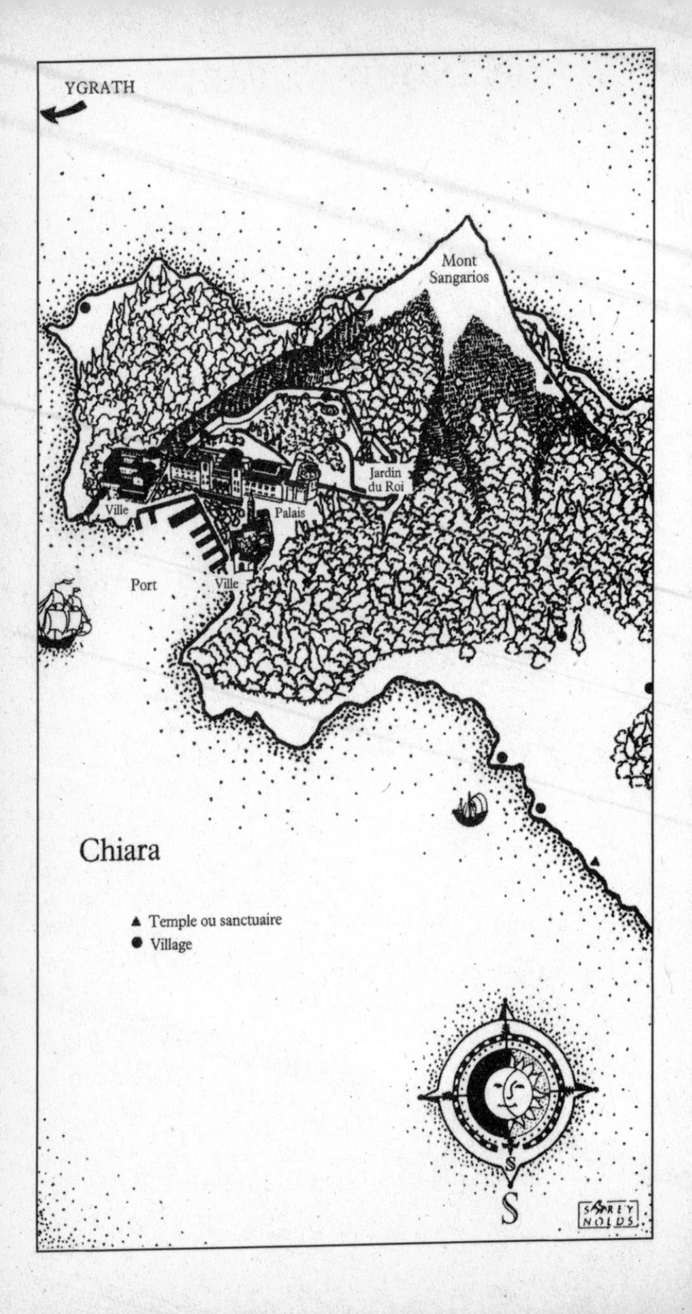
YGRATH
Mont
Sangarios
Jardin
du Roi
Ville
Palais
Port
Ville
Chiara
▲ Temple ou sanctuaire
● Village
S

Chapitre 17

Le matin du rite, Scelto la réveilla aux aurores. Elle avait passé la nuit seule, comme le voulait la décence, après avoir déposé une offrande dans les temples d'Adaon et de Morian la veille. Brandin prenait garde à observer toutes les traditions et usages en vigueur dans la Palme désormais. Dans les temples, prêtres et prêtresses avaient fait preuve d'une sollicitude presque vile. L'acte que la jeune femme s'apprêtait à accomplir leur conférait du pouvoir, ils le savaient.

Elle avait peu dormi, d'un sommeil agité, et lorsque Scelto lui toucha le bras pour la réveiller, une tasse de khav à la main, elle sentit son dernier rêve de la nuit lui échapper comme s'il reculait dans les corridors de sa pensée. Elle ferma les yeux, à demi consciente seulement, et tenta de le poursuivre. Elle essaya d'évoquer une image qui le retiendrait, puis, alors qu'il semblait prêt à disparaître, elle se souvint.

Elle se redressa lentement dans son lit et prit la tasse de khav à deux mains pour mieux en savourer toute la chaleur. Non pas qu'il fît froid dans la chambre, mais elle venait de se remémorer la date et elle sentit un courant d'air glacial lui transpercer le cœur, qui ressemblait davantage à une certitude qu'à un pressentiment.

Petite fille, alors qu'elle n'avait guère plus de cinq ans, elle avait rêvé qu'elle se noyait une nuit. Les eaux de la mer se refermaient sur elle tandis qu'une forme sombre, terrible, fondait sur elle pour l'entraîner vers les profondeurs sans lumière.

Elle s'était réveillée le souffle court, les poings tendus ; elle hurlait de terreur, sans même savoir très bien où elle se trouvait.

Sa mère était accourue ; elle l'avait tenue contre son sein et bercée jusqu'à ce que ses sanglots frénétiques se fussent calmés. Quand Dianora avait enfin relevé la tête, elle s'était aperçue à la lumière de la chandelle que son père était là lui aussi ; debout dans l'embrasure de la porte, il tenait Baerd dans ses bras. Le petit garçon avait pleuré de même, pour avoir été brutalement réveillé par les hurlements de sa sœur bien que sa chambre se trouvât de l'autre côté du couloir.

Tout en souriant, son père avait porté Baerd jusqu'au lit de Dianora, et tous quatre étaient restés assis là, au beau milieu de la nuit, tandis que les bougies dessinaient des ronds de lumière autour d'eux et leur donnaient l'impression d'être sur une île.

« Parle-moi de ce rêve », avait dit son père. Ensuite il avait projeté des ombres sur le mur avec les mains, et Baerd, calmé et somnolent, avait fini par se rendormir sur ses genoux. « Raconte moi ce rêve, ma chérie. »

Raconte-moi ce rêve, ma chérie. Presque trente ans plus tard, à Chiara, Dianora éprouvait le même sentiment de perte que si cela s'était passé seulement quelques jours ou quelques semaines plus tôt. Quand les bougies de sa chambre avaient-elles perdu le pouvoir de contenir les ténèbres ?

Aussi doucement que possible, pour ne pas réveiller Baerd, elle avait tenté d'expliquer à ses parents, en termes maladroits, sa frayeur et son chagrin : les eaux qui se refermaient sur elle, la forme mystérieuse qui l'entraînait vers les profondeurs. Elle revit sa mère tracer le signe de protection contre les forces du mal, pour déjouer la prégnance du rêve et la détourner.

Le lendemain matin, avant d'ouvrir son atelier et d'entamer sa journée de travail, Saevar avait emmené ses deux enfants sur la plage, au-delà du port et des grilles du palais, et il avait entrepris de leur apprendre à nager dans une anse protégée que ni les vagues ni le vent d'ouest n'atteignaient. Dianora s'attendait à avoir peur quand elle comprit où ils allaient, mais elle avait l'impression qu'en présence de son père il ne pouvait rien lui arriver, et c'est en poussant des cris de plaisir que Baerd et elle avaient découvert les joies de l'eau.

Elle se rappela – la mémoire opère des choix étranges – que Baerd, en se penchant dans les bas-fonds ce premier matin, avait attrapé un petit poisson vif entre ses mains puis avait relevé la tête en ouvrant des yeux ronds devant sa prouesse, tandis que son père riait et s'exclamait avec fierté.

Chaque matin de beau temps cet été-là, tous trois s'étaient rendus à la crique pour nager, et quand vint l'automne avec ses journées froides et pluvieuses Dianora était aussi à l'aise qu'un poisson dans l'eau.

Un jour – et ce souvenir-là n'avait rien d'étonnant en soi –, le prince en personne se joignit à eux, au moment où ils passaient devant le palais. Oubliant toute retenue, Valentin marcha avec eux jusqu'à la crique, se dévêtit et plongea avec son père. Il nagea très loin dans les vagues, longtemps après que Saevar se fut arrêté ; il dépassa le promontoire qui abritait la crique et s'enfonça dans les moutons qui dansaient sur la mer. Puis il fit demi-tour et revint vers eux en souriant comme un dieu, le corps ferme et mince, des gouttes d'eau brillant dans sa barbe d'or.

Dianora, bien que très jeune, s'était tout de suite aperçue qu'il nageait mieux que son père. Elle savait aussi, d'une certaine façon, que cela n'avait aucune importance. Un prince n'est-il pas tenu d'exceller dans tous les domaines ?

Son père n'en restait pas moins l'homme le plus merveilleux qui fût, et rien ne pourrait jamais la faire changer d'avis.

Et d'ailleurs elle n'avait pas changé d'avis, conclut-elle ce matin-là, au saishan, en secouant lentement la tête comme pour se débarrasser de la toile que sa mémoire tissait résolument autour d'elle. Rien ne l'avait jamais fait changer d'avis. Encore que Brandin, dans un monde différent, meilleur, dans le Finavir de son imagination, peut-être…

Elle se frotta les yeux, puis secoua de nouveau la tête pour finir de se réveiller. Elle se demanda brusquement si les deux hommes – son père et le roi d'Ygrath – s'étaient rencontrés, s'étaient regardés dans les yeux le jour de la terrible bataille de la Deisa.

C'était une pensée si douloureuse qu'elle craignit un instant de se mettre à pleurer. Mais il ne le fallait pas. Pas aujourd'hui. Personne, pas même Scelto, surtout pas Scelto qui la connaissait trop bien, ne devait déceler chez elle autre chose qu'une fierté sereine et la certitude de réussir dans les heures prochaines.

Les heures prochaines. Ses dernières heures.

Les heures qui la conduiraient au bord de l'océan, puis dans les eaux vertes, conformément à ce qu'elle avait vu dans l'étang de la riselka ; et la déposeraient là où son chemin, enfin limpide, touchait à sa fin, à l'heure dite, et non sans un certain soulagement, malgré la peur et le chagrin.

Tout s'était déroulé avec une telle simplicité depuis le moment où, debout près de l'étang dans le jardin du Roi, elle s'était vue parmi la foule massée dans le port, puis seule sous l'eau, attirée vers une forme dans les ténèbres qui n'était plus source de terreur enfantine mais de libération.

Ce jour-là, dans la bibliothèque, Brandin lui avait appris qu'il abdiquait le trône d'Ygrath en faveur de Girald, mais que Dorotea, sa femme, devrait mourir pour expier sa faute. Le monde entier était témoin de ses faits et gestes, et même s'il avait souhaité l'épargner il n'aurait pu se le permettre.

Il ne le souhaitait pas, avait-il précisé.

Puis il avait parlé de ce qui lui était encore apparu lors de cette chevauchée matinale dans la brume qui précède le lever du jour : la vision du royaume de la Palme occidentale. Et de cette vision il allait faire une réalité. Pour l'Ygrath lui-même, et pour le peuple des provinces de la Palme. Pour son âme. Et pour elle.

Seuls les Ygrathiens décidés à devenir des sujets de ses quatre provinces réunies seraient autorisés à rester, avait-il ajouté ; les autres étaient libres de rejoindre Girald en Ygrath.

Lui-même resterait. Pas seulement à cause de la mort de Stevan et de la riposte qu'il avait façonnée en son cœur, laquelle perdurerait comme une constante de sa souveraineté. Il désirait aussi rebâtir un royaume uni, un monde meilleur que celui qu'il avait connu.

Sa riposte perdurerait comme une constante de sa souveraineté.

Dianora l'avait écouté et, sentant les larmes qui lui montaient aux yeux, elle s'était approchée pour poser la tête sur ses genoux, près du feu. Brandin avait mis une main sur sa tête, qu'il avait ensuite promenée dans sa chevelure.

Il aurait besoin d'une reine, avait-il dit.

D'un ton qu'elle ne lui avait encore jamais connu et dont elle rêvait depuis si longtemps. Il voulait des fils et des filles, ici dans la Palme, maintenant. Pour recommencer et reconstruire sur les cendres de Stevan, afin que quelque chose de juste et de beau pût émerger de toutes ces années de chagrin.

Puis il avait parlé d'amour. Tout en lissant doucement ses cheveux, il avait dit qu'il l'aimait. Que cette vérité s'était finalement imposée à lui. À une époque, elle aurait cru plus probable de réussir à s'emparer des deux lunes que de l'entendre parler de la sorte.

Elle pleura, incapable de s'arrêter, car son sort était tout entier dans les paroles qu'il venait de prononcer. Elle voyait les choses se mettre en place ; tant de clarté et de prescience, c'en était trop pour une âme mortelle. C'était le vin de la Triade, et un chagrin amer gâtait le fond de la coupe. Elle avait vu la riselka cependant, elle savait ce qui se préparait, ce qui les attendait au bout du chemin. Pendant un instant, le temps de quelques battements de cœur, elle se demanda ce qui se serait passé s'il lui avait murmuré ces mots la nuit précédente au lieu de la laisser seule dans les flammes du souvenir. Et cette pensée la fit autant souffrir qu'aucune autre épreuve de son existence.

Renonce ! avait-elle envie de lui dire. Elle en avait tellement envie qu'elle dut se mordre la lèvre pour se taire. *Oh, mon amour, renonce au sortilège ! Permets que la Tigane revive, et toute la beauté du monde sera de retour.*

Elle se tut. Sachant qu'il ne le pouvait pas, sachant aussi, car elle n'était plus une enfant, qu'on ne pouvait pas prétendre à la grâce aussi facilement. Pas après toutes ces années, pas après que Stevan et la Tigane étaient devenus aussi intimement liés, aussi profondément enracinés dans le douloureux chagrin de Brandin. Pas après ce qu'il avait déjà fait contre son pays. Pas dans le monde où ils vivaient.

De plus, et par-dessus tout, il y avait la riselka et le chemin qu'elle avait indiqué, et qui se confirmait dans chacune des paroles murmurées près du feu. Dianora avait l'impression de savoir ce qui allait se dire et tout ce qui s'ensuivrait. Et tel un faible chatoiement dans la bibliothèque, chaque instant qui passait les conduisait vers la mer.

Pas loin d'un tiers des Ygrathiens décidèrent de rester. Brandin n'en attendait pas autant, lui avoua-t-il deux semaines plus tard sur le balcon qui dominait le port, d'où il regardait la majeure partie de sa flotte s'éloigner et rentrer au pays ; ce qui avait été son pays. Mais il s'était exilé, de sa propre volonté, plus encore qu'auparavant.

Il lui avait également appris ce même jour la mort de Dorotea. Elle ne lui demanda ni comment elle était morte ni comment il le savait. Elle ne se sentait toujours pas de taille à affronter son pouvoir de sorcier.

Peu après, de mauvaises nouvelles vinrent. Les Barbadiens remontaient vers le nord par le Ferraut et leurs trois armées se dirigeaient apparemment vers la frontière du Senzio. Il ne s'y attendait pas, constata-t-elle. Pas si tôt, en tout cas. Cela ressemblait si peu au prudent Alberico que d'avancer avec un tel aplomb.

« Il s'est passé quelque chose. Quelque chose le pousse à agir, dit Brandin, et j'aimerais bien savoir quoi. »

Or il était faible et vulnérable désormais. Il avait besoin de temps, chacun le savait. Maintenant que toute l'armée d'Ygrath ou presque était rentrée chez elle, Brandin avait besoin de temps pour organiser un ordre nouveau dans les provinces occidentales. Et transformer en un lien solide l'euphorie vertigineuse, étourdissante, qu'avait causée sa déclaration ; en une allégeance qui forgerait véritablement un royaume et lui permettrait de lever une armée prête à se battre pour lui parmi un peuple conquis qui, il y avait si peu de temps encore, était durement opprimé.

Il avait désespérément besoin de temps, et Alberico ne lui en laissait pas.

« Vous pourriez nous poster, nous les Ygrathiens qui sommes restés, sur des bâtiments de guerre au large de la côte du Senzio, suggéra le chancelier d'Eymon un matin tandis que l'ampleur de la crise éclatait au grand jour. Cela tempérerait peut-être les ardeurs d'Alberico pour quelque temps. »

Le chancelier était resté. Nul n'en avait d'ailleurs jamais douté. En dépit du traumatisme qu'il avait subi – il était resté souffrant plusieurs jours et avait terriblement vieilli depuis la déclaration de Brandin –, Dianora savait que sa loyauté, son amour, même s'il s'agissait là d'un terme susceptible de le faire fuir, allaient à l'homme qu'il servait et non à la nation. Dianora, qui vivait au jour le jour, comme engourdie par toutes les contradictions de son cœur, lui enviait cette simplicité.

Mais Brandin refusa tout bonnement d'écouter cette suggestion. Dianora n'avait pas oublié l'expression qu'il avait prise en leur expliquant pourquoi, après avoir consulté une carte et un certain nombre de papiers couverts de chiffres. Tous trois étaient assis autour d'une table dans le salon voisin de la chambre du roi ; Rhun, à la fois nerveux et préoccupé, était juché sur un canapé à l'autre bout de la pièce. Le roi de la Palme occidentale avait gardé son fou, bien que le roi d'Ygrath s'appelât Girald désormais.

« Je ne peux pas les laisser se battre ainsi, déclara posément Brandin. Défendre à eux seuls un peuple dont ils ne sont désormais que les égaux. Ce conflit ne peut en aucun cas se résumer à une guerre ygrathienne. D'abord, ils sont trop peu nombreux pour l'emporter. Mais il y a plus important. Si nous envoyons une armée ou une flotte, il faut que tous participent à sa constitution ou ce royaume tournera court avant que j'aie eu le temps de le bâtir. »

D'Eymon s'était levé, visiblement agité, tourmenté même. « Alors je dois vous répéter ce que je vous ai déjà dit : tout ceci est pure folie. La seule chose à faire, c'est de rentrer chez vous et de remettre de l'ordre en Ygrath. Les Ygrathiens ont besoin de vous, vous savez.

— Non, pas vraiment, d'Eymon. Je refuse de me bercer d'illusions. Cela fait vingt ans que Girald gouverne en Ygrath.

— Girald est un traître qu'il aurait fallu exécuter en même temps que sa mère ! »

Brandin le regarda tandis qu'un froid passait dans ses yeux gris.

« Est-il vraiment besoin de reprendre cette discussion, d'Eymon ? Je suis ici pour une raison bien précise, que vous connaissez. Je ne peux pas revenir là-dessus. Ce serait aller contre ma nature profonde. »

Il changea d'expression. « Je n'oblige personne à rester avec moi. Je suis moi-même lié à cette péninsule par l'amour et le chagrin, mais aussi par ma propre nature, et ces trois-là suffisent à m'y retenir.

— La dame Dianora pourrait nous accompagner ! Maintenant que Dorotea est morte, l'Ygrath a besoin d'une nouvelle reine et elle serait…

— C'est assez, d'Eymon ! » D'un ton péremptoire, il mettait un point final à la discussion.

Mais le chancelier était un homme courageux. « Monseigneur, poursuivit-il, le visage sévère, la voix basse mais chargée d'émotion, si je ne puis évoquer cette question et si vous vous refusez à envoyer notre flotte contrer le Barbadien, je ne sais plus comment vous conseiller. Les provinces ne sont pas encore prêtes à se battre pour votre compte. Les gens d'ici ont besoin de temps pour constater et se convaincre que vous êtes effectivement devenu l'un d'eux.

— Mais je ne dispose pas de ce temps, répliqua Brandin avec un calme qui paraissait presque suspect, après la tension aiguë qu'avait fait naître l'échange précédent. Il faut que j'agisse de suite. Et c'est sur ce point que j'ai besoin de vos conseils, chancelier. Comment les persuader ? Sur-le-champ ? Comment leur montrer que mon destin se confond à présent avec celui de la Palme ? »

Nous y voilà, se dit Dianora ; elle savait que le moment était enfin venu.

Je ne peux pas revenir là-dessus ; ce serait aller contre ma propre nature. Jamais elle n'avait pensé qu'il les délivrerait du sort de son plein gré. Elle le connaissait trop bien. Il n'était pas homme à faire marche arrière, à revenir sur ce qu'il avait dit ou fait. Dans aucun domaine. C'était dans sa nature profonde ; dans l'amour et dans la haine dont il était capable, et dans la forme spécifique de sa fierté.

Elle se leva. Un bruit bizarre et pressant lui résonnait aux oreilles, et elle savait qu'il lui suffirait de fermer les yeux pour voir se profiler un chemin, aussi linéaire et bien défini qu'un rai de lune sur la mer, et aussi lumineux. Tout l'y conduisait. Les y conduisait tous. Il était vulnérable, il s'était découvert et ne ferait jamais marche arrière.

Une image de Tigane prit forme en elle alors qu'elle se levait. Même en ce lieu, même en cet instant, une image de son pays. Dans les profondeurs de l'étang de la riselka, elle avait vu une foule rassemblée derrière les bannières de toutes les provinces, tandis qu'elle-même se dirigeait vers l'océan.

Elle posa délicatement les mains sur le dos de sa chaise et son regard descendit vers lui. Sa barbe grisonnait de plus en plus, elle le constatait chaque fois qu'elle s'y arrêtait, mais ses yeux étaient tels qu'elle les avait toujours connus, et, lorsqu'il lui rendit son regard, elle n'y décela pas la moindre trace de crainte ou de doute. Elle inspira profondément et se mit à lui parler avec des mots qui semblaient lui avoir été donnés depuis longtemps mais avaient attendu ce moment pour éclore.

« Je le ferai pour vous, dit-elle. Je ferai en sorte qu'ils croient en vous. Je ferai le plongeon pour l'anneau tel qu'il se pratiquait à l'époque des grands-ducs de Chiara, dès que la guerre menaçait. Vous épouserez les océans de la péninsule, et je vous lierai à la Palme et vous apporterai la bonne fortune devant tout le monde quand je ramènerai la bague marine du fond de l'océan. »

Elle soutint son regard de ses yeux sombres mais limpides et sereins, en cette heure où elle prononçait enfin, au terme de tant d'années, les mots la mettant sur le chemin qui la conduirait à sa destination ultime. Qui le mettait sur le même chemin lui aussi, qui les y mettaient tous, les vivants et les morts, les dénommés et les égarés. Car elle avait beau l'aimer, son cœur demeurait partagé, et elle mentait.

Elle termina son khav et se leva. Scelto avait tiré les rideaux et le soleil levant commençait tout juste à éclairer les eaux noires de l'océan. Au-dessus, le ciel était dégagé et, dans le port, les bannières ondulaient paresseusement sous la brise matinale. Déjà une foule importante se pressait bien qu'on fût encore à des heures de la cérémonie. Beaucoup de gens avaient passé la nuit au port pour s'assurer une place près de la jetée et la regarder plonger. Elle crut voir quelqu'un –

une silhouette menue, étant donné la distance – désigner sa fenêtre du doigt, et elle recula précipitamment.

Scelto avait déjà préparé les vêtements qu'elle porterait, les vêtements du rite. Pour se rendre à la jetée : une robe et des sandales vert foncé, comme le filet qui retiendrait ses cheveux et la tunique de soie dans laquelle elle plongerait. Pour la suite, pour son retour de l'océan, il y avait une autre robe, blanche celle-là, et brodée d'or. Pour le moment où elle représenterait, où elle deviendrait l'épouse venue de la mer, tenant en sa main un anneau d'or pour le roi.

Pour son retour. Si retour il y avait.

Elle s'étonnait presque de son calme. Les choses lui semblaient plus faciles depuis qu'elle avait cessé tout contact avec Brandin, la veille au matin, comme le voulait le rite. Elle tirait également parti de la clarté manifeste des images qui s'imposaient à elle et qui l'avaient conduite jusque-là avec autant d'aisance, comme si elle n'avait rien choisi ni décidé mais s'était contentée de suivre un enchaînement prévu de longue date, quelque part ailleurs.

Qui plus est, elle avait finalement compris et accepté, en profondeur, avec certitude, qu'elle était née dans un monde et vivait une existence qui ne lui permettraient pas de trouver sa cohésion.

Jamais. Car ce monde n'était pas Finavir, il n'appartenait pas au domaine de l'imaginaire. C'était la seule vie, le seul univers qui lui serait jamais autorisé. À un moment donné de son existence, Brandin d'Ygrath était venu sur cette péninsule pour modeler un royaume digne de son fils, et voilà que Valentin de Tigane l'avait tué. Telle était la réalité, qui ne pouvait être défaite.

Et pour cette mort Brandin avait fondu sur la Tigane et son peuple, les avait privés de leur passé, exclus des pages de ce monde qui continuaient de se tourner. Puis il avait décidé de rester pour sceller cette vérité à jamais – sans appel, absolue – et venger son fils. Voilà ce qui s'était passé, ce qui se poursuivait, ce qu'il fallait défaire.

Alors elle était venue pour le tuer. Au nom de son père, de sa mère, au nom de Baerd et en son nom propre, ainsi que pour tous ceux de son peuple qui avaient péri ou qui avaient tout perdu. Mais, une fois à Chiara, elle avait découvert, dans le chagrin et la douleur et la gloire, que les îles sont des mondes à part où les choses prennent un tout autre visage. Il y avait longtemps qu'elle avait compris qu'elle l'aimait. Voici qu'elle venait de comprendre, dans la gloire, la douleur et la surprise, que lui aussi l'aimait. Telle était encore la réalité. Elle avait tenté de la défaire et elle avait échoué.

Elle n'atteindrait jamais la complétude de son vivant. Elle s'en rendait pleinement compte désormais, et c'est dans cette certitude, dans cet ultime éclair de compréhension, que Dianora puisait son calme.

Certains vivent dans l'adversité. D'autres ont le pouvoir de donner forme à leur existence. Il semblait, qui aurait pu le prévoir ? qu'elle appartenait à l'une et l'autre catégorie.

Elle, Dianora de Tigane, fille de Saevar, le sculpteur ; une enfant aux cheveux bruns et aux yeux sombres, gauche et sans grâce dans sa jeunesse, sérieuse, grave même, mais sujette à des accès d'humour et de tendresse, une jeune fille à qui la beauté était venue sur le tard, et la sagesse plus tard encore, beaucoup trop tard. Maintenant, seulement.

Elle s'abstint de manger, bien qu'elle se fût autorisée une tasse de khav – ultime concession à ses anciennes habitudes. Elle ne pensait pas que ce fût une violation du rite. D'ailleurs, cela n'avait pas grande importance. Scelto l'aida à s'habiller puis, silencieux, rassembla soigneusement ses cheveux et les épingla pour les envelopper dans le filet de couleur verte qui les empêcherait de lui retomber dans les yeux lorsqu'elle plongerait.

Quand il eut fini, elle se leva et se soumit à son inspection, comme chaque fois qu'elle s'apprêtait à sortir dans le monde. Le soleil s'était levé qui inondait la chambre de lumière, car Scelto avait ouvert les rideaux. Elle percevait un murmure grandissant au loin, en provenance du port. Il devait y avoir une foule immense, songea-t-elle. Elle ne retourna pas pour vérifier ; elle ne tarderait pas à la voir. Elle perçut dans ce murmure régulier une immense attente qui témoignait, plus que tout autre signe, de la portée des enjeux en cause ce matin.

D'abord une péninsule, ou peut-être, plus exactement, deux territoires distincts d'une même péninsule. Et, en corollaire, l'empire de Barbadior, maintenant que l'empereur était malade, mourant même, comme chacun le savait. Enfin, ce dont personne n'était au courant en dehors d'elle : la Tigane. Le dernier jeton sur la table, un jeton secret, caché sous la carte abattue au nom de l'amour.

« Suis-je présentable ? » demanda-t-elle à Scelto sur un ton délibérément badin.

Il ne la suivit pas dans cette voie. « Vous me faites peur, déclara-t-il calmement. On dirait que vous n'êtes déjà plus entièrement de ce monde. Comme si vous nous aviez tous laissés loin derrière vous. »

Il avait une manière de lire dans ses pensées qui l'effrayait. Elle souffrait de devoir lui mentir et de l'exclure de ce dernier moment, mais il n'y avait rien qu'il pût faire. De plus, elle ne voulait pas prendre le risque de lui causer de la peine.

« Je ne suis pas sûre qu'il s'agisse d'un compliment, fit-elle d'un ton encore léger, mais je vais essayer de faire comme si. »

Il ne sourit pas. « Vous savez que je n'aime pas cela du tout, dit-il.

— Scelto, tous les soldats d'Alberico sans exception seront à la frontière du Senzio dans moins de deux semaines. Brandin n'a pas le choix. S'ils envahissent le Senzio, plus rien ne les arrêtera. C'est sa chance, probablement la seule, de s'unir à la Palme à temps. Tu le sais aussi bien que moi. » Elle se contraignait à montrer un peu d'irritation.

C'était vrai ; d'un bout à l'autre. Mais ce n'était pas la vérité. La vérité de ce matin-là, c'était la riselka, ainsi que tous les rêves qu'elle avait faits au saishan au fil des années.

« Je le sais, fit Scelto, visiblement malheureux. Bien sûr que je le sais. Et d'ailleurs ce que j'en pense importe peu. Seulement…

— Je t'en prie, lança-t-elle pour l'arrêter avant qu'il ne la fît pleurer. Je ne me sens pas capable d'en débattre avec toi maintenant, Scelto. On y va ? » *Oh, mon ami,* pensait-elle. *Scelto, oh, Scelto, ne cherche pas à me défaire !*

Il s'était interrompu devant sa réaction. Elle le vit avaler avec peine, les yeux baissés. Un instant plus tard, il leva de nouveau les yeux.

« Pardonnez-moi, madame », murmura-t-il. Il s'approcha et eut un geste inattendu : il lui prit les mains et les porta à ses lèvres. « C'est uniquement votre sort qui me préoccupe. J'ai peur pour vous. Pardonnez-moi.

— Bien sûr, répondit-elle. Bien sûr. Mais je n'ai rien à te pardonner, Scelto. » Elle serra fermement ses deux mains dans les siennes.

Mais en son for intérieur elle avait conscience de lui dire adieu, tout en sachant que les larmes n'étaient pas de mise. Elle regarda son visage honnête et bienveillant ; il était l'ami le plus sincère qu'elle ait eu pendant toutes ces années, son seul ami véritable depuis l'enfance en vérité, et elle ne pouvait s'empêcher d'espérer envers et contre tout que, dans les jours à venir, c'est la façon dont elle lui avait pris les mains qu'il se rappellerait, non ses paroles faussement désinvoltes.

« Allons-y », répéta-t-elle en détournant le visage, prête à entreprendre la longue marche à travers le palais avant d'émerger dans le petit matin et de descendre jusqu'à la mer.

Le plongeon pour l'anneau des grands-ducs de Chiara était le plus dramatique des rites profanes dans la péninsule de la Palme. Dès qu'ils s'étaient imposés sur l'île, les seigneurs de Chiara avaient compris que leur pouvoir émanait et dépendait de l'océan. C'était lui qui les protégeait et les nourrissait. Il permettait à leur flotte – de loin la plus importante de la péninsule – de commercer, voire de piller. Il les enveloppait et faisait de Chiara un monde dans le monde. Pas étonnant, expliquaient les conteurs, qu'Adaon et Eanna eussent choisi cette île pour engendrer Morian et former la Triade.

Un monde dans le monde, encerclé par l'océan.

On disait que c'était le premier des grands-ducs qui avait pris l'initiative de la cérémonie qu'on appela bientôt le plongeon pour l'anneau. Elle était alors d'une tout autre nature. Il ne s'agissait pas d'un plongeon à proprement parler ; on se contentait de jeter un anneau à la mer en offrande, en témoignage de reconnaissance, à une époque où le monde regardait le soleil avec respect et où la saison des voyages en mer débutait dans le plus grand sérieux.

Puis un printemps, bien longtemps après, une femme plongea pour aller rechercher l'anneau que le grand-duc de l'époque venait d'y lancer. D'aucuns prétendirent ensuite que l'amour l'avait rendue folle et qu'elle était possédée, d'autres qu'elle était tout simplement maligne et ambitieuse.

Quelles que fussent ses raisons, elle émergea des eaux du port en brandissant l'anneau scintillant.

Et, tandis que la foule venue voir le grand-duc épouser la mer murmurait et piaillait, en proie à l'étonnement et à la confusion, le grand prêtre de Morian prononça des paroles qui devaient résister à l'usure du temps et ne jamais disparaître de la mémoire collective : « Regardez tous ! Voyez comment l'océan accepte de prendre le grand-duc pour époux ! Et comment il restitue l'anneau, telle une bague de fiançailles, à l'amante ! »

Et le grand prêtre marcha jusqu'à l'extrémité de la jetée où il alla rejoindre le duc. Il s'agenouilla pour aider la jeune femme à sortir de l'eau, et c'est ainsi qu'il initia ce qui devait suivre. Saronte, le grand-duc, venait juste d'hériter du pouvoir et n'avait pas encore pris femme. L'auteure de cet exploit sans précédent, une certaine Letizia, était née dans une ferme de la campagne voisine. C'était une jeune et jolie fille aux cheveux blonds, à la mine avenante. Mellidar, le grand prêtre de Morian, leur fit alors joindre les mains au-dessus de l'océan, et Saronte passa l'anneau au doigt de Letizia.

On les maria l'été suivant. À l'automne, on guerroya contre l'Asoli et l'Astibar, et le jeune Saronte di Chiara sortit victorieux de la bataille navale qui eut lieu dans le golfe de Corte, au sud de l'île. Une victoire que Chiara n'oubliait pas de commémorer. Depuis cette époque, le nouveau rite du plongeon pour l'anneau avait été pieusement sauvegardé, prêt à renaître lorsque la province insulaire en aurait besoin.

Trente ans plus tard, vers la fin du long règne de Saronte, alors que les trois clergés, comme souvent, se disputaient la préséance, un grand prêtre d'Eanna récemment consacré révéla que Letizia était une proche parente de Mellidar, le prêtre de Morian qui l'avait sortie de l'eau et fiancée au duc. Le prêtre d'Eanna invitait les habitants de l'île à tirer eux-mêmes les conclusions quant aux procédés du clergé de Morian et ses incessantes tentatives pour s'arroger le pouvoir.

Cette révélation déclencha dans les mois qui suivirent un certain nombre de règlements de comptes pour le moins déplaisants entre les serviteurs de la Triade, mais aucun ne réussit à entacher le nouveau rite. La cérémonie était solidement ancrée dans l'imagination populaire désormais. Elle satisfaisait un besoin profond, qui tenait à la fois du sacrifice et de l'hommage, de l'amour et du danger, et constituait une façon détournée mais authentique de s'unir à l'océan.

Ainsi le plongeon pour l'anneau des grands-ducs de Chiara perdura-t-il bien après que tous ces prêtres querelleurs eurent trouvé le repos final ; on ne se souvenait guère de leur nom qu'à travers le rôle mineur qu'ils avaient joué dans l'histoire séculaire du plongeon.

Mais c'est la mort d'Onestra, l'épouse du grand-duc Cazal, il y avait deux cent cinquante ans, qui avait eu raison de la cérémonie.

Elle n'était certes pas la première à périr de la sorte, et les femmes qui plongeaient pour les grands-ducs s'étaient toujours clairement exprimées sur ce point : leurs vies étaient infiniment moins précieuses que l'anneau qu'elles entendaient reprendre à l'océan. Car celles qui revenaient bredouilles étaient contraintes de s'exiler pour toujours et devenaient la risée de toute la péninsule. On recommençait alors la cérémonie, avec une autre femme et un autre anneau, jusqu'à ce que l'un des anneaux fût remonté et qu'une femme revendiquât l'exploit.

En revanche, celle qui parvenait à remonter sur la jetée une bague à la main était censée porter chance à l'île, et sa fortune était faite pour le restant de ses jours : richesse, honneurs et mariage dans la noblesse. Plus d'une avaient porté un enfant du grand-duc. Deux avaient suivi Letizia jusqu'au trône du consort. Les jeunes filles sans grand avenir n'hésitaient pas à risquer leur vie pour une promesse de bonheur aussi lumineuse.

Mais l'histoire d'Onestra di Chiara était d'une tout autre nature, et ce fut elle qui fit basculer la cérémonie.

Belle comme un personnage de légende et aussi fière, la jeune épouse du grand-duc Cazal avait tenu à plonger en personne. Elle ne voulait pas concéder les honneurs d'une cérémonie aussi prestigieuse à quelque roturière de la campagne environnante, à la veille d'une guerre qui était loin d'être gagnée. Tous les chroniqueurs de l'époque s'accordaient à dire qu'ils n'avaient jamais vu de spectacle aussi saisissant que celui d'Onestra marchant vers la mer dans une robe vert sombre, comme le voulait le rite.

Quand le duc Cazal découvrit, en même temps que la foule des badauds, son corps inerte qui flottait sur l'eau à quelque distance de la grève, il poussa un hurlement de petite fille puis s'évanouit.

Aussitôt des émeutes éclatèrent, qui furent suivies d'un malstrom unique en son genre sur l'île de Chiara. Dans un temple isolé d'Adaon sur la côte septentrionale, toutes les prêtresses se tuèrent après que l'une d'elles leur eut appris la nouvelle. C'était la colère du dieu qui s'exprimait à travers ce décès, du moins c'est l'interprétation qu'on en fit. Chiara était morte de peur.

Le duc Cazal, brisé, se montra imprudent et périt au cours de l'été, à la bataille qui l'opposa aux forces unies de la Corte et du Ferraut. Après cela, Chiara connut le déclin pendant deux générations et dut attendre que les alliés qui l'avaient battue se livrassent une guerre sanglante à leur tour pour retrouver son rang. Mais personne n'en tira les conclusions qui s'imposaient, car il en était ainsi depuis toujours dans la Palme.

Plus aucune femme ne plongea pour l'anneau après le décès d'Onestra.

Elle avait changé tous les symboles et l'enjeu était devenu trop important. Qu'arriverait-il si une autre femme venait à mourir, après un tel héritage où se mêlaient la défaite et le chaos?...

C'était beaucoup trop dangereux, déclarèrent les grands-ducs l'un après l'autre. Ils trouvèrent d'autres moyens pour protéger Chiara, déjà forte de son insularité, et n'eurent plus recours à une cérémonie aussi lourde de conséquences.

Quand la flotte ygrathienne s'était profilée à l'horizon, dix-neuf ans plus tôt, le dernier grand-duc de Chiara avait mis fin à ses jours sur les marches du temple d'Eanna; à supposer qu'une femme fût prête à plonger pour obtenir les faveurs de Morian et du dieu, il ne restait plus personne désormais pour jeter l'anneau à la mer.

Il régnait un silence saisissant au saishan lorsque Dianora quitta ses appartements en compagnie de Scelto. Normalement, à cette heure les couloirs résonnaient des allées et venues des castrats et fleuraient bon le parfum des femmes aux vêtements colorés qui se dirigeaient langoureusement vers les bains ou s'apprêtaient à prendre leur repas du matin. Mais la journée s'annonçait différente des autres. Seuls leurs pas à eux deux troublaient le silence des couloirs déserts. Dianora réprima un frisson, tant le saishan sonore et comme abandonné lui paraissait étranger.

Ils franchirent la porte des bains, puis celle de la salle à manger. L'un et l'autre lieu étaient vides et silencieux. Ils tournèrent en direction de l'escalier qui descendait aux étages inférieurs et permettait de sortir de l'aile des femmes, et Dianora aperçut enfin une présence familière qui les attendait.

« Laisse-moi te regarder, fit Vencel en reprenant la formule consacrée. Je dois te passer en revue avant de te laisser sortir. »

Le gardien du saishan était vautré sur sa plate-forme roulante, au milieu de coussins multicolores, comme d'habitude. Dianora fut sur le point de sourire en entendant sa grosse masse informe prononcer le discours familier.

« C'est tout à fait normal », dit-elle en décrivant un cercle lent devant lui.

« Convenable », déclara-t-il enfin. La sentence habituelle, mais prononcée d'une voix un peu trop maîtrisée. « Mais peut-être... peut-être aimerais-tu porter cette pierre du Khardhun au cou ? Pour qu'elle te porte chance ? Je l'ai sortie du trésor du saishan. La voici. »

C'est presque timidement que Vencel tendit la main, une grosse main à la peau douce, avec le rubis qu'elle portait le jour où Isolla d'Ygrath avait tenté d'assassiner le roi.

Elle était sur le point d'hésiter quand elle se souvint que Scelto l'avait acheté spécialement pour cette occasion et le lui avait donné juste avant qu'elle s'habillât et descendît. Émue par ce souvenir ainsi que par l'attention touchante de Vencel, elle répondit : « Merci. Je serai heureuse de le porter. » Elle hésita un instant puis ajouta : « Voudriez-vous avoir l'obligeance de me le mettre ? »

Il eut un sourire emprunté. Elle s'agenouilla devant lui, et de ses doigts habiles et délicats le gros homme qui régnait en tyran sur le saishan lui passa la chaîne et son rubis autour du cou. Assise tout près de lui, elle fut submergée par l'eau de parfum très fleurie dont il avait pour habitude de s'asperger.

Vencel écarta les mains et se recula pour juger de l'effet. Dans son visage sombre ses petits yeux avaient pris une expression très douce. « Au Khardhun, si quelqu'un partait en voyage, nous avions coutume de lui dire : Puisse la chance t'attendre là où tu vas et te ramener chez toi sain et sauf. Tel est mon souhait aujourd'hui. » Il enfouit ses mains dans les plis boursouflés de sa toge blanche et tourna le regard vers le corridor désert.

« Merci », dit-elle encore, n'osant ajouter autre chose. Elle se leva et regarda Scelto à la dérobée : il avait les yeux embués de larmes. Il les essuya hâtivement et s'avança pour l'aider à descendre les marches. Elle s'arrêta au milieu de l'escalier pour jeter un coup d'œil derrière elle. Vencel n'avait pas bougé – silhouette énorme, presque inhumaine, drapée de blanc. Trônant au milieu d'un amoncellement de coussins multicolores, il les fixait, le regard vide, telle une créature exotique d'un autre monde que les flots avaient déposée sur les côtes de Chiara, puis abandonnée au saishan.

Les doubles portes au pied de l'escalier n'avaient pas été fermées à clé. Scelto n'eut pas besoin de frapper ; pas ce jour-là. Il les poussa et s'effaça pour la laisser passer.

Dans le long couloir de l'autre côté, les prêtres de Morian et les prêtresses d'Adaon l'attendaient. Une expression de triomphe à peine dissimulée se lisait dans leurs yeux brillants. Tous étaient au comble de l'excitation.

Elle entendit un bruit proche du soupir en franchissant les portes dans la robe verte qu'exigeait un rite qui n'avait plus été célébré depuis deux cent cinquante ans, les cheveux noués et retenus dans un filet du même vert émeraude que l'océan.

Habitués à se contrôler comme l'exigeait leur statut, les ecclésiastiques se turent sur-le-champ. Et c'est dans le silence qu'ils s'écartèrent pour la laisser passer, puis lui emboîtèrent le pas en rangs disciplinés, le premier de couleur pourpre, le suivant gris souris et ainsi de suite.

Elle savait qu'ils s'arrangeraient pour passer devant Scelto. Il ne faisait en aucun cas partie de la procession. Elle savait aussi qu'elle ne lui avait pas dit adieu comme elle aurait dû. Son existence et tout ce qu'elle faisait étaient par essence inachevés.

Ils longèrent le couloir qui menait au grand escalier d'honneur. Dianora fit une pause avant de commencer à descendre les marches de marbre blanc et comprit enfin pourquoi le saishan lui avait paru si silencieux. Toutes les femmes et tous les castrats étaient massés en bas. On leur avait permis de venir jusque-là pour la voir passer. La tête haute, sans regarder à gauche ni à droite, elle posa le pied sur la première marche et se mit à descendre. Elle n'était déjà plus elle-même, songea-t-elle. Elle n'était plus Dianora, elle n'était plus seulement Dianora. Elle entrait un peu plus dans la légende à chaque pas.

Elle descendit la dernière marche et posa le pied sur les carreaux de mosaïque. C'est alors qu'elle aperçut ceux qui l'attendaient près des portes du palais, prêts à l'escorter, et se sentit défaillir.

Il y avait un rassemblement de grands hommes. D'Eymon, en premier, et Rhamanus aussi, qui avait décidé – elle l'aurait juré – de rester dans la péninsule et qu'on avait depuis nommé premier amiral de la flotte. À côté d'eux, Doarde, le poète, représentait le peuple de Chiara. Elle s'attendait à le voir. C'était d'Eymon qui avait eu la bonne idée de faire participer un poète de l'île, pour compenser la mort d'un autre. Près de lui, un homme solidement charpenté, au visage anguleux, vêtu de velours brun, qui portait sur lui assez d'or pour payer une rançon : un marchand de Corte, et manifestement pas des plus pauvres ; peut-être un de ces vampires qui avaient fait fortune sur les ruines de la Tigane vingt ans plus tôt. Derrière lui, l'homme grand et mince qui portait l'habit gris des prêtres de Morian était de toute évidence originaire d'Asoli. Cela se voyait à son teint, typique des habitants de cette province.

Le dernier homme présent, lui, était de Basse-Corte, et elle le connaissait. Il appartenait à son propre imaginaire de légendes, aux mythes et aux espoirs qui l'avaient aidée à vivre jusqu'ici. C'est en apercevant ce personnage qu'elle sentit son sang se glacer.

Tout de blanc vêtu bien sûr, aussi majestueux que le souvenir qu'elle avait de lui, il tenait le solide bâton qui avait toujours été le sien et dépassait d'une tête tous les autres : Danoleon, le grand prêtre d'Eanna en Tigane était là, en personne.

L'homme qui avait emmené le prince Alessan dans le Sud. Du moins était-ce ce que lui avait déclaré Baerd, le soir où il avait vu une riselka et décidé de les suivre.

Elle le connaissait, comme chacun en Tigane connaissait Danoleon : ses longues enjambées, sa force physique en imposaient à tous, ainsi que le merveilleux instrument de sa voix profonde pendant les offices. Tandis qu'elle approchait des portes, Dianora lutta contre un sentiment de folle panique, puis se domina sévèrement. Il était impossible qu'il pût l'identifier. Il ne l'avait pas connue enfant, ce qui n'avait rien de surprenant: elle n'était que la fille adolescente d'un artiste vaguement attaché à la cour. Et puis elle avait changé, elle avait infiniment changé depuis.

Elle n'arrivait pas à détacher son regard de cet homme cependant. Elle savait que d'Eymon avait prévu de faire venir quelqu'un de Basse-Corte, mais elle ne s'attendait certes pas à voir Danoleon. À l'époque où elle travaillait au restaurant *la Reine*, à Stévanie, il était déjà de notoriété publique que le grand prêtre d'Eanna s'était retiré du monde et vivait désormais au sanctuaire d'Eanna, dans les collines méridionales.

Or il en était sorti pour venir à Chiara et, en le regardant pour bien se persuader que ce n'était pas une apparition, Dianora fut submergée par une immense fierté, tant il était évident qu'il dominait tous les gens rassemblés ici de sa seule présence.

C'était pour lui, pour les hommes et les femmes de cette trempe, pour ceux qui avaient disparu et pour ceux qui vivaient encore dans ce pays brisé qu'elle allait faire ce qu'elle avait décidé de faire. Il lui jeta un regard inquisiteur, comme tous les autres, mais c'est pour lui, pour ses yeux bleus et purs, que Dianora se redressa et parut plus grande que jamais. Derrière eux tous, au-delà des portes closes, il lui semblait voir le chemin de la riselka, de plus en plus lumineux.

Elle s'arrêta et ils s'inclinèrent devant elle, chacun de ces six hommes avançant une jambe tendue et courbant le buste au-dessus. Cela faisait des siècles que plus personne n'avait tiré pareille révérence. Mais ne s'agissait-il pas d'une légende, d'une cérémonie, de l'invocation de puissances multiples et composites ? Dianora eut soudain l'impression de n'être plus qu'une figure hiératique issue des tapisseries du plus lointain passé.

« Madame, fit gravement d'Eymon, nous sommes vos humbles serviteurs et, s'il vous plaît de nous y autoriser, nous souhaiterions vous escorter jusqu'à Sa Majesté, le roi de la Palme occidentale. »

Des paroles prononcées avec beaucoup de clarté, car chaque mot était destiné à être retenu puis répété. C'était d'ailleurs une des raisons qui expliquait la présence des prêtres et d'un poète.

« Cela me plaît, répondit-elle seulement. Allons-y. » Elle n'en dit pas davantage. Ses propres paroles étaient de moindre importance. C'est ce qu'elle ferait, non ce qu'elle dirait, qui resterait gravé dans les mémoires.

Elle ne parvenait toujours pas à détacher les yeux de Danoleon. Il était le premier Tiganais qu'elle apercevait depuis son arrivée sur l'île. Elle se sentait le cœur plus léger tout à coup : Eanna, dont ils étaient tous les enfants, lui avait permis de voir cet homme avant de plonger dans l'océan.

D'Eymon hocha la tête pour donner un ordre. Les lourdes portes de bronze s'ouvrirent lentement sous les yeux de la foule nombreuse qui s'était massée entre le palais et la jetée. Il y avait des gens partout, sur la place, d'un bout à l'autre du port et même sur le pont des bateaux au mouillage. Le murmure régulier qu'elle entendait depuis son lever s'amplifia au moment où les portes s'ouvrirent, puis s'arrêta brutalement dès que la foule l'eut aperçue. Un silence épais, éprouvant, s'abattit sur Chiara dominée par la voûte bleue du ciel. C'est dans ce silence que Dianora se mit en marche.

Puis, comme ils avançaient dans la rue inondée de soleil le long de l'aile du palais – ce chemin lumineux tracé pour elle –, elle vit Brandin. Il l'attendait près de la mer, en tenue de chef des armées, sans extravagance et nu-tête sous le ciel printanier.

En l'apercevant, elle ressentit une douleur brusque, comme une lame qu'on enfonce dans une plaie. Ce sera bientôt fini, se dit-elle sans fléchir. Il n'y en a plus pour longtemps maintenant. Tout sera terminé très vite.

Elle se dirigea vers lui avec un port de reine, grande, mince, fière, arborant le vert foncé de l'océan, un rubis autour du cou. Elle avançait sachant qu'elle l'aimait, sachant aussi que son pays était perdu si cet homme n'était pas refoulé ou tué, et elle souffrait de tout son être du simple fait d'être venue au monde tant d'années auparavant.

◆

Pour quelqu'un d'aussi petit que lui, il eût été vain d'espérer voir quoi que ce soit de la place du port proprement dite ; même le pont du bateau qui les avait amenés depuis la Corte était envahi de gens qui avaient payé le capitaine pour tenter de voir le plongeon de cette position avantageuse. Devin se fraya un passage jusqu'au grand mât et, s'aidant des pieds et des mains, entreprit de se suspendre au gréement en compagnie d'une douzaine d'autres. L'agilité offrait des compensations certaines.

Erlein était quelque part parmi les passagers massés sur le pont. Depuis trois jours qu'ils étaient arrivés, le magicien semblait terrorisé par la proximité du sorcier d'Ygrath. « C'est une chose, avait-il bougonné, que d'esquiver les pisteurs du Sud, c'en est une autre que d'approcher un sorcier. »

Alessan, lui, s'était glissé parmi la foule grouillante du port. Devin l'avait aperçu qui se frayait un passage jusqu'à la jetée, puis l'avait perdu de vue. Danoleon était à l'intérieur du palais, en tant que représentant officiel de la Basse-Corte. L'ironie de la situation était presque excessive, se disait Devin chaque fois qu'il se permettait de porter un jugement. Il essayait de ne pas trop y penser, car cela lui faisait peur pour eux tous.

Mais Alessan n'avait pas hésité lorsque la requête rédigée en termes courtois était parvenue au grand prêtre : il était invité à se rendre dans le Nord, où il retrouverait les hommes venus des trois autres provinces comme témoins officiels du plongeon pour l'anneau.

« Vous allez vous y rendre, bien sûr, avait dit le prince comme si cela coulait de source. Nous y serons aussi. J'ai besoin de mesurer l'ampleur du changement à Chiara.

— Serais-tu devenu fou ? » s'était écrié Erlein, sans chercher à dissimuler son incrédulité.

Alessan s'était contenté de rire – un rire sans joie, avait remarqué Devin. Depuis la mort de sa mère, il était devenu impénétrable. Devin ne savait pas comment l'atteindre, encore moins comment percer sa réserve. Dans les jours qui avaient suivi la mort de Pasithea, il s'était maintes fois surpris à souhaiter que Baerd fût avec eux.

« Tu as pensé à Savandi ? avait demandé Erlein. Ne s'agirait-il pas d'une manœuvre pour piéger Danoleon ? Ou te piéger, toi ? »

Alessan avait secoué la tête. « C'est peu probable. Tu l'as confirmé toi-même, aucun message n'a été transmis. Et le récit de Torre, selon lequel Savandi s'est fait tuer par des brigands en rase campagne, est tout à fait plausible. Le roi de la Palme occidentale a d'autres chats à fouetter présentement que la mort d'un petit espion. Je ne me sens nullement inquiété, Erlein, mais je te remercie de ta sollicitude. » Devant le sourire glacial d'Alessan, le magicien avait pris un air renfrogné puis était sorti d'un pas raide.

« Et peut-on savoir ce qui t'inquiète, alors ? » avait demandé Devin au prince.

Mais Alessan n'avait pas répondu à sa question.

Perché dans les cordages du *Faucon Aema*, Devin attendait comme tout un chacun l'ouverture des portes du palais et s'appliquait à contrôler les battements de son cœur. Ce n'était pas facile. L'excitation, qui n'avait cessé de croître sur l'île ces trois derniers jours, touchait à son paroxysme depuis ce matin. Elle était devenue quasiment palpable depuis que Brandin avait fait son apparition. Le roi se dirigeait vers la jetée d'un pas serein, suivi d'une escorte discrète parmi laquelle figurait un vieil homme voûté, exactement vêtu comme son souverain.

« C'est le fou de Brandin, fit le Cortéen suspendu à un hauban juste à côté de lui, quand Devin lui demanda de qui il s'agissait. Quelque chose à voir avec la sorcellerie et ce qu'ils font en Ygrath, grommela-t-il. Mieux vaut ne pas en savoir davantage. »

C'était la première fois que Devin posait les yeux sur l'homme qui avait détruit la Tigane. Il essayait d'imaginer ce qu'il ressentirait s'il avait un arc entre les mains, et l'habileté d'un Baerd ou d'un Alessan. Un tir à longue distance mais qui n'avait rien d'impossible ; un tir légèrement plongeant, par-dessus une petite étendue d'eau, pour atteindre un homme barbu aux vêtements sobres, debout au bord de l'océan.

Tout en visualisant la trajectoire de la flèche dans le soleil matinal, Devin se rappela la conversation qu'il avait eue avec Alessan le soir de leur arrivée, tandis qu'appuyés au bastingage ils regardaient l'île se rapprocher.

« Que souhaitons-nous qu'il arrive ? » avait demandé Devin.

La nouvelle leur était parvenue dans le golfe de Corte, juste avant qu'ils embarquent : le gros des mercenaires barbadiens de la seconde compagnie avait quitté les forts frontaliers et les villes du Ferraut pour se diriger vers le Senzio, à l'instar des deux autres armées. En entendant cela, Alessan avait pâli ; puis ses yeux gris s'étaient brusquement mis à briller d'un éclat dur et implacable.

Comme ceux de sa mère, avait pensé Devin, qui n'aurait jamais osé le dire.

Sur le bateau, le prince s'était tourné brièvement vers lui en entendant sa question, puis s'était remis à regarder la mer. Il était très tard et l'aube approchait. Ni l'un ni l'autre n'avait dormi. Les deux lunes brillaient au-dessus d'eux et l'eau luisait ou étincelait sous leurs faisceaux confondus.

« Ce que nous souhaitons qu'il arrive ? fit Alessan. C'est difficile à dire. Je crois le savoir, mais je n'ai pas de certitude. Voilà pourquoi nous allons assister à ce plongeon. »

Ils écoutèrent les bruits du navire qui filait sur l'océan de jais. Devin s'éclaircit la gorge.

« Si elle échoue ? » demanda-t-il.

Alessan resta si longtemps silencieux que Devin crut qu'il ne répondrait pas. Puis, d'une voix très douce, il reprit : « Si cette femme du Certando échoue, c'en est fini de Brandin, je crois. J'en suis presque sûr. »

Devin lui jeta un bref coup d'œil. « Alors, cela signifie…

— Cela signifie beaucoup de choses, en effet. La première, que notre nom revivra ; la seconde, qu'Alberico régnera sur toute la Palme avant la fin de l'année, c'est quasiment certain. »

Devin s'efforça d'assimiler ce raisonnement. « Si nous devons en prendre un, nous devons nous emparer des deux à la fois », avait dit le prince dans le pavillon Sandreni, tandis que lui-même se tenait caché dans le grenier juste au-dessus.

« Et si elle réussit ? » demanda-t-il.

Alessan haussa les épaules. Vu de profil, dans la lumière bleue et d'argent, il semblait de marbre et non de chair. « À toi de me donner la réponse. Combien parmi les habitants des provinces accepteront de se battre contre l'empire de Barbadior pour un roi qui s'est uni aux océans de la Palme par l'intermédiaire d'une épouse elle-même originaire de la péninsule ? »

Devin réfléchit à la question. « Bon nombre d'entre eux, je pense que bon nombre seront prêts à se battre.

— Moi aussi, fit Alessan. Maintenant, la question qui en découle est la suivante : Qui l'emportera ? Puis vient celle-ci : Que pouvons-nous y faire ?

— Dis-le-moi. »

Alessan le regarda, la bouche tordue en un sourire désabusé. « J'ai passé ma vie à croire que nous y pouvions quelque chose. Le verdict est proche. »

Devin cessa de poser des questions. Grâce aux deux lunes, la nuit était très claire. Un peu plus tard, Alessan lui effleura l'épaule et lui désigna quelque chose du doigt. Devin leva les yeux et vit une masse sombre et conique qui émergeait dans le lointain.

« Tu étais déjà venu ici ? » demanda-t-il à voix basse.

Alessan secoua la tête sans détacher le regard de cette forme montagneuse à l'horizon.

« Seulement dans mes rêves », fit-il.

« La voilà ! » cria quelqu'un du haut du grand mât d'un bateau asolien ancré bord à bord avec eux ; le cri fut aussitôt repris et égrené de navire en navire tout le long du port, et s'acheva par un rugissement de plaisir anticipé.

Puis il retomba et fit place à un silence terrible et glacial, tandis que les lourdes portes de bronze du palais de Chiara s'ouvraient toutes grandes, laissant apparaître la femme dans l'encadrement.

Et quand elle avança le silence se prolongea. Elle se déplaçait lentement, passant parmi les groupes de gens massés sur la place comme si elle n'avait pas remarqué leur présence. Devin était encore trop loin pour distinguer son visage avec netteté, mais il prit soudain conscience d'une beauté et d'une grâce hors du commun. C'est la cérémonie, se dit-il, c'est uniquement à cause des circonstances. Il vit Danoleon derrière elle, qui dépassait d'une tête les autres hommes de son escorte.

Alors, mû par quelque instinct, il se tourna vers Brandin sur la jetée. Le roi était plus près de lui et l'angle de vue plus favorable. Il observa son visage tandis qu'il regardait la femme approcher. Il était de marbre. Dénué de toute expression.

Il jauge la situation, il estime la foule, il évalue ses chances, se dit Devin. Il se sert de toute cette mise en scène – la femme, le rite, tous ceux rassemblés ici avec une telle passion – à des fins purement politiques. Il comprit qu'il le méprisait précisément pour cette raison, qu'il le haïssait pour ce regard neutre et sans émotion avec lequel il voyait approcher la femme qui allait risquer sa vie pour lui. Par la Triade ! il était pourtant censé l'aimer d'amour !

Même le vieillard voûté qui l'accompagnait, son fou, sa doublure vestimentaire, se tordait les mains d'appréhension et laissait paraître l'inquiétude et l'angoisse qui le dévoraient.

Par contraste, le visage du roi de la Palme occidentale n'était qu'un masque froid et insensible. Devin n'avait plus envie de le regarder. Il se tourna vers la femme qui s'était considérablement rapprochée.

Elle était presque arrivée au bord de l'eau, et il constata que sa première impression ne l'avait pas trompé, que l'explication facile qu'il s'était trouvée était erronée : Dianora di Certando, dans la robe verte du plongeon pour l'anneau, était bien la plus belle femme qu'il eût jamais vue.

Que souhaitons-nous qu'il arrive ? avait-il demandé à Alessan trois nuits plus tôt, tandis qu'ils approchaient de l'île.

Il ne connaissait toujours pas la réponse. Mais, au spectacle de la femme qui venait d'arriver devant la mer, une crainte nouvelle se fit jour en lui, ainsi qu'une pitié totalement inattendue. Il s'accrocha au cordage et se prépara à regarder de très, très haut.

◆

Elle connaissait Brandin mieux que quiconque ; il avait bien fallu, au début surtout, lorsqu'elle avait dû apprendre ce qu'il convenait de dire et de faire pour survivre dans un enclos aussi dangereux. Puis, au fil des années, cette absolue nécessité avait fait place à autre chose. À l'amour, oui, aussi difficile qu'il fût de l'admettre. Elle était venue pour tuer, le serpent du souvenir et celui de la haine entrelacés autour du cœur. Et elle avait fini par le comprendre mieux que quiconque, parce que nul autre ne lui importait autant que Brandin.

Et elle se sentit proche de la défaillance lorsqu'en traversant la foule pour atteindre la jetée elle vit à quel point il se faisait violence pour ne rien laisser paraître de ses sentiments. Comme si son âme luttait pour s'évader par la porte ouverte de son regard, tandis que lui, qui était né prince, savait la nécessité de la contenir, devant tous ces gens rassemblés.

Mais, à elle, il ne pouvait rien cacher. Elle n'avait même plus besoin de regarder Rhun pour lire en lui, désormais. Il s'était coupé de sa terre natale, de tous les points d'ancrage de son existence, il régnait désormais sur un peuple étranger conquis. Il lui demandait de croire en lui et de lui prêter main-forte. Elle était son chemin de vie à présent, son seul lien avec la Palme, son seul avenir, ici comme partout ailleurs.

Mais la Tigane en ruine creusait entre eux un abîme. Et Dianora avait reçu une leçon de l'existence : l'amour ne suffit pas. Quoi qu'en disent les troubadours et leurs ballades. L'amour lui avait apporté un espoir mais ne suffisait certes pas à combler le gouffre de son existence. C'était d'ailleurs la raison pour laquelle elle marchait vers la jetée ce matin-là, conformément à ce que la riselka lui avait laissé entrevoir dans le jardin : le moyen de mettre fin à cet abîme terrible, insondable, au cœur de son être. Mais le prix à payer avait été fixé une fois pour toutes. On ne marchande pas avec les puissances divines.

Elle rejoignit Brandin au bout de la jetée et s'arrêta. Derrière elle, les autres s'arrêtèrent aussi. Un soupir traversa la foule sur la place, qui monta puis retomba comme un souffle d'air. Par quelque artifice bizarre de sa conscience, elle eut l'impression que sa vision se détachait de ses yeux et qu'elle avait soudain la faculté d'observer la jetée du dessus. Elle se vit telle que le peuple rassemblé devait la voir : inhumaine, détachée des contingences de ce monde.

Telle Onestra à l'aube du dernier plongeon. Onestra n'était pas revenue, et une période de désolation avait suivi. C'était bien là sa chance : le sombre couloir que l'histoire lui ouvrait vers la réalisation du rêve qui l'avait conduite au saishan.

Le soleil dardait ses rayons qui scintillaient et dansaient au gré des flots bleu-vert. Le monde était si plein de couleurs et de trésors. Derrière Rhun, elle distingua une femme vêtue d'une robe jaune vif, puis un vieil homme en bleu et jaune, enfin un homme plus jeune aux cheveux bruns, qui tenait un enfant sur ses épaules. Tous étaient venus pour la voir plonger. Elle ferma les yeux un instant avant de se tourner vers Brandin. Il eût été plus facile de ne pas le regarder, infiniment plus facile, mais elle savait le danger qu'il y avait à ne pas soutenir son regard. Et, maintenant qu'elle était arrivée au bout du chemin, il lui fallait faire face à l'homme qu'elle aimait.

La nuit passée, tandis qu'elle suivait la trajectoire des deux lunes du regard, incapable de trouver le sommeil, elle avait tenté de réfléchir à ce qu'elle pourrait bien lui dire en arrivant au bout de la jetée ; des mots qui aillent au-delà de la formule consacrée du rite, des mots riches de sens, susceptibles de résister à l'épreuve du temps.

Mais, une fois encore, le danger était grand de tout compromettre au dernier moment. Et les mots, ceux qu'elle eût aimé prononcer, n'étaient qu'une autre quête de plénitude, une autre tentative pour combler le gouffre. Car c'était bien là le but de toute son entreprise: combler un gouffre insondable.

Or elle ne le pouvait pas dans cette vie.

« Monseigneur, dit-elle avec le soin protocolaire requis, je n'en suis certes pas digne et je crains de présumer de moi, mais s'il vous sied, ainsi qu'à ceux qui se pressent ici, j'essaierai de vous rapporter l'anneau du fond de l'océan. »

Les yeux de Brandin avaient pris la couleur du ciel avant la pluie. Son regard ne se détournait plus du visage de Dianora. « Il n'y a aucune présomption de votre part, ma très chère, et vous faites honneur à cette cérémonie par votre seule présence », dit-il.

Elle en ressentit une certaine confusion, car telles n'étaient pas les paroles dont ils avaient convenu. Mais alors il détacha son regard du sien, lentement, comme s'il tournait le dos à la lumière.

« Peuple de la Palme occidentale ! » s'écria-t-il d'une voix claire et forte, une voix de monarque, de meneur d'hommes, qui résonnait sur la place et jusque sur les grands navires et les embarcations de pêcheurs. « La dame Dianora nous demande si nous la jugeons digne de plonger pour nous, si nous acceptons de nous en remettre à elle pour nous porter la bonne fortune et obtenir la bénédiction de la Triade dans le combat que le Barbadior s'apprête à nous livrer. Qu'en dis-tu ? Elle attend ta réponse ! »

Et, dans la clameur d'approbation qui suivit, un rugissement dont l'ampleur ne les surprit pas après une aussi longue attente, Dianora reçut comme une claque l'ironie brutale, la plaisanterie amère inhérente à la situation.

Pour leur porter la bonne fortune, elle ? Obtenir la bénédiction de la Triade par son intermédiaire ?

À ce moment, pour la première fois, tout au bord de l'océan, elle sentit la peur poser un doigt sur son cœur. Car il s'agissait bien d'un rituel divin, d'une cérémonie vieille de plusieurs siècles, d'un pouvoir occulte, et elle s'apprêtait à en user pour servir ses propres fins, accomplir un dessein qui avait vu le jour en son cœur de mortelle. Pareille chose était-elle permise, aussi noble que fût sa cause ?

Elle eut un dernier regard pour le palais et les montagnes qui, depuis si longtemps déjà, modelaient son existence. Au sommet du Sangarios la neige avait fondu, ce sommet d'où Eanna avait, disait-on, conçu les étoiles puis les avait nommées. Dianora baissa les yeux et vit Danoleon qui l'observait de toute sa hauteur. Elle plongea le regard dans le bleu apaisant de ses yeux, pour puiser dans sa paix intérieure la force et l'assurance dont elle avait besoin.

Ses craintes tombèrent à la manière d'une dépouille. C'était pour Danoleon et ceux de sa trempe qui avaient péri, pour les livres, les statues, les hymnes et les noms qui avaient disparu, qu'elle était ici. Nul doute que la Triade le comprendrait quand elle devrait rendre compte de cette ultime hérésie. Nul doute qu'Adaon se rappellerait Micaela au bord de la mer et qu'Eanna des Noms saurait se montrer indulgente.

Lentement, Dianora hocha la tête tandis que la clameur du peuple se taisait enfin ; c'est le moment que choisit la grande prêtresse pour s'avancer dans son aube de couleur pourpre et l'aider à ôter sa robe verte.

Elle était au bord de l'eau, vêtue de sa seule tunique, verte aussi, en tissu léger, qui lui arrivait juste au-dessus du genou, et Brandin tenait un anneau à la main.

« Au nom d'Adaon et de Morian, dit-il en prononçant les paroles d'un rite auquel il s'était dûment préparé, mais aussi et pour toujours au nom d'Eanna, reine des Lumières, nous venons chercher ici même nourriture et protection. L'océan voudra-t-il nous accueillir et nous prendre contre son sein comme une mère son enfant ? Les océans de la péninsule accepteront-ils cet anneau en offrande, au nom de tous ceux rassemblés ici ? Nous le rendront-ils pour sceller notre sort au leur ? Moi, Brandin di Chiara, roi de la Palme occidentale, vous supplie de m'accorder votre bénédiction. »

Il se tourna vers elle tandis qu'un murmure d'étonnement se levait en écho à ses dernières paroles, au nom qu'il s'était donné, et, profitant de ce bruit, comme couvert et protégé par lui, il lui murmura quelque chose qu'elle seule entendit.

Puis il se tourna vers l'océan et, reculant le bras, lança l'anneau d'or qui décrivit un arc de cercle brillant haut dans le ciel et vers le soleil éblouissant.

Elle le vit culminer, puis entamer sa descente. Lorsqu'il heurta la surface de la mer, Dianora plongea.

L'eau glaciale en ce début d'année la fouetta. Prolongeant le dynamisme du plongeon, elle se propulsa vers le fond en donnant de furieux coups de pied. Une résille de couleur verte retenait sa chevelure et lui dégageait la vue. Brandin avait lancé l'anneau avec soin, tout en sachant qu'il ne pouvait pas le laisser tomber tout près de la jetée car les gens seraient à l'affût d'un geste semblable. Elle fit six ou sept mouvements énergiques en direction du large sans cesser de prendre de la profondeur. Ses yeux scrutaient le fond à travers le filtre bleu-vert de l'eau.

Pourquoi ne pas récupérer l'anneau, après tout ? Pourquoi ne pas se prouver qu'elle en était capable avant de mourir ? Elle pourrait en faire l'offrande à Morian.

Étrangement, elle n'éprouvait plus la moindre peur. Mais peut-être n'était-ce pas aussi étrange après tout. Que lui avait offert la riselka au travers de sa révélation, sinon une certitude, celle de l'aider à surmonter ses vieux démons, sa terreur des eaux sombres, et de la conduire à la dernière porte de Morian ? C'était la fin maintenant, une fin qui aurait dû arriver beaucoup plus tôt.

Comme elle ne distinguait rien, elle prit une nouvelle impulsion des deux jambes, s'obligeant à aller plus avant dans les profondeurs de l'océan, là où l'anneau était tombé.

Elle éprouvait une grande assurance, une clarté de l'esprit, une conscience aiguë des événements qui avaient abouti à cette heure entre toutes. Une heure où sa seule mort pouvait suffire à racheter la Tigane. Elle connaissait l'histoire d'Onestra et de Cazal, comme tout un chacun sur le port. Nul n'ignorait le désastre qu'avait engendré la mort d'Onestra.

Brandin avait tout misé sur cette cérémonie ; il n'avait d'ailleurs pas d'autre choix, confronté à une guerre prématurée. Mais c'est Alberico qui la gagnerait, cette guerre ; il n'y avait pas d'autre issue. Elle savait exactement ce qui se passerait après sa mort. Le chaos, la condamnation impitoyable du peuple, le jugement clairement exprimé de la Triade sur l'arrogance de ce prétendu roi de la Palme occidentale. Il n'y aurait pas d'armée à l'Ouest pour résister au Barbadien. Il ne resterait plus à Alberico qu'à vendanger la péninsule, qu'à la moudre sous la meule de ses ambitions.

C'était sans doute déplorable, elle s'en rendait bien compte, mais il incomberait à quelqu'un d'autre de réparer ce tort. Ce serait la quête spirituelle de la prochaine génération. Son propre rêve à elle, le but qu'elle s'était fixé, assise près d'un feu mort dans la demeure paternelle, et qui l'avait emplie d'une fierté d'adolescente, c'était de ressusciter le nom de Tigane.

Son seul souhait, s'il lui était permis d'en formuler un dernier avant que l'obscurité se refermât sur elle et l'enveloppât, était que Brandin parte, qu'il trouve une terre loin de cette péninsule avant la chute ; et qu'il comprenne, où qu'il aille, qu'il s'agissait d'un ultime cadeau d'amour de Dianora.

Peu importait qu'elle-même mourut. On ne donne pas cher des femmes qui couchent avec les envahisseurs. On les nomme traîtresses et on les tue de diverses manières. La noyade ferait l'affaire.

Elle se demanda s'il lui serait donné d'apercevoir la riselka ici, la créature verte comme l'océan, l'agent du destin, la gardienne des seuils ; elle se demanda si elle aurait une ultime vision avant la fin. Si Adaon se présenterait à elle, comme il était apparu à Micaela sur la plage autrefois. Mais elle n'était pas Micaela, jolie jeune fille blonde au regard innocent. Elle en conclut qu'elle ne verrait pas le dieu.

Par contre, elle vit l'anneau.

Sur sa droite, juste au-dessus d'elle, dérivant comme une promesse, comme une prière exaucée dans les eaux lentes et froides, si loin de la lumière du soleil. Elle avança la main, avec la lenteur irréelle qui caractérise tout mouvement dans la mer, et le reprit, et l'enfila, afin d'épouser l'océan et de mourir l'alliance en or de l'océan au doigt.

Elle était loin au fond de la mer désormais. Il n'y avait guère plus de clarté, même tamisée, à cette profondeur. Elle savait que le dernier souffle d'air contenu dans ses poumons ne tarderait pas à disparaître aussi, et que le besoin de remonter à la surface deviendrait impératif – un réflexe. Elle regarda l'anneau, l'anneau de Brandin, son seul et dernier espoir. Elle le porta à ses lèvres et l'embrassa, puis elle détourna le regard, mais aussi sa vie et sa longue quête, de la surface, de la lumière et de l'amour.

Elle nagea plus profondément encore, s'enfonça aussi loin qu'elle le put. Et c'est à ce moment précis que les visions commencèrent d'affluer.

Elle vit distinctement son père, son maillet et ses ciseaux à la main, les épaules et la poitrine couvertes d'une fine poussière de marbre, qui marchait dans la cour de leur maison aux côtés du prince Valentin. Celui-ci avait passé le bras autour des épaules de son père, en un geste familier, et elle le revit avant qu'il eût pris cet air emprunté et sévère qu'il avait au moment de partir à la guerre. Puis apparut Baerd : enfant d'une nature douce qu'on aurait dit toujours prêt à rire ; adolescent en larmes, devant leur porte, le soir où Naddo avait fui ; lové dans ses bras, dans un univers de ruines, éclairé par la lune ; et enfin sur le seuil de leur maison la nuit où lui-même était parti. Sa mère se présenta ensuite, et Dianora eut l'impression de remonter le temps à la nage pour aller à la rencontre de sa famille. Car toutes ces images de sa mère appartenaient à l'époque d'avant la chute, d'avant la folie, à une époque où la voix maternelle avait le pouvoir d'adoucir l'air du soir et ses caresses celui de guérir toutes les fièvres et toutes les peurs du noir.

Il faisait sombre et très froid dans l'océan maintenant. Elle sentit les prémices de ce qui allait bientôt devenir un besoin urgent d'oxygène. Puis, comme sur un manuscrit se déroulant dans sa conscience, elle revit des moments de son existence après qu'elle eut quitté sa maison : le village du Certando. La fumée au-dessus d'Avalle, qu'elle apercevait depuis les hauts plateaux. L'homme dont elle avait oublié jusqu'au nom et qui l'avait demandée en mariage. D'autres hommes, qui avaient couché avec elle dans la petite chambre de l'auberge. *La Reine*, à Stévanie. Arduini. Rhamanus sur la galère qui l'avait emportée. La mer devant eux. Chiara. Scelto.

Brandin.

Ainsi donc, c'était lui qui, au dernier moment, était présent à son esprit. Et, couvrant les images furtives et pénibles d'une douzaine d'années ou plus, Dianora entendit de nouveau les dernières paroles qu'il avait prononcées sur la jetée. Des paroles qu'elle s'était efforcée d'écarter de son esprit, qu'elle avait essayé de ne pas entendre ni comprendre, consciente de leur pouvoir sur sa résolution. Consciente du pouvoir de cet homme sur elle.

« Mon amour, lui avait-il murmuré, reviens-moi. Stevan est parti. Je ne peux vous perdre tous les deux ou j'en mourrais. »

Elle ne voulait pas entendre ces mots-là ni rien de semblable. Les mots ont un pouvoir, ils peuvent vous changer, engendrer des désirs comme des passerelles que nul ne parvient jamais à franchir pour de bon.

Ou j'en mourrais, avait-il dit.

Et elle ne pouvait même pas prétendre dénier cette vérité ; elle savait que c'était vrai. Qu'il mourrait. Que cette vision idyllique d'un Brandin exilé, qui nourrirait de tendres souvenirs de leur amour, n'était que pure invention – un autre mensonge en son âme. Il ne ferait rien de tel. Il l'avait appelée son amour. Elle savait, oui, elle et son pays et tous ses compatriotes avaient de bonnes raisons de savoir ce que l'amour signifiait pour cet homme. La profondeur de ce sentiment chez lui.

Une profondeur insondable. Ses oreilles bourdonnaient maintenant, tant la pression de l'eau était forte à cette profondeur. Elle avait l'impression que ses poumons allaient éclater. Elle pencha la tête avec difficulté.

Il lui semblait sentir une présence autre que la sienne dans l'obscurité. Une silhouette bondissante, au large. Un reflet, une forme évanescente ; homme ou dieu, elle n'aurait su dire. Pourtant il paraissait impossible qu'une silhouette aussi rayonnante fût celle d'un homme, surtout si loin de la surface, si loin de la lumière et des vagues.

Une autre vision intérieure, se dit-elle ; la dernière. La silhouette semblait s'éloigner, tout auréolée de lumière. Elle était au bord de l'épuisement. Elle aspirait avec une acuité douloureuse à la paix de l'âme. Le moment était venu pour elle de se poser, de trouver son intégrité et sa plénitude, de renoncer à tout désir.

C'est alors qu'elle comprit ou crut comprendre. Cette silhouette ne pouvait être que celle d'Adaon. Le dieu était venu la chercher. Mais il lui avait tourné le dos. Il s'éloignait, la lueur sereine disparaissait peu à peu dans l'obscurité des profondeurs de l'océan.

Elle ne lui appartenait donc pas. Pas encore.

Elle regarda sa main. L'anneau était presque invisible tant la lumière était diffuse. Mais elle le sentait à son doigt et elle savait à qui appartenait cet anneau. Elle le savait.

Et, tout au fond de l'océan obscur, terriblement loin sous le monde où vivaient les mortels, où il leur était donné de respirer, Dianora fit demi-tour. Elle poussa les mains au-dessus de sa tête, ferma les paumes, puis les ouvrit, et son corps fendit l'eau comme une lance, traversant les couches de l'océan et de cette mort couleur émeraude, se propulsant vers la vie, vers les gouffres incommensurables de l'air, de la lumière et de l'amour.

◆

Quand il la vit fendre la surface, Devin pleura. Avant même d'apercevoir l'éclat de l'anneau d'or, avant même qu'elle eût levé péniblement la main, que tous pussent le voir.

Il essuya ses yeux pleins de larmes ; il avait la voix rauque d'avoir tant crié avec les autres sur le bateau, sur tous les bateaux, dans tout le port de Chiara ; c'est alors qu'il fut témoin d'autre chose.

Brandin d'Ygrath, qui avait fait le choix de s'appeler Brandin di Chiara, était tombé à genoux sur la jetée et avait enfoui son visage dans ses mains. Ses épaules tremblaient sans qu'il pût se maîtriser. Et Devin comprit à quel point il s'était trompé sur lui : ce n'était pas là un homme qui jubilait parce que son stratagème avait fonctionné.

Avec une lenteur insoutenable, la femme nagea jusqu'à la jetée. Un prêtre zélé, aidé d'une prêtresse, la hissa hors de l'eau et la soutint tandis qu'on l'enveloppait, frissonnante, dans une robe blanc et or. Elle pouvait à peine se tenir debout. Mais Devin, qui pleurait toujours, la vit relever la tête en se tournant vers Brandin, pour lui offrir l'anneau de l'océan d'une main tremblante.

C'est alors qu'il vit le roi, le tyran, le sorcier qui avait causé leur perte de son pouvoir amer et dévastateur, prendre la femme dans ses bras, doucement, tendrement, mais avec une insistance qui ne trompait pas, l'urgence d'un homme privé d'amour depuis trop longtemps.

◆

Alessan leva les bras, saisit l'enfant juché sur ses épaules et le déposa délicatement à côté de sa mère.

Elle lui sourit. Elle avait les cheveux d'or blond comme sa robe. Obéissant à un réflexe, il sourit à son tour, mais détourna bientôt les yeux. Il ne voulait pas la voir, pas plus que l'homme et la femme qui se tenaient enlacés près d'elle. Il se sentait mal. Physiquement. Une joie effrénée envahissait le port, mais lui avait l'estomac retourné. Il ferma les yeux pour lutter contre la nausée et l'étourdissement que provoquait en lui ce débordement tumultueux.

Quand il rouvrit les yeux, ce fut pour surprendre le regard du fou – qui répondait au nom de Rhun, lui avait-on dit. Il était troublant de voir comment, dès que le roi laissait ses sentiments s'exprimer en se cramponnant à la femme d'un geste qui révélait clairement son désir, le fou, ce substitut, n'était plus qu'une marionnette vidée de sa substance. Il émanait de lui une tristesse aveugle, pesante, qui détonnait dans la liesse générale. Rhun était comme un point immobile et silencieux dans cette marée houleuse et chaotique, secouée par des vagues de larmes et de rires.

Alessan observa sa silhouette voûtée, son crâne chauve, son drôle de visage déformé, et soudain il sentit une connivence diffuse avec cet homme qui le désarçonna. Comme si, à cet instant précis, ils étaient liés par leur impuissance à réagir à ce qui venait de se passer.

Il a dû prendre toutes les précautions nécessaires pour se protéger, se dit Alessan pour la dixième ou la vingtième fois. Il ne peut en être autrement. Il regarda Brandin à nouveau, puis détourna les yeux, en proie à la plus extrême confusion et à la détresse.

Pendant combien d'années Baerd et lui, alors exilés en Quileia, n'avaient-ils pas échafaudé des plans d'adolescents pour venir jusqu'ici ? Pour fondre sur le tyran et le tuer, tandis que le nom de Tigane, brusquement rendu au monde par leurs cris, résonnerait partout ?

Aujourd'hui, il n'était plus qu'à six pas de lui, inconnu et insoupçonné, un poignard à la ceinture ; seule une rangée de gens le séparait de l'homme qui avait torturé puis tué son père.

Il a forcément pris ses précautions pour se protéger d'une lame..

Mais, à dire vrai, Alessan n'avait aucun moyen de le savoir. Il n'avait rien essayé, rien entrepris ; il s'était contenté de regarder. D'observer. De suivre son plan qui consistait à modeler les événements, à les guider vers une configuration plus vaste.

Ses yeux le faisaient souffrir : une douleur lancinante, comme si le soleil brillait trop fort pour lui. La femme en jaune était encore là ; elle continuait de lui lancer des regards de biais pour le moins éloquents. Il ignorait qui était le père de l'enfant, mais il était clair que, présentement, elle s'en moquait. Il serait intéressant de connaître le nombre de naissances à Chiara dans neuf mois, songea-t-il par un effet de cette tournure bizarre et un tantinet perverse de son esprit.

Il lui sourit sans y penser et marmonna deux mots d'excuse. Puis il s'éloigna, seul parmi la foule en liesse, et se dirigea vers l'auberge où tous trois avaient payé leur chambre en jouant de la musique trois soirs de rang. La musique l'aiderait peut-être à surmonter son mal-être. Le plus souvent, il n'y avait guère que cela pour y parvenir. Il avait le cœur qui battait encore bizarrement, comme depuis que la femme avait surgi de l'océan, l'anneau au doigt, après être restée si longtemps au fond.

Si longtemps d'ailleurs qu'il avait bel et bien commencé à calculer comment il pourrait récupérer à son avantage le choc et la peur qui ne manqueraient pas de suivre l'annonce de sa mort.

Et puis elle était remontée, elle était apparue à la surface et, dans la seconde qui avait précédé le cri de joie de la foule, Brandin d'Ygrath, qui n'avait pas bougé d'un pouce depuis qu'elle avait plongé, était tombé à genoux, comme victime d'un coup sur la nuque qui l'aurait privé de ses moyens.

Et Alessan avait commencé de se sentir malade, terriblement perturbé, tandis qu'un hurlement de triomphe et d'allégresse déferlait sur le port et les bateaux.

Parfait, se dit-il, tout en jouant des coudes pour contourner un cercle de danseurs effrénés, tout ceci s'intégrera dans mon plan. Je ferai en sorte que ce soit le cas. Les choses se mettent en place. Conformément à mon plan. Il y aura une guerre. Ils s'affronteront. Au Senzio. Conformément à mon plan.

Sa mère était morte et il s'était tenu à moins de six pas de Brandin d'Ygrath, un poignard à la ceinture.

La lumière était trop vive sur cette place, l'atmosphère trop bruyante. Quelqu'un le saisit par la manche et tenta de l'attirer dans un cercle de danseurs. Il se dégagea. Une femme se laissa tomber dans ses bras et l'embrassa sur la bouche avant de s'éloigner. Il ne la connaissait pas. Il ne connaissait personne ici. Il avançait parmi la foule, trébuchant, poussant et tirant pour se frayer un chemin, essayant de se diriger tant bien que mal vers *le Trialla*, tel un bouchon au gré des flots, où l'attendaient une chambre, un verre et la musique.

Devin était déjà accoudé au comptoir, parmi les nombreux clients, quand il arriva enfin. Erlein n'était pas dans les parages. Il devait être encore sur le bateau. Il avait sans doute à cœur de rester sur l'eau, aussi loin de Brandin que possible ; comme si le sorcier avait la moindre envie de traquer les magiciens à l'heure qu'il était.

Devin eut le bon goût de rester silencieux. Il se contenta de pousser un verre ainsi qu'une carafe de vin devant Alessan. Celui-ci vida son premier verre d'un trait, puis un second, presque aussi vite. Il s'en était versé un troisième et venait d'y tremper les lèvres quand Devin lui toucha brièvement le bras. Il reçut un choc qui l'affecta physiquement, car il venait de constater qu'il avait oublié son serment. Le vin bleu. Le troisième verre.

Il repoussa la carafe et enfouit la tête dans ses mains.

Quelqu'un parlait à côté de lui : deux hommes qui se disputaient.

« Tu es sérieux ? Pauvre fou ! railla le premier.

— Je m'engage! répliqua le second qui parlait avec l'accent monocorde de l'Asoli. Après ce que cette femme a fait pour lui, j'estime que la chance est du côté de Brandin. Et un homme qui prend le titre de Brandin di Chiara vaut cent fois mieux que le boucher du Barbadior. Qu'est-ce qui t'arrive, mon vieux? T'as peur de te battre ou quoi?»

L'autre éclata d'un rire dur. « Quel benêt tu fais ! » cracha-t-il. Il se lança alors dans une grossière imitation de l'accent asolien. «" Après ce que cette femme a fait pour lui. " Nous savons tous ce qu'elle a fait pour lui, une nuit après l'autre. Cette femme n'est que la putain du tyran. Ça fait douze ans qu'elle couche avec l'homme qui nous a conquis. Elle fait son profit en écartant les jambes devant lui. Et, vous autres tous autant que vous êtes, vous voulez faire votre reine de cette putain?»

Alessan redressa la tête. Il déplaça les pieds et pivota pour prendre appui. Puis, sans un mot, il abattit son poing sur le visage de l'homme de toutes ses forces, de toute la douloureuse confusion de son cœur. Il entendit les os craquer sous la violence du coup; l'homme tomba en arrière et s'affala sur le comptoir, envoyant promener bon nombre de verres et de bouteilles.

Alessan regarda son poing. Les phalanges, couvertes de sang, commençaient déjà d'enfler. Il se demanda s'il s'était cassé la main. Allait-il se faire expulser du bar ou prendre dans une rixe à cause d'un geste stupide?

Il n'en fut rien. L'Asolien qui s'était déclaré prêt à partir en guerre lui adressa une tape amicale dans le dos, et le propriétaire du Trialla – leur employeur, à vrai dire – exhiba un large sourire et ne fit aucune remarque quant aux débris de verre éparpillés sur le comptoir.

«Je suis bien content qu'on l'ait fait taire!» cria-t-il pour couvrir le tumulte qui régnait dans la salle. Un client s'approcha et serra la main d'Alessan, qui le faisait cruellement souffrir maintenant. Certains voulaient à tout prix lui offrir à boire. Quatre gaillards ramassèrent l'homme qui gisait inconscient et le traînèrent sans plus de cérémonie pour l'emmener se faire soigner. Certains profitèrent de son état pour lui cracher à la figure.

Alessan tourna le dos à la scène et s'approcha à nouveau du comptoir. Un verre de vin bleu d'Astibar était posé devant lui. Il jeta un coup d'œil à Devin, mais celui-ci ne dit mot.

À la Tigane, murmura-t-il sous cape, tandis que derrière lui un marin cortéen chantait ses louanges d'une voix de stentor tout en lui ébouriffant les cheveux et qu'un autre essayait de s'approcher pour lui envoyer une claque dans le dos. *Ô Tigane, que le souvenir que je garde de toi soit comme une épée dans mon âme.*

Il vida le verre. Quelqu'un d'autre que Devin s'en empara sur-le-champ et le jeta par terre où il s'écrasa. Ce geste déclencha une réaction en chaîne, et de nombreux clients jetèrent aussi leur verre. Dès qu'il le put, Alessan s'éclipsa et monta à sa chambre. Il prit le temps de serrer le bras de Devin en signe de reconnaissance. Il trouva Erlein allongé sur son lit, les mains derrière la tête, les yeux fixés au plafond. Quand il aperçut Alessan, le magicien lui jeta un regard de biais, puis plissa les yeux et prit un air de franche curiosité.

Alessan ne fit aucun commentaire. Il se laissa tomber sur sa paillasse et ferma ses yeux douloureux. Le vin, bien entendu, n'avait rien arrangé. Il ne pouvait cesser de songer à cette femme, à ce qu'elle venait de faire, à l'impression qu'elle lui avait laissée quand elle avait émergé de l'océan : on aurait dit une créature marine surnaturelle. Il n'arrivait pas davantage à oublier l'image de Brandin le tyran tombant à genoux pour enfouir son visage dans ses mains.

Il avait eu beau dissimuler son regard, Alessan, posté à six pas seulement, avait été témoin de son immense soulagement et de la flamme d'amour qui s'était mise à briller, telle la lumière blanche d'une étoile filante.

Sa main le faisait terriblement souffrir, mais il bougea les articulations avec précaution et en conclut qu'elle n'était pas cassée. Il était parfaitement incapable de savoir pourquoi il avait frappé cet homme. Tout ce qu'il avait dit de cette femme du Certando était exact ; exact, et pourtant ce n'était pas la vérité. Tout était si déroutant aujourd'hui !

Erlein, faisant preuve d'un tact inattendu, s'éclaircit la gorge pour signifier qu'il avait envie de poser une question.

« Oui ? fit Alessan d'une voix lasse, sans ouvrir les yeux.

— Tout s'est passé comme tu le voulais, non ? » demanda le magicien sur un ton inhabituellement hésitant.

Alessan fit l'effort d'ouvrir les yeux et le regarda. Erlein, appuyé sur un coude, le regardait aussi, avec une expression songeuse et contenue. « Oui, comme je le voulais. »

Erlein hocha lentement la tête. « Ce qui signifie qu'il y aura la guerre dans ma province. »

Il ressentait encore des élancements dans la tête, mais moins qu'avant. L'atmosphère était un peu plus calme ici, même si les bruits du rez-de-chaussée montaient jusqu'à eux, le tumulte assourdi mais ininterrompu des festivités.

« Au Senzio, en effet. »

Il se sentait si triste. Cela faisait tant d'années qu'il dressait des plans, et maintenant qu'ils étaient ici… Mais où étaient-ils au juste ? Sa mère était morte. Elle l'avait maudit avant de mourir, mais l'avait laissé lui prendre la main au dernier moment. Que dire de ce geste ? Avait-il le droit de l'interpréter selon ses désirs ?

Il était sur l'Île. Il avait vu Brandin d'Ygrath. Qu'allait-il dire à Baerd ? Le poignard effilé à sa ceinture lui pesait aussi lourd qu'une épée. La femme était tellement plus belle qu'il se l'était imaginée ! Devin avait dû lui servir son vin bleu ; comment imaginer cela ? Et il venait de blesser un innocent malchanceux avec une brutalité incroyable, allant jusqu'à lui casser les os du visage. Je dois avoir l'air vraiment effrayant pour qu'Erlein lui-même se montre si doux. Une guerre allait éclater au Senzio. Exactement comme je le voulais, se répéta-t-il en lui-même.

« Erlein, je te demande pardon », osa-t-il pour essayer d'émerger de son accablement.

Il se préparait à une réponse cinglante, il en désirait presque une, mais Erlein se tut d'abord un long moment. Et, quand enfin il s'exprima, ce fut d'une voix douce. « Je crois qu'il est l'heure, se contenta-t-il de déclarer. Que dirais-tu de descendre jouer quelque chose ? Cela te ferait peut-être du bien ? »

Cela te ferait peut-être du bien ? Depuis quand ses assistants, y compris Erlein, éprouvaient-ils le besoin de le materner de la sorte ?

Ils descendirent. Devin les attendait dans l'espace qui tenait lieu de scène, à l'arrière du Trialla. Alessan prit sa flûte. Il avait la main droite enflée, sensible, mais il en fallait davantage pour l'empêcher de jouer. Il avait besoin de la musique, plus qu'il n'aurait su le dire. Il ferma les yeux et se mit à jouer. Dans la salle bondée, tous se turent pour l'écouter. Erlein attendait, les mains immobiles sur sa harpe, et Devin se taisait également pour lui laisser un espace où s'élever tout seul et atteindre cette note qui culmine, cette note où il est possible de tout oublier pour quelques instants : le désarroi et la douleur, l'amour et la mort, le désir.

Chapitre 18

En principe, quand elle montait sur les remparts du château au coucher du soleil, c'est en direction du sud qu'elle regardait, admirant le jeu des lumières et les changements des couleurs dans le ciel, au-dessus des montagnes. Ces derniers temps cependant, tandis que le printemps faisait place à l'été que tous attendaient, Aliénor se surprenait à grimper sur les remparts donnant au nord ; là, elle suivait le chemin de ronde derrière les créneaux ou s'appuyait sur la pierre rugueuse et fraîche pour regarder au loin, les épaules enveloppées d'un châle car il faisait encore frais au crépuscule.

Elle se donnait l'illusion d'apercevoir le Senzio.

Le châle était neuf : c'étaient les émissaires de la Quileia, dont Baerd lui avait annoncé la venue, qui le lui avaient remis. Ceux qui portaient des messages susceptibles de faire basculer le monde si tout se passait comme prévu. La Palme n'était pas seule en jeu ; le Barbadior, où l'on disait l'empereur mourant, était concerné, ainsi que l'Ygrath et la Quileia où, en raison même de ce qu'il avait accepté de faire pour eux, le souverain risquait sa vie.

Les messagers quiléians en route pour Fort-Ortiz s'étaient arrêtés, comme le voulait l'usage, pour présenter leurs hommages à la dame du château Borso et lui apporter un cadeau du nouveau roi de Quileia : un châle de couleur indigo, comme il était pratiquement impossible d'en trouver dans la Palme, et qui, en vérité, n'était porté que par la noblesse de la Quileia. De toute évidence, Alessan avait révélé à Marius à quel point la dame s'était impliquée dans leur stratégie au fil des années. Non pas qu'elle y trouvât à redire. Après tout, Marius de Quileia était de leur bord ; et même plus : il était la clé de leur réussite, comme Baerd le leur avait expliqué le lendemain du jour où Alessan était monté au col du Braccio avant de se diriger vers l'ouest.

Deux jours après le passage des Quiléians, Aliénor commença à entreprendre de longues chevauchées, si longues en fait qu'elles nécessitaient de passer une nuit, voire deux, dans les châteaux avoisinants. Elle en profita pour communiquer quelques messages spécifiques à une demi-douzaine de gens qui l'étaient tout autant.

Le Senzio. Avant le milieu de l'été.

Peu de temps après, un marchand de soieries puis un chanteur pour lequel elle avait un faible s'arrêtèrent au château Borso et l'informèrent de mouvements de troupes barbadiennes particulièrement conséquents ; les routes étaient devenues impraticables tant elles étaient encombrées de mercenaires en route vers le Nord, ajoutèrent-ils. Elle avait haussé les sourcils dans un mouvement de surprise feinte, mais s'était laissée aller à boire plus de vin que de coutume ces deux nuits-là et avait ensuite gratifié chacun des deux hommes d'une récompense de son cru.

Un soir qu'elle était montée sur les remparts au coucher du soleil, elle entendit des pas. Elle les attendait.

« Vous arrivez presque trop tard, fit-elle. Le soleil n'est pas loin de disparaître. » Elle avait raison : à l'ouest, la couleur du ciel et du ruban de nuages éclairés par-dessous était passée du rose au pourpre, puis au violet, tout le long d'une ligne qui aboutissait à l'indigo du châle sur ses épaules.

Elena émergea sur le parapet.

« Je vous demande pardon », dit-elle sans raison. Elle ne cessait de s'excuser car elle ne se sentait pas encore très à l'aise au château. Elle s'approcha du chemin de ronde et d'Aliénor, et regarda l'obscurité envelopper progressivement les champs de cette fin de printemps. Ses longs cheveux blonds tombaient sur ses épaules ou se soulevaient au rythme de la brise.

Officiellement, elle était là pour servir de dame d'honneur à Aliénor. Elle était arrivée au château deux jours après la fin des Quatre-Temps, avec ses deux jeunes enfants et quelques affaires personnelles. On avait estimé qu'il valait mieux qu'elle eût fait sa place au château quand le moment décisif arriverait. Aussi incroyable que cela pût paraître, sa présence pouvait s'avérer importante.

Tomaz, le vieux guerrier khardhu dégingandé, avait dit qu'il serait nécessaire que l'un d'eux restât ici. Ce Tomaz qui, de toute évidence, n'était pas du Khardhun mais n'avait pas non plus l'intention de révéler ses origines. Aliénor s'en moquait. Ce qui importait, c'était qu'Alessan et Baerd lui fissent confiance ; or, dans le cas présent, Baerd s'en remettait entièrement à l'homme noir aux joues creuses.

« Et qui entendez-vous par " eux " ? » avait demandé Aliénor. Ils étaient seuls tous les quatre : Baerd, Tomaz, elle-même et la jeune fille rousse qui ne l'appréciait guère, Catriana.

Baerd hésita longuement. « Un des Marcheurs de la Nuit », lâcha-t-il enfin.

Elle avait haussé les sourcils, manifestation restreinte de ce qu'elle était prête à laisser paraître de son étonnement.

« Vraiment ? Ici ? Il en existe donc toujours ? »

Baerd hocha la tête.

« Et c'est là que tu es allé la nuit dernière quand je t'ai entendu sortir ? »

Brève hésitation, puis Baerd hocha de nouveau la tête.

Catriana cligna des yeux, manifestement surprise. Une jeune fille intelligente et plutôt belle, songea Aliénor, même s'il lui reste beaucoup à apprendre.

« Et qu'as-tu fait ? » demanda-t-elle à Baerd.

Mais, cette fois, il secoua la tête. Elle s'y attendait. Il ne fallait pas aller trop loin avec Baerd, mais elle prenait plaisir à essayer. Une nuit, dix ans plus tôt, elle avait trouvé la limite exacte à ne pas dépasser avec lui en privé, dans un domaine du moins. Curieusement, leur amitié s'en était trouvée renforcée.

Il lui sourit ; elle ne s'y attendait pas. « Ils pourraient s'installer tous ici, bien sûr, si un seul ne suffit pas. »

Elle eut une grimace de dégoût qui n'était pas complètement feinte. « Un seul me suffira, merci. À condition que cela suffise à vos plans, quels qu'ils soient », ajouta-t-elle en se tournant vers le vieil homme déguisé en guerrier khardhu. La couleur de sa peau était parfaitement réussie, mais elle n'ignorait rien des prouesses de Baerd en matière de déguisement. Au fil des années, Alessan et lui avaient refait surface sous des apparences très diverses.

« Je ne suis pas parfaitement au courant de ces plans, répondit Tomaz avec une entière honnêteté, mais, dans la mesure où nous avons besoin d'un point d'ancrage pour ce que Baerd nous veut voir entreprendre, la présence d'un seul d'entre eux au château devrait suffire.

— Suffire à quoi ? avait-elle de nouveau demandé, sans rien attendre en retour.

— Suffire à ce que le rayonnement de ma magie puisse atteindre cet endroit », déclara Tomaz sans autre forme de procès.

Cette fois, ce fut elle qui cligna des yeux en signe de surprise, tandis que Catriana, imperturbable, prenait un air supérieur. C'était injuste, se dit Aliénor par la suite ; la jeune fille devait savoir pertinemment que le vieil homme était magicien. Ce qui expliquait qu'elle n'eût pas réagi. Aliénor avait un sens de l'humour suffisamment développé pour trouver leurs petits jeux amusants ; elle alla jusqu'à regretter la présence de Catriana lorsque celle-ci fut partie.

Deux jours plus tard, Elena arrivait. Baerd l'avait prévenue que ce serait une femme. Il avait demandé à Aliénor de s'en occuper. Cette fois encore, elle avait haussé les sourcils.

Sur les remparts au nord, elle lui jeta un coup d'œil à la faveur du crépuscule. Elena était montée sans manteau ; elle croisait les bras serrés contre sa poitrine. Aliénor en conçut un agacement injustifié et ôta précipitamment son châle qu'elle lui drapa autour des épaules.

« Tu devrais pourtant savoir qu'après le coucher du soleil il fait froid ici, dit-elle sèchement.

— Pardonnez-moi, répéta Elena qui s'empressa d'enlever le châle. C'est vous qui allez prendre froid. Je vais redescendre passer quelque chose.

— Reste où tu es ! » lui ordonna Aliénor. Elena s'immobilisa, le regard craintif. Aliénor se mit à regarder au-delà des champs obscurs et des lueurs vacillantes qui émergeaient çà et là, signe que dans les hameaux et les fermes en contrebas on venait d'allumer un feu ou une chandelle pour la soirée.

« Reste ici, répéta-t-elle d'une voix radoucie, reste avec moi. »

Elena la regarda, ses yeux bleus grands ouverts dans l'obscurité. Elle avait pris une expression grave et songeuse. À la surprise d'Aliénor, elle sourit. Et, plus étonnant encore, elle s'approcha davantage et passa le bras sous celui de la châtelaine. Aliénor se raidit un instant avant de se laisser aller contre la jeune femme. Elle avait demandé de la compagnie. Pour la première fois depuis des années et des années, elle avait ressenti un besoin d'intimité d'une nature toute différente. C'était comme si quelque chose de dur et de rigide à l'intérieur d'elle-même lâchait prise.

Cela faisait des années qu'elle attendait cet été et la promesse qu'il contenait.

Qu'avait dit le jeune homme, Devin ? Qu'on avait tous droit à autre chose qu'au caractère éphémère du désir, à condition d'avoir suffisamment confiance en soi et d'y croire. Personne ne lui avait jamais rien dit de pareil depuis que Cornaro de Borso était mort en se battant contre le Barbadien. À une époque sombre où la jeune veuve, seule avec son chagrin et sa fureur, dans son château sis au cœur des montagnes, avait été amenée à prendre certaine direction et à devenir ce qu'elle était devenue.

Il était parti avec Alessan, ce Devin. À l'heure présente, ils étaient sûrement déjà remontés dans le Nord. Aliénor porta le regard au loin, laissant son esprit vagabonder comme les oiseaux dans l'obscurité et gommer les distances, pour atteindre le pays où leur sort à tous allait se décider, au milieu de l'été.

Les cheveux noirs et les blonds se mêlant au gré du vent, les deux jeunes femmes restèrent un long moment à leur observatoire, se réchauffant l'une l'autre, partageant la nuit et l'attente.

◆

Il y avait belle lurette que les gens prétendaient, parfois pour en rire, parfois avec un étonnement frisant l'effroi, qu'à mesure que la chaleur estivale montait, les passions nocturnes du Senzio en faisaient tout autant. La sensualité débridée propre à la province septentrionale, qui bénéficiait par ailleurs d'un sol fertile et d'un climat des plus cléments, était de notoriété publique dans la Palme et même par-delà les mers. Tout était possible au Senzio, il suffisait de délier les cordons de sa bourse. Et de savoir se battre, si l'on voulait conserver ce qu'on avait acquis, ajoutaient les initiés.

Vers la fin du printemps de cette année-là, on aurait pu penser que les tensions croissantes et la menace tangible d'une guerre tempéreraient les ardeurs nocturnes des Senzians et le flot continu de visiteurs qui défilaient là-bas, en quête de bon vin, de sexe sous toutes ses formes et de bagarres dans les tavernes et les rues.

C'eût été mal connaître le Senzio. Au contraire, on aurait dit que les signes d'un désastre imminent – la présence massive des Barbadiens à la frontière du Ferraut et le nombre impressionnant des bâtiments de la flotte ygrathienne ancrés au large de l'île de Farsaro, à la pointe nord-ouest de la province – n'avaient pour effet que d'attiser la sauvagerie des nuits de Senzio-ville. Il n'y avait pas de couvre-feu ; il n'y en avait pas eu depuis cent ans au moins. Et, bien que des émissaires des deux puissances conquérantes fussent logés avec ostentation dans ce qu'on appelait désormais le château du gouverneur, les Senzians s'enorgueillissaient encore d'être la seule province libre dans toute la Palme.

Cette vantardise sonnait un peu plus creux chaque jour et chaque nuit de plaisir, tandis que toute la Palme se raidissait dans l'attente d'une conflagration.

Devant l'intrusion de cette réalité qui prenait la forme d'une déferlante, Senzio se contentait d'accélérer le rythme déjà passablement endiablé de ses nuits. Des établissements comme *le Gant Rouge* ou *l'Hédoniste* étaient pleins à craquer tous les soirs. Les clients, qui braillaient et transpiraient, se voyaient servir des alcools durs et excessivement chers, et proposer un éventail de plaisirs charnels – mâles ou femelles, au choix – dans le dédale des chambres à l'air vicié du premier étage.

Les aubergistes qui, pour des raisons personnelles, avaient choisi de ne pas faire commerce de la chair, devaient offrir des compensations substantielles à leurs clients. Ainsi le propriétaire éponyme du *Solonghi*, une taverne proche du château, offrait-il des repas plus qu'honnêtes, de bons crus, des bières de qualité et des chambres propres : l'assurance d'une vie décente, sinon extravagante. L'établissement était fréquenté essentiellement par des commerçants qui n'avaient pas envie de participer aux frénésies charnelles de la nuit, pas plus qu'ils ne souhaitaient dormir ou manger dans une atmosphère de corruption décadente. Solonghi s'enorgueillissait aussi de proposer la meilleure musique de toute la ville, de jour comme de nuit.

Ce jour-là, peu avant l'heure du dîner, les clients au comptoir ainsi que ceux assis aux tables de la taverne quasiment pleine écoutaient avec ravissement la musique d'un trio exceptionnel : un harpiste senzian, un flûtiste d'Astibar et un jeune ténor asolien qui, à en croire une rumeur qui s'était mise à circuler quelques jours plus tôt, n'était autre que le chanteur disparu après avoir interprété les rites funèbres aux funérailles de Sandre d'Astibar, l'automne dernier.

Les rumeurs allaient bon train au Senzio ce printemps-là, mais celle-là se heurta à l'incrédulité générale : il était fort improbable qu'un tel prodige eût choisi de se produire avec un groupe improvisé tel que celui-ci. Mais ce ténor avait certes une voix exceptionnelle, qui n'avait d'égal que le jeu des deux musiciens l'accompagnant. Solonghi di Senzio était extrêmement satisfait des retombées financières de la dernière semaine.

À dire vrai, il leur aurait donné du travail et une chambre même si leur musique ne s'était guère révélée plus harmonieuse que le brame d'un sanglier. Solonghi était ami avec l'homme aux cheveux bruns qui se faisait appeler Adreano d'Astibar désormais, depuis presque dix ans. Ami, et plus encore ; en vérité, la moitié des clients ou presque ce printemps étaient venus au Senzio dans le seul but d'y retrouver les trois musiciens. Solonghi se taisait, versait du vin et de la bière, supervisait la prestation de ses cuisiniers et de ses serveuses, et adressait chaque soir avant de s'endormir une prière à Eanna pour qu'Alessan agît avec sagesse et circonspection.

Cet après-midi-là, les clients qui écoutaient le jeune ténor interpréter une ballade certandane en battant la mesure sur le comptoir furent brusquement interrompus quand les portes s'ouvrirent toutes grandes sur un groupe assez conséquent de nouveaux clients. Rien d'extraordinaire à cela, bien sûr, si ce n'est la réaction des musiciens : le jeune chanteur s'arrêta net au milieu du refrain en poussant des cris de bienvenue, le flûtiste posa son instrument et bondit de la scène, et le harpiste lâcha aussi le sien et les suivit, bien qu'un peu plus lentement.

L'enthousiasme des retrouvailles qui suivirent aurait entraîné des conclusions cyniques sur les penchants des hommes qui se manifestaient ainsi – on était à

Senzio –, les nouveaux venus n'eussent-ils été accompagnés de deux jeunes filles particulièrement jolies, l'une aux boucles rousses et courtes, l'autre aux cheveux de jais. Même le harpiste, un homme austère et renfrogné s'il en fut, se sentit happé dans le cercle des congratulations, presque contre sa volonté, et alla s'écraser contre la poitrine osseuse d'un mercenaire khardhu aux joues creuses qui dominait les autres de sa haute taille.

Quelques instants plus tard, la salle fut témoin de retrouvailles d'un autre genre, aux accents si différents qu'elles eurent raison du chahut au sein du groupe fraîchement réuni. Un homme se leva, qui se dirigea timidement vers les cinq nouveaux arrivants. Ceux qui l'observaient attentivement remarquèrent qu'il tremblait.

« Baerd, c'est toi ? » demanda-t-il.

Il y eut un moment de silence. Puis celui à qui il s'adressait risqua un « Naddo ? » sur un ton que même le plus niais des Senzians était capable d'interpréter. Et, s'il subsistait encore des doutes, ils furent levés aussitôt quand les deux hommes tombèrent dans les bras l'un de l'autre.

Ils allèrent jusqu'à pleurer.

Parmi tous les hommes qui détaillaient les deux femmes avec une admiration non dissimulée, beaucoup se dirent que, si leurs compagnons étaient tous du même acabit, ils avaient peut-être une chance d'engager la conversation avec ces demoiselles, voire mieux.

◆

Depuis son séjour en Tregea, Alaïs vivait dans un état d'excitation quasi permanente, qui colorait ses joues pâles et rehaussait sa beauté délicate. Elle avait finalement compris pourquoi son père l'avait autorisée à l'accompagner.

Quand le canot de *la Sirène* était retourné au navire ancré dans le port de Tregea éclairé par la lune, en emportant son père, Catriana et les deux hommes qu'ils étaient allés quérir, Alaïs avait pris conscience qu'il y avait autre chose que l'amitié en jeu.

L'homme à la peau sombre qui se disait originaire du Khardhun lui avait lancé un regard approbateur, puis s'était tourné vers Rovigo avec une expression amusée sur son visage ridé ; son père n'avait hésité qu'un instant avant de lui révéler de qui il s'agissait en réalité. Puis il avait entrepris de lui expliquer sereinement ce que ces gens – ses nouveaux associés – faisaient ici et ce que lui-même préparait en secret avec eux depuis de nombreuses années. Alaïs se sentit flattée et stimulée par la confiance qu'il lui accordait.

Elle comprit que la rencontre avec ces trois musiciens sur la route devant chez eux, pendant la fête des Vignes de l'automne dernier, n'était pas tout à fait fortuite.

Tout en écoutant avec attention pour ne pas manquer un mot ni un sous-entendu, Alaïs analysait sa propre réaction, et elle constata avec soulagement qu'elle n'avait pas peur. La voix de son père, son comportement y étaient pour beaucoup. Et le fait qu'il ait eu suffisamment confiance en elle pour lui révéler tout cela.

Ce fut leur autre compagnon, un certain Baerd, qui dit à Rovigo : « Si tu as réellement décidé de nous accompagner au Senzio, il te faudra trouver où débarquer ta fille sur la côte.

— Et pourquoi donc ? » lui fit aussitôt Alaïs, avant même que Rovigo ait eu le temps de répondre. Elle se sentit rougir tandis que tous les regards se tournaient vers elle. Ils étaient tous entassés dans la cabine de son père.

Les yeux de Baerd lui parurent très sombres à la lueur de la bougie. C'était un homme au regard dur, qui lui semblait dangereux, mais sa voix quand il lui répondit n'exprimait aucune hostilité.

« Parce que je n'aime pas exposer les gens à des risques inutiles. Or ce que nous nous apprêtons à faire est dangereux. Nous avons nos raisons d'accepter ce danger, et l'aide de votre père tout comme celle des hommes en qui il a confiance nous est réellement d'un grand secours. Mais votre présence constituerait un danger inutile. Vous me suivez ? »

Elle se contraignit à garder son calme. « Seulement si vous ne voyez en moi qu'une enfant incapable de contribuer en quoi que ce soit à votre projet. » Elle avala sa salive. « J'ai le même âge que Catriana, et je pense avoir compris maintenant ce qui se passe. Ce que vous essayez de faire. Et… et je me dois de vous dire que j'aspire à la liberté autant que vous tous.

— Il y a du vrai là-dedans. Je crois qu'elle devrait venir. » C'était Catriana qui venait de s'exprimer ainsi, à la surprise générale. « Baerd, poursuivit-elle, si vraiment le moment décisif est imminent, nous n'avons pas le droit d'exclure ceux qui partagent nos sentiments. Ni celui de décider qu'ils doivent se terrer chez eux en attendant de savoir s'ils seront encore esclaves ou non à la fin de l'été. »

Baerd regarda longuement Catriana mais ne fit pas le moindre commentaire. Il se tourna vers Rovigo et eut un geste pour lui dire que la décision lui appartenait. Alaïs devina le dilemme auquel son père était confronté, rien qu'à l'expression de son visage : celui d'un père débordant d'amour et inquiet pour sa fille, mais si fier d'elle en même temps. Puis, à la lueur de la bougie, elle vit qu'il avait résolu ce conflit intérieur.

« Si nous sortons de cette entreprise vivants, dit Rovigo d'Astibar à sa fille, sa raison d'être, sa joie de vivre, ta mère me tuera. Tu le sais, n'est-ce pas ?

— Je ferai mon possible pour te protéger », dit Alaïs gravement, bien que son cœur battît à tout rompre.

C'est la conversation qu'ils avaient eue sur *la Sirène*, appuyés au garde-corps, qui était à l'origine de sa décision, elle en était convaincue – ce moment privilégié où, tout en contemplant les falaises au clair de lune après la tempête, ils s'étaient entretenus.

« Je ne sais pas exactement de quoi, mais j'ai besoin d'autre chose, avait-elle dit. — Je sais, avait-il répondu, je sais. Et, si je pouvais te le donner, je le ferais. Le monde entier jusqu'aux étoiles d'Eanna t'appartiendrait. »

C'est pour cette raison, parce qu'il l'aimait et qu'il était parfaitement sincère, qu'il lui avait permis de les accompagner là où le monde qu'ils connaissaient risquait de basculer.

De ce périple jusqu'au Senzio, elle conservait deux souvenirs marquants. Un matin, alors qu'elle était appuyée au bastingage en compagnie de Catriana et que *la Sirène* longeait les côtes d'Astibar cap au nord, elle regardait défiler les petits villages dont les toits luisaient au soleil matinal, tandis que les frêles embarcations des pêcheurs dansaient entre leur navire et la grève.

« Voilà mon village natal, fit Catriana tout à coup d'une voix si ténue que seule Alaïs l'entendit. Et le bateau à la voile bleue, là-bas, appartient à mon père. » Elle parlait d'une drôle de voix, étrangement détachée, comme si le sens profond des paroles qu'elle venait de prononcer lui échappait.

« Eh bien, nous allons faire une halte, alors, murmura Alaïs d'un ton pressant. Je vais prévenir mon père ! Il… »

Catriana lui mit la main sur le bras.

« Pas encore, dit-elle. Je ne me sens pas encore capable de le regarder en face. Plus tard. Après le Senzio, peut-être. »

Elle avait un second souvenir, très différent. Tandis qu'ils passaient la pointe septentrionale de l'île de Farsaro tôt le matin, elle avait découvert la flotte d'Ygrath et de la Palme occidentale ancrée au port. Prête pour la guerre. Et cette fois elle avait eu peur, car ce spectacle lui donnait une idée concrète de ce qui les attendait au bout du voyage ; cette scène haute en couleurs lui était aussi grise et repoussante que la mort. Elle s'était alors tournée vers Catriana, puis vers son père et vers le duc Sandre, qui se faisait appeler Tomaz désormais, et elle les avait sentis en proie au doute et à l'angoisse eux aussi. Seul Baerd, occupé à compter chaque navire, avait une expression différente.

Si elle avait dû choisir un substantif pour qualifier le regard du jeune homme, elle aurait parlé de convoitise.

Ils arrivèrent à Senzio dans l'après-midi et débarquèrent tout de suite après avoir mouillé *la Sirène* dans le port encombré. En fin de journée, ils se présentèrent à une auberge que les autres semblaient connaître. Et tous les cinq franchirent la porte, en proie à une joie aussi éclatante et soudaine que le lever du soleil sur la mer.

Devin la serra dans ses bras, puis l'embrassa sur la bouche. Alessan eut un bref moment d'angoisse en l'apercevant et se mit à chercher son père du regard. Puis il l'embrassa à son tour. Devin et lui étaient accompagnés d'un personnage aux joues creuses et aux cheveux gris du nom d'Erlein, et bientôt d'autres hommes s'approchèrent également – Naddo, Ducas et un vieillard aveugle dont elle ne saisit pas le nom. Il marchait en s'aidant d'une canne magnifique. Le pommeau sculpté représentait une tête d'aigle aux yeux si perçants qu'ils semblaient destinés à compenser la perte des siens.

Il y avait beaucoup de gens, venus des quatre coins de la Palme, dont elle oublia la plupart des noms, et le vacarme était assourdissant. L'aubergiste apporta trois bouteilles : deux contenaient du vin vert du Senzio et la troisième du vin bleu d'Astibar. Elle but un petit verre prudent de chaque en observant toute la compagnie, essayant de discerner dans le flot de paroles ce qui se disait d'important. Alessan et Baerd s'éloignèrent quelques instants, remarqua-t-elle, et quand ils revinrent s'asseoir à leur table tous deux avaient l'air songeurs et préoccupés.

Puis Alessan, Devin et Erlein retournèrent à leur musique ; ils jouèrent une heure, pendant que les autres dînaient et qu'Alaïs, les joues en feu sous le coup de l'excitation, revivait le moment où les deux hommes l'avaient embrassée, sentant encore le contact de leurs lèvres sur les siennes. Elle se surprit à sourire timidement à la ronde, dans la crainte que son visage ne révélât ce qu'elle ressentait.

Ensuite ils montèrent à leurs chambres au premier étage, guidés par la femme de l'aubergiste, une commère au postérieur impressionnant. Plus tard, quand le calme régna à l'étage, Catriana la conduisit de la chambre qui leur avait été attribuée à celle que partageaient Devin, Alessan et Erlein.

Ils étaient là tous les trois, entourés d'un cercle d'hommes. Elle avait fait la connaissance de certains au rez-de-chaussée ; les autres lui étaient étrangers. Son père arriva quelques instants plus tard, suivi de Sandre et de Baerd. Catriana et elle étaient les deux seules femmes. Pendant un moment elle en conçut un certain malaise et ressentit à quel point elle était décidément bien loin de chez elle ; puis chacun se tut quand Alessan se passa la main dans les cheveux et prit la parole.

Et, tandis qu'il s'exprimait, Alaïs, qui l'écoutait avec beaucoup de concentration, prit peu à peu conscience de l'envergure et de la forme redoutables de ce qu'il envisageait de faire.

À un moment donné, il s'arrêta et regarda trois hommes l'un après l'autre : le duc Sandre d'abord ; puis, assis à côté de Ducas, un personnage aux joues rondes, originaire du Certando, qui se nommait Sertino, et finalement, avec une pointe de défi dans les yeux, Erlein di Senzio.

Tous trois étaient magiciens, comprit-elle. Ce n'était pas chose facile à accepter. Surtout de la part de Sandre, le duc d'Astibar en exil. Leur voisin de toujours.

L'homme qui s'appelait Erlein était assis sur son lit, le dos au mur, les mains croisées sur la poitrine. Il respirait bruyamment.

« De toute évidence, tu as perdu la tête, dit-il d'une voix tremblante. Cela fait si longtemps que tu vis dans ton rêve que tu as cessé de voir le reste du monde. Et maintenant tu t'apprêtes à faire mourir des gens par ta folie. »

Alaïs vit Devin ouvrir la bouche et la refermer aussi sec, sans prononcer une parole.

« Il est possible, en effet, que je sois devenu fou, répondit Alessan d'une voix étonnamment douce, encore que j'en doute. Par contre, tu as raison quand tu prévois un nombre important de victimes. Nous l'avons toujours su ; la vraie folie eût été de prétendre le contraire. Mais, en attendant, je te conseille de mettre de l'ordre dans ton esprit et d'apaiser ton âme. Car tu sais aussi bien que moi qu'il ne se passe rien pour le moment.

— Comment rien ? Que veux-tu dire ? » C'était la voix de son père.

Alessan avait pris une expression désabusée, amère presque. « Tu n'as donc rien remarqué ? Tu as traversé le port puis la ville : as-tu aperçu la moindre troupe de Barbadiens ? Le moindre soldat ygrathien ou de la Palme occidentale ? Il ne se passe rien. Alberico a rassemblé toute son armée à la frontière, mais il refuse de lui donner l'ordre de marcher sur le Nord !

— Il a peur, déclara Sandre, laconique, au milieu du silence général. Il a peur de Brandin.

— Peut-être bien, répondit son père, songeur. Ou alors il est prudent. Excessivement prudent.

— Que proposes-tu ? » demanda le Trégéen à la barbe rousse, un certain Ducas.

Alessan secoua la tête. « Je n'en sais rien. Rien du tout. Je n'avais jamais envisagé ce cas de figure. Or je vous le demande à tous : que faire pour l'obliger à passer la frontière ? À entrer en guerre ? » Il regarda Ducas, puis chacun des autres, tour à tour.

Personne ne répondit.

◆

Ils le prendraient pour un poltron. Mais ce n'étaient que des imbéciles, tous autant qu'ils étaient. Seul un imbécile déclarait la guerre à la légère. Surtout une guerre comme celle-ci, qui remettait tout en question, pour un enjeu dont il se moquait éperdument. Le Senzio ?

La Palme ? Qu'en avait-il à faire ? Allait-il ficher en l'air vingt années d'une lente ascension pour la Palme ?

Chaque fois qu'un messager arrivait de l'Astibar, ses espoirs étaient ravivés. À supposer que l'empereur…

Que l'empereur vînt à mourir et il ne resterait pas ici une heure de plus. Ses hommes non plus. Ils quitteraient cette fichue péninsule sur-le-champ et rentreraient au Barbadior pour y briguer la tiare. Là était son combat, le seul qu'il eût envie de livrer. Le seul qui importât, celui qui lui tenait à cœur depuis tant d'années. Il rentrerait au Barbadior avec ses trois armées et arracherait la tiare aux favoris qui gravitaient autour du vieux souverain comme autant d'insectes inutiles.

Ensuite seulement, il reviendrait se battre, avec tout le potentiel du Barbadior derrière lui. Et que Brandin d'Ygrath, ou de la Palme occidentale s'il préférait ce nom, que ce Brandin s'avise de résister à Alberico, empereur du Barbadior…

Par les dieux de l'Empire, quel bonheur ce serait…

Mais nul message semblable n'arrivait de l'est, nul sursis glorieux. La réalité était tout autre et voulait qu'il campât avec ses mercenaires à la frontière entre le Ferraut et le Senzio, et se préparât à affronter les armées d'Ygrath et de la Palme occidentale en sachant que le monde entier avait les yeux rivés sur eux. S'il perdait, il perdait tout. S'il gagnait… eh bien, tout dépendrait du prix à payer. Si ses effectifs étaient par trop décimés, combien d'hommes lui resterait-il pour rentrer au Barbadior ?

Et la perspective de pertes importantes devenait un peu plus probable chaque jour. Surtout depuis ce qui s'était passé au port de Chiara. La plupart des soldats ygrathiens étaient pourtant rentrés chez eux comme prévu, laissant derrière eux un Brandin amputé, fragilisé. C'était d'ailleurs pour cette raison qu'Alberico avait fait mouvement, que ses trois compagnies étaient venues prendre position ici et que lui-même avait suivi.

Le cours des événements était alors clairement en leur faveur, c'était indéniable.

Puis cette femme du Certando était allée repêcher un anneau au fond de l'eau pour Brandin.

Elle hantait ses rêves, cette femme qu'il n'avait jamais vue. Cela faisait trois fois maintenant qu'elle faisait irruption dans sa vie, tel un cauchemar. À l'époque où Brandin l'avait fait entrer dans son saishan, elle avait bien failli déclencher une guerre insensée. Siferval voulait se battre, se rappelait Alberico. Le capitaine de la troisième compagnie proposait d'entrer en force en Basse-Corte et de faire main basse sur la ville de Stévanie.

Dieux tout-puissants. Alberico frémissait encore des années après à l'idée d'une telle guerre dans l'extrême Occident, contre une armée ygrathienne en pleine possession de ses moyens. Il avait ravalé sa bile et encaissé tous les sarcasmes que Brandin lui adressait à l'est. Déjà à cette époque, il avait su s'en tenir à une stricte discipline et garder les yeux rivés sur le joyau qui l'attendait chez lui.

Mais, ce printemps, Alberico avait bien failli s'approprier la péninsule de la Palme sans effort aucun – un vrai cadeau du ciel –, si cette même Dianora di Certando n'avait pas sauvé la vie de l'Ygrathien. Toutes les conditions étaient réunies ; si Brandin s'était fait assassiner, les Ygrathiens seraient tous rentrés chez eux et les provinces occidentales lui seraient tombées entre les mains comme un fruit mûr.

Le monarque estropié de la Quileia aurait clopiné jusqu'à lui, mortifié, et l'aurait supplié de commercer avec lui. Plus de lettres alambiquées pour évoquer sa peur de la toute-puissante Ygrath. Les choses aurait pu se passer si simplement, si… élégamment.

Mais tout était différent, à cause de cette femme. Une femme originaire d'une de ses provinces. Quelle ironie amère, décapante comme l'acide ! Le Certando était à lui et Dianora di Certando avait à elle seule sauvé la vie de Brandin.

Et, pour sa troisième intervention, elle avait permis que se reconstituât une armée occidentale, une flotte ancrée dans la baie de Farsaro qui attendait qu'Alberico fît le premier pas.

« Ils sont moins nombreux que nous, lui répétaient ses espions jour après jour, et moins bien armés. »

Moins nombreux, ressassaient les trois capitaines comme une litanie sans substance. Moins bien armés, bafouillaient-ils. Il est temps d'agir, répétaient-ils en chœur. Leurs visages stupides surgissaient côte à côte dans ses rêves, telles des lunes sinistres suspendues trop près de la terre.

Anghiar, son émissaire au château du gouverneur du Senzio, lui fit savoir que Casalia penchait toujours en sa faveur. Le gouverneur s'était soi-disant rendu compte que Brandin n'était pas aussi fort qu'eux ; on l'avait convaincu de l'intérêt qu'il y avait à pencher davantage encore du côté du Barbadior. L'émissaire de la Palme occidentale, l'un des quelques Ygrathiens ayant décidé de suivre Brandin, avait de plus en plus de mal à se faire recevoir par le gouverneur, tandis qu'Anghiar, lui, dînait avec Casalia – ce jouisseur replet – presque chaque soir.

De sorte que, maintenant, Anghiar lui-même, qui était devenu oisif, sybarite et aussi corrompu que n'importe quel Senzian au fil des années, lui chantait le même refrain que les autres : Le Senzio est un vignoble prêt à être vendangé.

Prêt à être vendangé ! Décidément, ils n'entendaient rien à rien ! Aucun d'eux n'avait-il encore compris qu'il fallait compter avec la sorcellerie ?

Il savait que Brandin était fort dans ce domaine, très fort ; il avait testé les capacités de l'Ygrathien l'année où tous deux avaient débarqué, et n'avait pas tardé à faire machine arrière, bien que lui-même fût alors au zénith de son pouvoir. Pas comme maintenant où, vidé, affaibli, il pâtissait d'un pied capricieux et d'une paupière tombante, suite au déplorable incident qui avait bien failli lui coûter la vie dans le pavillon de chasse des Sandreni, l'automne dernier. Il n'était plus le même depuis ; lui le savait, à supposer que les autres ne l'eussent pas encore remarqué. Et il lui faudrait en tenir compte avant d'entrer en guerre. Sa force militaire devrait suffire à contrecarrer la sorcellerie de l'Ygrathien. Il fallait qu'il en eût la certitude. Tout un chacun, hormis les imbéciles, pouvait constater qu'il ne s'agissait pas de couardise mais d'une estimation, la plus fine possible, des profits et des pertes, des risques et des opportunités.

Sous sa tente près de la frontière, il rêvait qu'il repoussait les trois faces de lune inexpressives de ses capitaines jusqu'au ciel, et qu'au clair des lunes, au nombre de cinq désormais, il démembrait lentement le corps souillé de la femme du Certando.

Puis arrivait le matin. Digérant les messages comme une nourriture rance, il se remettait à lutter, sans fin, contre l'autre calamité qui lui gâchait l'existence à la manière d'une plaie infectée.

Car quelque chose n'allait pas. Mais pas du tout. Il y avait dans le déroulement des événements depuis l'automne dernier comme une fausse note, un instrument désaccordé, quelque chose qui le faisait grincer des dents.

Ici à la frontière, entouré de son armée, il aurait dû se sentir le maître de ballet, celui qui avait le pouvoir de faire danser Brandin et la Palme entière à son rythme, celui qui avait repris le contrôle des événements, après un hiver où il avait connu l'inquiétude – rien de grave certes, une succession d'incidents triviaux mais déconcertants, qui s'ajoutaient les uns aux autres –, celui qui faisait en sorte que la Quileia n'eût d'autre choix que de faire appel à lui, afin que nul dans l'Empire ne doutât de son pouvoir, de sa volonté, de ses glorieuses conquêtes.

Voilà ce qu'il était censé ressentir. Et ce qu'il avait brièvement ressenti le matin où il avait appris la décision de Brandin d'abdiquer le trône d'Ygrath. Au moment où il avait donné l'ordre à ses trois armées de se masser au nord, à la frontière du Senzio.

Mais quelque chose avait changé depuis, quelque chose d'autre que la présence d'une force d'opposition dans la baie de Farsaro, quelque chose de si vague, de si flou qu'il ne pouvait même pas en parler, à supposer qu'il eût un interlocuteur, qu'il n'arrivait pas à cerner non plus, et qui l'élançait comme une blessure par temps humide.

Alberico de Barbadior ne serait jamais arrivé là où il était, il n'aurait pas assis un pouvoir qui allait lui permettre de revendiquer bientôt la tiare, s'il n'avait pas su faire preuve de sérieux et de subtilité, et s'il n'avait pas appris à se fier à son instinct.

Or, devant cette frontière, au milieu de ses capitaines, de ses espions et de son émissaire au Senzio qui le suppliaient presque d'envahir la province, son instinct lui soufflait que quelque chose n'allait pas.

Que ce n'était pas lui qui donnait le ton mais quelqu'un d'autre. Quelqu'un qui, d'une manière ou d'une autre, décidait des pas ô combien dangereux de cette danse. Il ne savait pas à qui l'imputer, mais ce même sentiment s'emparait de lui chaque matin au réveil et ne le quittait plus. Il n'avait pas fondu au soleil du printemps, dans cette prairie frontalière où, avec les iris et les asphodèles, fleurissaient les bannières éclatantes du Barbadior tandis que flottait l'odeur des pins.

C'est pourquoi il attendait en priant ses dieux qu'un avis de décès lui parvînt au plus vite ; il savait, avec une certitude douloureusement aiguë, que le monde entier se gausserait bientôt de lui s'il se retirait, d'autant plus qu'à Farsaro, comme ses espions le lui signifiaient les uns après les autres, Brandin prenait chaque jour un peu plus d'assurance ; mais lui se refusait à bouger, par ruse, par instinct de survie, par la force du doute. Il attendait d'y voir plus clair.

Refusant, à mesure que les jours passaient, de danser sur la musique d'un autre, même si des instruments cachés montait un air envoûtant.

◆

Elle avait terriblement peur. Voilà qui était pire, infiniment pire que sur le pont de Tregea. Là-bas, elle était allée au-devant du danger, l'avait totalement accepté, parce que ses chances de survivre à ce fameux saut étaient réelles. Il n'y avait que de l'eau en dessous, même glacée, et elle savait que ses amis l'attendaient au détour du fleuve, tapis dans l'obscurité, prêts à la frictionner et à lui redonner vie dès qu'elle émergerait.

Il n'en était pas de même ce soir-là. Catriana s'aperçut avec consternation qu'elle avait les mains tremblantes. Elle s'arrêta dans l'ombre d'une allée pour tenter de se ressaisir.

D'une main elle rectifia nerveusement sa coiffure sous le sombre capuchon, tâtant le peigne noir incrusté d'une pierre qui la retenait. Sur le bateau, Alaïs, après lui avoir expliqué qu'elle avait l'habitude d'en faire autant pour ses sœurs, avait rectifié la coupe sommaire, réalisée à même le plancher de la boutique de Tregea, et lui avait donné forme. Catriana se savait parfaitement présentable désormais, et même plus si les regards que lui avaient décochés les hommes de Senzio ces derniers jours signifiaient quelque chose.

Or ils signifiaient sûrement quelque chose. Car c'étaient des regards d'hommes qui l'avaient incitée à sortir seule à la tombée de la nuit, puis à se blottir contre le mur de pierre rugueux d'une allée, en attendant qu'un groupe de fêtards bruyants eussent franchi la rue devant elle. C'était un quartier plutôt distingué, parce que tout proche du château, mais il n'existait aucun lieu vraiment sûr à Senzio pour une femme sortant seule le soir.

Elle n'était pas venue chercher la sécurité non plus. C'était d'ailleurs pour cela que tous les autres ignoraient où elle se trouvait. Ils ne l'auraient pas laissée faire. Elle-même n'aurait pas permis que l'un d'eux se risquât dans une telle entreprise.

Car c'était aller droit à la mort. Elle ne se faisait aucune illusion.

C'est au courant de l'après-midi, tandis qu'elle arpentait le marché en compagnie de Devin, Rovigo et Alaïs, qu'elle avait mis au point ce plan tout en pensant très fort à sa mère, à cette chandelle qu'elle allumait toujours au coucher du soleil le premier soir des Quatre-Temps. Le père de Devin en faisait autant, lui avait révélé le jeune homme. Il y voyait une marque d'orgueil, la volonté de priver la Triade de quelque chose en raison de ce qu'elle avait laissé faire. Sa mère n'était pourtant pas une femme orgueilleuse, mais elle n'avait jamais voulu oublier.

Ce soir, Catriana se voyait comme une de ces chandelles interdites que sa mère allumait le soir des Quatre-Temps, tandis que le reste du monde restait plongé dans l'obscurité. Elle se faisait l'effet d'une petite flamme, à l'image de ces chandelles : comme elles, elle ne durerait pas toute la nuit, mais, si la Triade lui portait un tant soit peu d'amour, elle pouvait déclencher une conflagration avant de s'éteindre.

Les fêtards ivres arrivèrent enfin à sa hauteur en zigzaguant et prirent la direction des tavernes du port. Elle attendit quelques instants de plus, puis, la tête enfouie dans son capuchon, elle s'engagea dans la rue, prenant soin de longer les murs, et s'éloigna dans la direction opposée. Celle du château.

Tout irait mieux, songea-t-elle, si elle parvenait à arrêter le tremblement incontrôlé de ses mains et à calmer les battements de son cœur. Elle aurait dû boire un verre de vin à l'auberge de *Solonghi* avant de s'éclipser par l'escalier extérieur, sur la façade arrière de l'immeuble, pour que personne ne la vît.

Elle avait menti avec une telle aisance, parvenant même à esquisser un sourire rassurant. Puis Alaïs était partie et elle s'était retrouvée seule, prenant conscience, au moment précis où elle refermait doucement la porte, qu'elle ne reverrait plus jamais aucun d'eux.

Dans la rue, elle ferma les yeux ; la tête lui tournait et elle dut s'appuyer contre la vitrine d'une boutique pour ne pas tomber, tout en inspirant de longues bouffées d'air nocturne. Il y avait des massifs de fleurs odorantes à proximité ; elle reconnut également le parfum si particulier des acacias. Elle ne devait plus être très loin des jardins du château. Elle se mordit les lèvres pour leur redonner un peu de couleur. Au-dessus d'elle brillaient des essaims d'étoiles. Vidomni s'était déjà levée à l'est ; Ilarion, la lune bleue, ne tarderait pas à en faire autant. Elle entendit un éclat de rire soudain, dans la rue voisine. Un rire de femme, suivi de cris. Puis une voix d'homme. Et d'autres rires.

Ils allaient dans la direction inverse. Elle leva les yeux et vit une étoile tomber du ciel. Elle suivit son sillage des yeux, sur sa gauche, et aperçut le mur d'enceinte du château. L'entrée devait être un peu plus loin. Les entrées et les issues, elle les abordait toute seule. Elle avait été une enfant solitaire, puis une femme solitaire, enfermée dans sa propre sphère, ce qui l'éloignait des autres, même de ceux qui souhaitaient devenir ses amis. Devin et Alaïs n'étaient que les derniers en date. Il y en avait eu d'autres dans son village, avant qu'elle n'en partît. Elle savait que sa mère avait conçu du chagrin de cette solitude orgueilleuse.

L'orgueil, la fierté. Encore et toujours.

Son père avait fui la Tigane avant les batailles de la Deisa.

Tout était là.

Elle rabattit son capuchon avec soin. Ses mains avaient retrouvé leur assurance et elle en conçut une réelle gratitude. Elle tâta les boucles d'oreille, le collier d'argent à son cou, le peigne orné d'une pierre dans ses cheveux. Puis elle enfila le gant rouge qu'elle avait acheté au marché dans l'après-midi, traversa la rue et contourna le mur du jardin. Elle déboucha devant l'entrée brillamment éclairée du château de Senzio.

Il y avait quatre gardes, de part et d'autre des grilles fermées. Elle entrouvrit son manteau à capuchon pour les laisser apercevoir la robe noire qu'elle portait dessous.

Les deux gardes à l'extérieur se regardèrent, visiblement soulagés, et ôtèrent la main de leur épée ; les deux autres s'approchèrent avec leur torche pour mieux profiter du spectacle.

Elle s'arrêta en face des deux premiers, le sourire aux lèvres. « Auriez-vous la bonté de prévenir Anghiar de Barbadior que sa renarde rousse est là ? » Et elle leva sa main gauche, gantée de rouge.

Elle s'était sincèrement amusée de la réaction de Devin et de Rovigo sur la place du marché. Casalia, le gouverneur replet au teint jaune, était passé à cheval avec l'émissaire du Barbadior ; tous deux riaient sans retenue. L'émissaire de Brandin de la Palme occidentale était à quelques pas derrière eux, au milieu d'un groupe de Senzians de moindre rang. L'image et le message étaient on ne peut plus clairs.

Alaïs et Catriana se tenaient devant l'étal d'un marchand de soieries. Elles se retournèrent pour voir s'éloigner le gouverneur.

Il ne s'était pas encore éloigné. Anghiar de Barbadior s'empressa de poser une main sur le poignet ceint de bracelets de Casalia, et tous deux arrêtèrent leurs chevaux nerveux juste en face des deux femmes. En y repensant, Catriana se dit qu'elles formaient sans doute un duo pour le moins étonnant.

C'était manifestement l'avis d'Anghiar, un grand costaud bien en chair, moustache retroussée et cheveux blonds presque aussi longs que ceux de Catriana maintenant.

« Vison et renarde ! » murmura-t-il à l'oreille de Casalia. Le gouverneur ventripotent ricana, un peu trop vite et un peu trop fort. Anghiar déshabilla les deux femmes du regard sous le soleil ardent. Alaïs regardait ailleurs mais ne baissait pas les yeux. Catriana soutint le regard du Barbadien de son mieux. Elle refusait de se détourner devant les deux hommes. Le sourire de l'ambassadeur s'accentua encore. « Une jolie renarde certes », répéta-t-il, à son intention cette fois.

Ce fut le gouverneur encore qui s'esclaffa, néanmoins. Ils poursuivirent leur chemin et leur escorte suivit, y compris l'émissaire de Brandin que toute la beauté de ce matin-là ne parvenait pas à dérider.

Catriana prit alors conscience de la présence de Devin derrière son épaule, et de Rovigo aux côtés de sa fille. Elle les observa et s'aperçut aussitôt de la rage contenue qui se lisait dans leur regard. Elle en conçut un certain amusement, quoique fugace.

« Voilà qui ressemble étrangement à certaine expression de Baerd, un jour à Tregea, une expression qui a bien failli nous coûter la vie à tous les deux, fit-elle d'un ton léger. Je ne suis pas prête à recommencer l'expérience. D'ailleurs, je n'ai plus assez de cheveux pour qu'on me les coupe encore. »

Ce fut Alaïs qui, beaucoup plus futée que Catriana ne l'aurait cru au début, se mit à rire et contribua à dédramatiser la situation. Tous quatre se remirent en marche.

« Je l'aurais tué, déclara Devin avec le plus grand calme tandis qu'ils s'arrêtaient devant un étalage d'objets en cuir.

— Bien sûr », répondit-elle avec le même calme. Puis elle pensa à l'interprétation possible de sa remarque et, voyant à quel point il était sérieux, elle lui pinça le bras. Ce n'était pourtant pas un geste qu'elle aurait eu six mois plus tôt. Elle changeait, comme eux tous.

Mais à ce moment, tandis que l'amusement et la colère s'estompaient, Catriana sentit naître une idée. Il lui sembla qu'une ombre venait brusquement ternir l'éclat du jour; il n'y avait pourtant pas un nuage à l'horizon.

Elle comprit ensuite qu'elle avait pris sa décision dès que l'idée avait germé dans son esprit.

Avant la clôture du marché, elle avait trouvé moyen de rester seule assez longtemps pour acheter ce dont elle avait besoin : des boucles d'oreille, une robe, un peigne noir. Le gant rouge.

Et c'est en faisant ces achats qu'elle s'était mise à penser à sa mère, et qu'elle s'était souvenue du pont de Tregea. Cela n'avait rien d'étonnant : l'esprit humain fonctionne par associations d'idées, et c'est une de ces associations qui la poussait à agir et lui avait permis de concevoir son plan. Quand la nuit tomberait, elle sortirait à leur insu, sans rien leur laisser deviner. Un mensonge quelconque à Alaïs. Surtout pas d'adieux : ils l'empêcheraient de sortir, tout comme elle l'aurait fait à leur place.

Chacun savait pourtant qu'il fallait tenter quelque chose. Faire un mouvement. Or Catriana, au marché, ce matin-là, pensait avoir découvert lequel.

Elle avait passé la première partie de cette promenade solitaire dans la pénombre à tenter de se donner du courage, à contrôler le tremblement de ses mains. Mais, quand elle atteignit le mur du jardin, il avait cessé. Elle venait de voir une étoile tomber du ciel de velours bleu-noir.

« Vous comprendrez que nous sommes tenus de vous fouiller, dit un des deux gardes à l'extérieur des grilles, un sourire louche aux lèvres.

— Mais bien sûr, murmura-t-elle en s'approchant. Il n'y a guère de plaisir à monter la garde, n'est-ce pas ? »

L'autre se mit à rire et la tira par le bras, sans violence, d'abord dans la lumière des flambeaux, puis dans l'ombre à l'écart, sur le côté de la place. Elle entendit une brève altercation, à voix basse, entre les deux hommes à l'intérieur du parc, qui se termina par un ordre concis tenant en six mots. L'un d'eux, apparemment d'un grade inférieur, se dirigea vers la cour à contrecœur pour trouver Anghiar de Barbadior et lui annoncer que son rêve était devenu réalité, ou quelque chose du genre. L'autre s'empressa d'ouvrir la grille à l'aide d'une clé qui pendait à sa ceinture et sortit rejoindre ceux de faction à l'extérieur.

Ils prirent leur temps mais ne se montrèrent ni agressifs ni trop entreprenants. Si elle avait rendez-vous avec le Barbadien et qu'elle obtenait sa protection, mieux valait ne pas prendre le risque de l'offenser. C'était l'attitude qu'elle attendait de leur part ; elle parvint à produire un petit rire ou deux, mais rien qui risquât de les encourager. Elle pensa de nouveau aux associations d'idées qui régissent notre esprit et se souvint du tout premier soir où elle était allée rejoindre Alessan et Baerd. Le veilleur de nuit l'avait touchée quand elle était passée devant lui, tout en lui lançant des regards concupiscents. Il avait l'air certain de connaître la raison de sa présence.

« Je ne coucherai avec aucun de vous deux, avait-elle déclaré quand ils lui avaient ouvert la porte. Je n'ai jamais couché avec aucun homme. » Quelle ironie, pensait-elle en se remémorant son passé tandis que le garde la fouillait dans cet endroit sombre, barbouillé d'ombres enchevêtrées. Quel mortel pourrait prétendre connaître sa destinée ? Presque inévitablement, elle se mit à songer à Devin dans le cagibi dérobé du palais Sandreni. Une aventure qui n'avait en presque rien entraîné les séquelles qu'elle avait imaginées. Non qu'elle eût réfléchi à son avenir ou à sa destinée ce jour-là. Non, pas ce jour-là.

Et maintenant ? À quoi valait-il mieux penser, maintenant que sa destinée prenait brusquement forme ? Aux images, se dit-elle, tapie dans l'ombre entre les trois gardes : concentre-toi sur les images. Les entrées, les issues, une flamme qui engendre une déflagration.

Quand ils en eurent fini avec elle, le quatrième garde était de retour avec deux Barbadiens. Eux aussi souriaient, mais ils la traitèrent non sans courtoisie et l'invitèrent à franchir les grilles, puis à traverser la cour. La lumière se déversait en flots irréguliers des fenêtres au-dessus. Avant de pénétrer à l'intérieur du château, elle leva les yeux et regarda les étoiles. Les lumières d'Eanna. Chacune avec un nom.

Ils entrèrent par une lourde porte à deux battants, gardée par quatre hommes, et gravirent deux longs escaliers de marbre successifs jusqu'à l'étage supérieur, puis longèrent un couloir brillamment éclairé. À l'extrémité se trouvait une porte entrouverte. À mesure qu'ils approchaient, Catriana découvrit une pièce élégamment décorée, dans des tons soutenus et chauds.

Anghiar de Barbadior se tenait dans l'embrasure, vêtu d'une robe du même bleu que ses yeux, un gobelet de vin vert à la main. Pour la seconde fois de la journée, il la dévora des yeux.

Elle sourit et le laissa prendre sa main gantée de rouge dans la sienne. Elle remarqua ses doigts fraîchement manucurés. Il la fit entrer puis ferma la porte à clé. Ils étaient seuls. Un peu partout brûlaient des chandelles.

« Renarde, dit-il, quel est ton jeu favori ? »

◆

Depuis le début de la semaine, Devin était tendu, mal dans sa peau ; et il n'était pas le seul, il le savait : il suffisait d'observer le visage d'Alessan par moments pour s'en rendre compte. La tension croissante, l'oisiveté forcée, la conscience qu'ils avaient tous d'être proches de l'aboutissement créaient un climat de nervosité et d'irascibilité dangereux.

Dans une telle atmosphère, Alaïs se révélait tout bonnement merveilleuse, véritable don du ciel. La fille de Rovigo paraissait gagner en sagesse comme en grâce, en même temps de plus en plus à l'aise en leur compagnie à mesure que les jours passaient. Elle faisait de son mieux pour répondre aux besoins de chacun et justifiait ainsi sa présence parmi eux. Observatrice, toujours gaie, ouverte sans effort à la conversation, elle interrogeait et répondait avec intelligence, et elle écoutait avec un plaisir évident les longues anecdotes que tous lui racontaient ; elle avait empêché par sa seule présence qu'un ou deux repas ne se terminent par des bouderies ou des rancœurs hargneuses. Rinaldo, le guérisseur aveugle, avait pratiquement l'air amoureux d'elle tant il s'épanouissait à vue d'œil dès qu'elle s'approchait. Il n'était d'ailleurs pas le seul, songeait Devin, presque reconnaissant que les tensions du moment l'empêchent de s'adonner à l'introspection.

Dans l'atmosphère étouffante du Senzio, la beauté pâle et délicate d'Alaïs, sa grâce, sa modestie faisaient d'elle un être à part, une fleur venue d'un monde plus frais, plus serein ; ce qui n'était que l'exacte vérité. Observateur lui-même, Devin surprenait souvent le regard de Rovigo tandis que sa fille incluait l'un ou l'autre de leurs nouveaux compagnons dans la conversation en cours, et le regard de l'homme en disait long.

Le dîner touchait à sa fin; ils avaient passé la dernière demi-heure à narrer leur expédition au marché comme s'il s'était agi d'un véritable voyage d'aventures, quand Alaïs s'excusa brièvement et prit congé. Après son départ, la morosité revint en hâte, et chacun se remit à songer à leur unique préoccupation du moment. Rovigo lui-même n'était pas épargné: il se pencha vers Alessan et lui posa une question précise, à voix basse, sur sa dernière incursion de l'autre côté du mur d'enceinte de la ville.

Alessan et Baerd, aidés de Ducas, Naddo et Arkin, avaient ratissé la campagne environnante à la recherche d'éventuels champs de bataille et du meilleur endroit où se poster quand l'heure serait venue de jeter les dés à leur tour. Devin, lui, n'aimait pas se pencher sur cette phase des opérations : elle faisait appel à la magie, un sujet qui continuait de le mettre mal à l'aise. De plus, il fallait d'abord qu'il y ait une bataille, et Alberico, tapi dans sa prairie sur la frontière, ne donnait aucun signe qu'il s'était décidé à bouger ; c'était assez pour faire enrager les hommes.

Ils passaient de plus en plus de temps chacun de leur côté, de jour comme de nuit, pour des raisons de sécurité évidentes, mais aussi parce que la promiscuité ne profitait à personne dans un pareil climat. Baerd et Ducas avaient décidé d'aller faire un tour du côté des tavernes du port ce soir-là. Ils se sentaient prêts à supporter les flatteries des marchands de chair pour rester en contact avec les hommes du Trégéen, les marins de Rovigo et tous ceux qui, en réponse à la convocation tant attendue, avaient marché vers le nord.

Ils entendaient aussi faire circuler certaine rumeur selon laquelle Rinaldo di Senzio, l'oncle en exil du gouverneur, était quelque part en ville et prêchait la révolution contre Casalia et les tyrans. Devin était réservé sur l'opportunité d'une telle décision, mais Alessan devança sa question : Rinaldo avait beaucoup changé en dix-huit ans ; la plupart des gens ignoraient qu'on l'avait privé de ses yeux. Il était très apprécié du peuple, et Casalia avait estimé qu'il eût été dangereux de divulguer la nouvelle. C'est en secret qu'on l'avait énucléé pour le neutraliser.

Il était impensable que quiconque reconnût le vieil homme blotti dans un coin de l'auberge Solonghi, et puis ils n'avaient d'autre intervention possible ces jours-ci que de faire monter la tension dans la ville. Si au moins ils réussissaient à accroître l'angoisse du gouverneur et à déstabiliser les émissaires…

Rinaldo fit peu de commentaires bien qu'il eût été le premier à suggérer qu'on fît courir la rumeur. On aurait dit qu'il se repliait sur lui-même, comme pour rassembler ses forces : avec l'imminence d'une guerre, ses talents de guérisseur allaient être massivement sollicités, et Rinaldo n'était plus un jeune homme. Il ne parlait plus guère qu'à Sandre. Les deux hommes, issus de provinces rivales à l'époque d'avant les tyrans, prenaient plaisir à se raconter de vieux souvenirs mettant en scène des hommes et des femmes à présent presque tous entre les mains de Morian.

Erlein di Senzio ne se mêlait pas beaucoup aux autres. Il accompagnait Devin et Alessan à la harpe mais dînait le plus souvent seul, quelquefois chez Solonghi, le plus souvent ailleurs. Quelques-uns de ses compatriotes avaient reconnu le troubadour au fil des jours, mais il n'était guère plus bavard avec eux qu'avec ses compagnons. Devin l'avait surpris un matin marchant aux côtés d'une femme qui lui ressemblait tant qu'il ne pouvait s'agir que de sa sœur. Il avait envisagé de les rejoindre pour se faire présenter, puis renoncé par peur de subir la causticité d'Erlein. On aurait pu croire que le répit temporaire qu'ils vivaient avant l'explosion finale aurait eu raison de ses rancœurs, mais il n'en était rien.

Devin ne se formalisait pas des absences d'Erlein parce qu'Alessan lui-même n'avait pas l'air inquiet. Les trahir d'une manière ou d'une autre serait revenu à signer son propre arrêt de mort, et, si Erlein était indubitablement furieux, amer et maussade, ce n'était pas un imbécile.

Il était parti dîner ailleurs ce soir encore, mais ne tarderait pas à rentrer car dans quelques minutes ce serait à eux de jouer et Erlein n'était jamais arrivé en retard à une seule de leurs prestations. La musique était leur seul refuge depuis quelque temps, leur seule source d'harmonie, mais Devin savait que cela ne concernait qu'eux trois. Qu'avaient trouvé les autres pour se détendre – tous ceux qui s'égaillaient dans la ville ? Il n'en avait pas la moindre idée. Ou peut-être que si. On était à Senzio, après tout.

« Il se passe quelque chose d'anormal ! » fit brusquement Rinaldo en penchant la tête de côté comme pour humer l'air. Alessan, qui dessinait un croquis topographique de la campagne voisine sur la nappe, leva promptement les yeux. Rovigo fit de même. Sandre s'était déjà levé de sa chaise.

Alaïs se précipita vers leur table. Elle n'avait pas encore pris la parole que déjà Devin était glacé d'épouvante.

« Catriana a disparu ! » dit-elle en s'efforçant de parler à voix basse. Ses yeux glissèrent sur Devin et son père, puis s'arrêtèrent sur Alessan.

« Quoi ? Comment ? fit Rovigo sèchement. Nous l'aurions vu passer, sûrement.

— Tu oublies l'escalier extérieur, sur l'arrière », dit Alessan. Il avait brusquement posé les mains à plat sur la nappe. Le prince regarda Alaïs. « Qu'as-tu remarqué d'autre ? »

La jeune fille était livide. « Elle s'est changée. Je ne comprends pas pourquoi. Elle s'est acheté une robe de soie noire et des bijoux au marché cet après-midi. J'allais lui en parler, mais je n'ai pas voulu paraître indiscrète. Ce n'est pas chose facile que de lui poser des questions. Mais tout a disparu. Tout ce qu'elle a acheté.

— Une robe de soie ? Catriana ? fit le prince, incrédule, en haussant le ton. Au nom de Morian, qu'allait... »

Mais Devin, lui, avait déjà compris. Il savait, sans qu'il y eût le moindre doute possible.

Alessan n'était pas avec eux ce matin-là ; Sandre non plus. Ils n'avaient donc aucun moyen de deviner. La peur le glaçait jusqu'aux os, il avait la bouche sèche et le cœur battant. Il renversa sa chaise et son verre de vin en se levant.

« Catriana, pas ça, Catriana, non ! » Une réaction stupide, comme si elle était encore là, comme s'il était encore possible de l'arrêter, de la garder parmi eux, de la dissuader de partir seule dans la nuit avec sa robe de soie et ses bijoux, avec son immense courage et son orgueil.

« Devin, mais dis-moi ! De quoi s'agit-il ? » fit Sandre d'une voix tranchante. Alessan se tut. Il se détourna, et ses yeux gris se préparaient à la douleur.

« Elle est partie au château, expliqua Devin sans détours, et elle veut tuer Anghiar de Barbadior. Elle pense que cela déclenchera la guerre. »

Tout en parlant, il se déplaça. Il n'obéissait à aucune pensée rationnelle mais à quelque chose de plus profond, d'infiniment plus profond, tout en sachant que, si elle était déjà arrivée au château, tout espoir était perdu.

Il s'élança d'un bond vers la porte. Alessan parvint à le suivre et Rovigo n'était qu'à deux pas derrière. Devin renversa quelqu'un en se ruant dans l'obscurité. Il ne prit pas le temps de se retourner.

Eanna, épargne-nous ! ne cessait-il de répéter en silence, comme une litanie, tandis qu'ils couraient en direction des deux lunes. Reine des Lumières, fais qu'il n'en soit pas ainsi ! Qu'il n'en soit pas ainsi !

Mais il se taisait. Il filait vers le château dans la nuit, la terreur au ventre comme une bête vivante messagère implacable de mort.

Devin savait qu'il courait vite, il avait toujours été fier de sa célérité, mais il avait beau courir comme un forcené, touchant à peine le sol, Alessan était à sa hauteur quand ils atteignirent le château. Ils abordèrent le dernier virage côte à côte et parvinrent au mur du jardin. Ils s'arrêtèrent pour tâcher d'apercevoir au-delà des branches d'un gros acacia aux rameaux abondants. Ils entendirent arriver Rovigo, suivi de quelqu'un d'autre. Ils ne prirent pas le temps de vérifier qui. Tous deux regardaient la même chose :

Une silhouette éclairée par un flambeau dans l'encadrement d'une fenêtre, au dernier étage. Une silhouette connue. Vêtue d'une longue robe de couleur sombre.

Devin tomba à genoux dans l'allée baignée par le clair de lune. Il envisagea d'escalader le mur, il envisagea de hurler son nom. L'odeur douceâtre des massifs de fleurs l'enveloppa. Il regarda le visage d'Alessan mais ce qu'il y lut lui fit détourner aussitôt les yeux.

◆

Quel était son jeu préféré ?

Pour l'essentiel, eh bien, elle n'aimait pas jouer, encore moins à ces jeux-là. Elle n'avait jamais été joueuse. Elle aimait nager, se promener le matin sur la plage, seule de préférence. Elle aimait aussi marcher dans les bois, pour ramasser des champignons ou de la menthe sauvage pour le thé. Et elle avait toujours aimé la musique, davantage encore depuis qu'elle avait rencontré Alessan. Et il est vrai que ces six ou sept dernières années il lui était parfois arrivé de rêver que l'amour et la passion l'attendaient quelque part au monde. Pas très souvent en fait, et dans ces rêves-là l'homme avait rarement un visage.

Il y avait un visage d'homme tout près du sien présentement, mais il ne s'agissait pas d'un rêve. Ni d'un jeu. Mais de la mort. D'entrées et d'issues. De bougie donnant naissance à l'incendie avant de s'éteindre.

Elle était allongée sur son lit, nue devant ses yeux, nue sous sa main, à l'exception des bijoux qui scintillaient à son poignet, à ses oreilles, à sa gorge et dans ses cheveux. La lumière rayonnait dans chaque coin de la chambre. Apparemment, Anghiar aimait voir ses maîtresses réagir à lui. « Viens sur moi, lui avait-il chuchoté. — Plus tard », avait-elle répondu. Il avait ri – un rire rauque et caverneux, qui venait du fond de la gorge – et s'était placé au-dessus d'elle, nu lui aussi, hormis une chemise blanche et froissée dont le col ouvert laissait voir les poils blonds et délicats sur sa poitrine.

C'était un amant adroit, très expérimenté ; ce qui permit à la jeune fille de le tuer en fin de compte.

Il posa la tête sur ses seins avant de la pénétrer. Il prit le mamelon dans sa bouche, avec une douceur étonnante, et se mit à décrire des cercles tout autour avec sa langue.

Catriana ferma les yeux quelques instants. Elle poussa un râle qui lui parut de bon ton étant donné les circonstances, puis étendit les bras au-dessus de la tête tout en ondulant comme un félin sous la caresse de sa bouche et de ses mains. Elle effleura le peigne noir qui retenait ses cheveux. Puis elle gémit encore, la jolie renarde. Il lui caressait les cuisses et remontait lentement les mains, la bouche toujours à son sein. Elle dégagea le peigne et appuya sur le cran de sûreté pour libérer la lame. Puis, très lentement, comme si elle disposait de tout son temps, comme si cet instant était à lui seul la somme de tous les instants de son existence, elle abaissa son arme et l'enfonça dans la gorge de l'homme.

Mettant fin à ses jours.

Le marché aux armes de Senzio recelait des trésors. On pouvait y trouver tout ce qu'on voulait. Y compris un peigne ornemental dissimulant une lame ; empoisonnée, bien sûr. Un peigne noir orné de pierres dont l'une actionnait le ressort qui dégageait la lame. Un objet exquis, un objet mortel.

Fabriqué en Ygrath, bien entendu. Un élément capital de son plan.

Anghiar renversa la tête sous la violence du coup. Sa bouche se tordit involontairement en un rictus tandis que ses yeux bleus, exorbités, trahissaient une agonie consciente. Le sang giclait par saccades de sa gorge, imbibant draps et oreillers. Catriana n'était pas épargnée.

Il poussa un hurlement terrible, puis roula sur le côté et tomba du lit sur le tapis tout en se tenant la gorge dans un geste désespéré. Il hurla encore. Il perdait tout son sang. Il tenta de l'endiguer en appuyant les doigts sur la blessure. Un geste vain : ce n'était pas la blessure qui aurait raison de lui. Elle le regarda : les cris s'arrêtèrent et firent place à un bruit liquide. Anghiar bascula lentement sur le flanc, la bouche ouverte, et le sang se mit à couler sur le tapis. Puis ses yeux bleus se brouillèrent et finirent par se fermer.

Catriana regarda ses mains. Elles ne tremblaient aucunement. Et les battements de son cœur étaient parfaitement réguliers. Tous les instants de sa vie réunis en un seul. *Entrées et issues.*

Elle entendit des coups furieux à la porte verrouillée, bientôt suivis de cris frénétiques et d'une volée de jurons qui trahissaient la panique.

Mais on ne l'aurait pas encore. Il ne le fallait pas. Elle savait le pouvoir de la sorcellerie sur l'esprit. Si on l'arrêtait vivante, on arrêterait tous ses amis. Et tout serait découvert. Elle n'avait aucune illusion, elle savait ce qui l'attendait au bout du chemin, dès qu'elle avait commencé à concevoir son plan.

On martelait la porte maintenant, mais c'était une grande porte solide qui résisterait un moment. Elle se leva et remit sa robe. Elle n'aurait su dire pourquoi, mais elle ne voulait pas rester nue. Elle se pencha sur le lit et saisit l'arme ygrathienne, cet objet mortel aux reflets chatoyants, puis, tout en prenant garde à ne pas toucher la lame empoisonnée, elle la déposa à côté d'Anghiar pour qu'on la découvrît sans tarder. Il était indispensable qu'on la trouvât.

Le bois de la porte se fendit avec un bruit sec, et il y eut de nouveaux cris ainsi qu'un remue-ménage dans le couloir. Elle songea un instant mettre le feu à la chambre – la bougie cause d'un incendie – mais se ravisa: il valait mieux qu'on découvrît le corps d'Anghiar et la raison précise de sa mort. Elle ouvrit la fenêtre à battants et grimpa sur le rebord. C'était une fenêtre aux proportions élégantes, assez haute pour qu'elle pût s'y tenir debout. Elle regarda dehors, puis en bas. La chambre donnait sur le jardin ; très en hauteur. Bien assez, en tout cas. L'odeur des acacias flottait jusqu'à elle, ainsi que le parfum entêtant de fleurs nocturnes dont elle ignorait le nom. Les deux lunes s'étaient levées : Vidomni et Ilarion l'observaient. Elle les regarda un moment, mais ce fut à Morian qu'elle adressa une prière, car c'était vers elle qu'elle allait en s'apprêtant à franchir la dernière porte de toutes.

Elle eut une pensée pour sa mère. Une autre pour Alessan, dont le rêve était devenu le sien et pour lequel elle allait mourir sur une terre qui n'était pas la sienne. Elle eut aussi une pensée furtive pour son père, consciente que son geste participait du besoin d'offrir réparation, de gommer l'empreinte que chaque génération laisse sur la suivante, qu'elle le veuille ou non. Faites que cela suffise, pria-t-elle en adressant cette requête, telle une flèche, à Morian dans ses salles obscures.

La porte céda avec fracas. Une demi-douzaine d'hommes pénétrèrent en trébuchant. Il était temps. Catriana tourna le dos aux étoiles, aux deux lunes et au jardin. Son cœur chantait dans un crescendo d'espoir et de fierté.

« Mort aux suppôts du Barbadior ! hurla-t-elle du plus fort qu'elle put. Vive le Senzio libre ! » Puis, enfin : « Vive le roi Brandin de la Palme ! »

Un des hommes, plus rapide que les autres, réagit aussitôt et se rua dans la chambre. Il ne fut pas assez rapide cependant, pas autant qu'elle en tout cas. Elle lui tournait déjà le dos, et la brûlure acide de ses dernières paroles, si nécessaires, lui dévorait l'esprit. Elle vit encore les lunes, les étoiles d'Eanna, l'obscurité qui l'attendait au-delà.

Elle sauta. Elle sentit le vent sur son visage et dans ses cheveux, vit la masse sombre du jardin se rapprocher à toute allure, entendit un bruit de voix l'espace d'un instant, puis plus rien que le souffle de l'air. Elle était seule, elle tombait. Elle avait toujours été seule, semblait-il. Les issues. Une bougie. Des souvenirs. Un rêve, une prière pour que viennent les flammes. Puis un dernier seuil, une obscurité incroyablement douce qui s'ouvrait tout grand sous elle. Elle ferma les yeux juste avant d'y pénétrer.

Chapitre 19

La nuit est tiède, le parfum des fleurs flotte dans l'air, le clair de lune nimbe la cime des arbres, se projette sur les pierres gris pâle du mur du jardin et sur la jeune femme dans l'embrasure de la fenêtre.

Devin entend un bruit sur sa gauche et se retourne aussitôt. C'est Rovigo qui arrive en courant puis s'arrête, pétrifié, tandis que son regard suit celui d'Alessan. Sandre surgit à son tour, accompagné d'Alaïs.

« Aide-moi ! » ordonne le duc d'une voix dure en tombant à genoux sur les pavés à côté de Devin. Il a l'air hagard, affolé, et tient un couteau à la main.

« Qu'est-ce... hoquette Devin qui ne comprend pas. Qu'est-ce que tu... ?

— Mes doigts ! Vite ! Coupe-les ! J'ai besoin de pouvoir ! » Et Sandre d'Astibar place fermement le manche du couteau dans la paume de Devin, et pose la main sur une pierre dans la rue. Seuls les troisième et quatrième doigts dépassent. Les doigts du magicien, qui l'enchaînent à la Palme.

« Sandre... fait Devin en bégayant.

— Pas de discours, Devin, coupe-les ! »

Devin obéit. Non sans un tressaillement et un grincement de dents, pour lutter contre la douleur et le chagrin, il place la lame aiguisée et l'abat sur les doigts de Sandre, qu'il sectionne. On entend un cri. C'est Alaïs et non le duc.

Mais à l'instant où le couteau fend la chair et vient crisser sur la pierre dessous jaillit un éclair de lumière fulgurante qui les aveugle. Le visage sombre de Sandre est auréolé d'une couronne de lumière blanche qui brille comme une étoile sur sa tête, puis disparaît ; sa rémanence est telle qu'ils demeurent aveuglés un instant.

De l'autre côté du duc, Alaïs s'agenouille tout de suite et roule un mouchoir autour de sa main. Sandre lève cette main avec effort, supportant la douleur sans broncher. Alaïs ne dit mot mais l'aide en soutenant son bras.

De très haut leur parvient un bruit fracassant, suivi de cris. La silhouette de Catriana, debout devant la fenêtre, se tend soudainement. Elle hurle quelque chose. Ils sont trop loin pour comprendre ce qu'elle dit. Terriblement loin. Ils la voient se retourner vers les ténèbres de la nuit.

« Ô dieux du ciel ! Non ! Pas cela ! » La voix d'Alessan n'est plus qu'un souffle rauque arraché à son cœur.

Trop tard, beaucoup trop tard.

Agenouillé dans la poussière de la rue, Devin la voit tomber.

Elle ne tournoie ni ne dégringole, non, elle se dirige vers la mort avec sa grâce coutumière, elle fend la nuit comme un plongeur. Sandre tend sa main mutilée de magicien, puis il s'efforce de la brandir le plus haut possible vers le ciel. Il prononce une volée de paroles saccadées auxquelles Devin n'entend rien. Tout à coup, la nuit se brouille, une bouffée de chaleur surnaturelle chatoie dans l'air. La main de Sandre ne dévie pas de la jeune femme. Le cœur de Devin s'arrête un instant tandis qu'il s'accroche à cet espoir insensé.

Puis il se remet à battre, lourd comme l'éternité, pesant comme la mort. Sandre fait ce qu'il peut, mais cela ne suffit pas. Il est trop loin, il faudrait un sortilège trop puissant, son pouvoir est trop frais. Il échoue, pour une de ces trois raisons, pour les trois ensemble ou pour une autre encore. Catriana tombe. Elle poursuit sa chute sans que rien ne l'arrête ni ne l'entrave, belle comme un rêve dans le clair de lune, le rêve d'une femme qui vole. Elle ne s'arrêtera qu'en touchant terre derrière le mur du jardin, brisée, fracassée.

Alaïs éclate en sanglots désespérés. Sandre se cache la vue de sa main valide ; son corps se balance d'avant en arrière. Devin a du mal à distinguer quoi que ce soit tant ses yeux sont noyés de larmes. Très loin au-dessus d'eux, dans l'encadrement de la fenêtre où se tenait la jeune femme, surgissent des formes indistinctes qui scrutent l'obscurité en contrebas.

« Il nous faut partir ! » croasse Rovigo. Il n'est pas facile de comprendre ce qu'il dit. « Ils vont fouiller dehors. »

Il a raison, Devin le sait. Et s'il est un présent, quelque chose qu'ils puissent offrir à Catriana maintenant, là d'où peut-être elle les observe, près de Morian, c'est de faire en sorte que sa mort n'ait pas été vaine.

Devin se relève malgré lui puis aide Sandre à faire de même. Il se tourne alors vers Alessan. Le prince n'a pas bougé, il a le regard rivé vers cette fenêtre où il reste encore des hommes qui font de grands gestes ; Devin se souvient de lui l'après-midi où sa mère est morte. C'est la même chose. Non, c'est pire. Il s'essuie les yeux du revers de la main et se tourne vers Rovigo. « Nous ne pouvons pas rester tous ensemble, nous sommes trop nombreux. Sandre et toi, partez avec Alaïs. Soyez prudents. Il se pourrait qu'ils reconnaissent ta fille, elle accompagnait Catriana quand le gouverneur les a vues. Nous allons prendre un autre chemin. Rendez-vous dans nos chambres. »

Puis il saisit Alessan par le bras et l'oblige à se retourner. Le prince ne résiste pas et le suit docilement. Tous deux se dirigent vers le sud de la ville et descendent une ruelle qui les éloigne du château et du jardin où gît Catriana. Devin s'aperçoit qu'il tient toujours le poignard ensanglanté de Sandre et l'enfonce dans sa ceinture.

Il pense au duc, à ce qu'il vient de se faire. Son esprit lui joue ses tours habituels par le biais de sa mémoire qui le ramène en arrière, à sa toute première nuit dans le pavillon de chasse des Sandreni, celle qui l'a finalement conduit jusqu'ici. Sandre leur avait alors expliqué qu'il ne pouvait pas sortir Tomasso de son cachot vivant parce qu'il manquait de pouvoir. Parce qu'il ne s'était jamais résolu à sacrifier ses doigts pour se lier à la confrérie des magiciens de la Palme.

C'est chose faite maintenant. Il s'y est résolu, non pour son fils mais pour Catriana, et cela n'a servi à rien. Il y a là quelque chose de si douloureux ! Cela fait maintenant neuf mois que Tomasso est mort, et Catriana gît dans un jardin de Senzio ; morte au même titre que les Tiganais abattus à l'une ou l'autre des batailles de la Deisa.

Or c'était là son drame, Devin le sait. Elle le lui avait avoué au château d'Aliénor. Il se remet à pleurer, il ne parvient pas à endiguer ses larmes. La main d'Alessan se pose sur son épaule.

« Tiens bon encore un peu, Devin », lui dit le prince. Ses premiers mots depuis la chute de Catriana. « Tantôt c'est toi qui me soutiens, tantôt c'est moi, mais d'ici peu nous pourrons la pleurer ensemble. » Il n'ôte pas sa main de l'épaule de Devin. Les deux hommes s'éloignent le long de ruelles sombres et d'autres éclairées par des flambeaux.

Un brouhaha monte déjà des rues de la ville, des bribes de rumeur haletantes qui font le tour des maisons : il s'est passé quelque chose au château. « Le gouverneur est mort ! » crie d'une voix fiévreuse un homme qui les dépasse en courant comme un fou. « Les Barbadiens ont passé la frontière ! » hurle une femme en se penchant d'une fenêtre à l'étage d'une taverne. Elle a les cheveux roux. Devin détourne le regard. Les gardes n'ont pas encore fait irruption dans les rues. Alessan et lui se hâtent ; personne ne les arrête.

En repensant à cette fuite, un peu plus tard, Devin se rend compte qu'il n'a jamais douté un instant que Catriana ait tué le Barbadien avant de sauter.

◆

En arrivant chez Solonghi, Devin n'avait qu'une envie: monter à sa chambre, fermer les yeux et oublier le monde et son tumulte envahissant. Mais, lorsque le prince et lui franchirent la porte, ils furent salués par une salve d'acclamations, qui prit naissance dans la salle bondée du devant et s'étendit bientôt à celle de derrière. Ils étaient en retard pour la première des prestations musicales de la soirée, et la taverne était pleine de gens venus pour les entendre, malgré la rumeur et l'agitation qui ne cessaient de croître dehors.

Devin et Alessan échangèrent un regard. La musique…

Pas trace d'Erlein. Ils se frayèrent un chemin parmi la foule jusqu'à l'estrade installée entre les deux salles. Alessan prit sa flûte et Devin se plaça près de lui. Le prince souffla quelques notes pour donner le ton et s'échauffer, puis, sans mot dire, il se mit à jouer le chant que Devin attendait.

Au moment où les premières notes douloureuses et aiguës du *Lamento pour Adaon* résonnèrent dans les deux salles pleines, on entendit un bref murmure d'étonnement, puis chacun se tut. Et c'est dans un silence profond que Devin, guidé par la flûte d'Alessan, fit monter sa voix et chanta le *Lamento*. Ce ne fut pas pour le dieu cette fois. Si les paroles demeuraient les mêmes, l'objet de cette lamentation n'était plus Adaon tombant de la montagne mais Catriana d'Astibar tombant du château.

Plus tard, les gens racontèrent qu'on n'avait jamais connu pareil silence ni observé pareille concentration chez Solonghi. Jusqu'aux serveuses qui s'occupaient des clients et aux cuisiniers qui s'affairaient à leurs fourneaux derrière le bar, tous s'interrompirent pour écouter. Personne ne bougea ni ne fit le moindre bruit. On n'entendait que le chant de la flûte et la voix solitaire qui interprétait le plus ancien des chants funèbres de la Palme.

Dans sa chambre à l'étage, Alaïs leva la tête de son oreiller trempé de larmes et s'assit lentement. Rinaldo, qui soignait la main mutilée de Sandre, tourna son visage d'aveugle vers la porte, et les deux hommes s'immobilisèrent. Et Baerd, rentré avec Ducas juste à temps pour entendre une nouvelle qui lui causait une douleur comme il ne se croyait plus capable d'en éprouver, eut l'impression, en écoutant Alessan et Devin en dessous, que son âme le quittait, comme au premier soir des Quatre-Temps, et s'envolait dans l'obscurité pour trouver la paix, un foyer, tout un univers de rêve où les jeunes femmes ne mouraient pas de cette façon.

Le son de la flûte et de cette voix pure et douloureuse portait jusque dans la rue, et les passants – qui à la poursuite des rumeurs, qui en quête de plaisirs nocturnes – s'arrêtaient devant l'établissement *Solonghi* pour écouter chanter la souffrance et l'amour, et ils restaient envoûtés par cette musique façonnée par la perte d'un être cher.

On se souvint longtemps à Senzio de ce *Lamento* parfaitement inattendu, déchirant, inoubliable, qui s'éleva au cœur de la nuit tiède et baignée par le clair de lune, la nuit qui devait marquer le début de la guerre.

◆

Ils n'interprétèrent rien d'autre ce soir-là. Ni l'un ni l'autre n'aurait pu. Devin réclama deux bouteilles de vin à Solonghi, derrière son comptoir, et suivit Alessan à l'étage. Une porte était entrouverte, celle de la chambre d'Alaïs, qu'elle avait partagée avec Catriana. Baerd se tenait sur le seuil ; il eut un petit sanglot étouffé et s'avança dans le couloir. Alessan le serra contre lui.

Ils vacillèrent un long moment dans les bras l'un de l'autre. Quand ils reculèrent, tous deux avaient le visage défait, le regard flou. Devin pénétra dans la chambre à leur suite. Alaïs était là, ainsi que Rovigo, Sandre, Rinaldo, Ducas et Naddo. Tous tassés dans cette seule pièce ; comme si le fait de s'asseoir dans la chambre d'où elle était partie les aidait à se rapprocher d'elle.

« Est-ce qu'on a pensé à monter du vin ? demanda Rinaldo d'une voix faible.

— Oui, moi », fit Devin en se dirigeant vers le guérisseur. Rinaldo avait le teint pâle et paraissait épuisé. Devin jeta un regard à la main de Sandre et vit qu'il ne saignait plus. Il aida Rinaldo à saisir une des bouteilles ; le guérisseur ne prit pas la peine de demander un verre et but à même le goulot. Devin donna l'autre bouteille à Ducas, qui fit de même.

Sertino ne quittait pas la main de Sandre des yeux. « Il va falloir que tu prennes l'habitude de masquer cette amputation, dit-il en levant la main gauche, et Devin eut une fois de plus l'illusion que les deux doigts manquants étaient là.

« Je sais, dit Sandre, mais pas tout de suite, je suis épuisé.

— Et alors ? répliqua Sertino. Si quelqu'un s'aperçoit qu'il te manque deux doigts, tu es un homme mort. Même à bout de forces, il nous faut masquer en permanence la mutilation. Fais-le. Tout de suite. »

Sandre lui lança un regard furieux, mais le visage rond et rose du magicien certandan n'exprimait rien d'autre qu'un authentique souci de le protéger. Le duc ferma les yeux, grimaça, puis leva lentement la main gauche. Devin vit cinq doigts – l'illusion de cinq doigts. Il pensait toujours à Tomasso, mort dans son cachot d'Astibar.

Ducas lui passa la bouteille. Il la prit et but. Puis il la transmit à Naddo et alla s'asseoir à côté d'Alaïs, sur le lit. Elle lui prit la main, ce qui n'était encore jamais arrivé. Elle avait les yeux rouges d'avoir tant pleuré, et la peau comme chiffonnée. Alessan était affalé par terre, près de la porte, dos au mur. Il avait les yeux clos. À la lueur des bougies, on aurait dit que son visage avait été évidé, tant les pommettes saillaient.

Ducas s'éclaircit la gorge. « Nous ferions bien de nous organiser, dit-il, mal à l'aise. Si elle a tué ce

Barbadien, ils vont fouiller la ville cette nuit, et la Triade sait ce qui risque de se passer demain.

— Et Sandre a fait usage de magie, ajouta Alessan sans ouvrir les yeux. S'il y a un pisteur à Senzio, il est en danger.

— Ça, nous pouvons nous en charger, déclara Naddo avec fougue en regardant Sertino et Ducas. Nous l'avons déjà fait, rappelez-vous. Et il y avait plus de vingt hommes avec le pisteur.

— Mais nous ne sommes plus dans les montagnes du Certando, fit remarquer Rovigo avec douceur.

— Peu importe, fit Ducas. Naddo a raison. Si nous sommes assez nombreux et que Sertino nous désigne le pisteur, je veux bien être pendu si mes hommes et moi ne parvenons pas à déclencher une bagarre de rue où il se fera tuer.

— Il y a un risque », objecta Baerd.

Ducas eut soudain un sourire de loup, dur et froid, sans trace de joie aucune. « Et s'il y a un risque à prendre ce soir, je suis preneur. » Devin comprenait parfaitement ce qu'il voulait dire.

Alessan ouvrit les yeux depuis le mur et les regarda. « Allez-y alors, dit-il. Devin est rapide, il nous servira de messager si besoin. Nous allons éloigner Sandre d'ici, le ramener au bateau s'il le faut. Si vous nous faites savoir que… »

Il s'arrêta, puis se déplia avec souplesse et fut debout. Baerd avait déjà saisi l'épée qu'il avait posée contre le mur. Devin lâcha la main d'Alaïs et se leva.

Un autre cliquetis leur parvint de l'escalier de l'autre côté de la fenêtre. Puis une main tira un des battants vers l'extérieur, et Erlein di Senzio enjamba le rebord avec précaution pour pénétrer dans la chambre, portant Catriana dans les bras.

Dans le silence minéral qui suivit, il les regarda tous un instant et fit le point de la scène. Puis il se tourna vers Alessan. « Toi qui t'inquiètes pour les magiciens et leur entourage, dit-il d'une voix mince comme papier, je t'amène de quoi te faire quelques cheveux blancs de plus, car je viens de mettre en œuvre une bonne dose de pouvoir à l'instant. S'il y a un pisteur à Senzio, quiconque m'approche risque fort de se faire capturer et exécuter. » Il s'arrêta, puis esquissa un léger sourire. « Mais je l'ai arrêtée à temps. Elle est vivante. »

Devin sentit le sol se dérober sous ses pieds. Il se mit à pousser des cris de joie inarticulés. Sandre bondit littéralement sur ses pieds et se précipita pour prendre le corps inanimé de Catriana des bras d'Erlein. Il s'empressa de l'allonger sur le lit. Il pleurait à nouveau, s'aperçut Devin. Rovigo aussi, ce qui le surprit davantage.

Devin se retourna juste à temps pour voir Alessan traverser la chambre en deux enjambées et serrer le magicien épuisé dans ses bras. Erlein protesta faiblement, mais ses pieds ne touchaient déjà plus terre. Alessan le reposa et recula d'un pas, ses yeux gris brillants de joie, son visage illuminé par un sourire incontrôlable. Erlein tenta de conserver l'expression cynique qu'il affichait d'ordinaire, sans vraiment y parvenir. Puis Baerd les rejoignit et, sans prévenir, saisit le magicien par les épaules et l'embrassa sur les deux joues.

Le troubadour essaya cette fois encore d'afficher un air revêche et mécontent. Et, cette fois encore, il échoua. Il ne les convainquit pas davantage quand il voulut prendre une mine renfrognée avant de déclarer : « Fais un peu attention. Devin m'a fait tomber quand vous êtes tous sortis de l'auberge en courant. J'ai des bleus partout. » Il décocha un regard furieux à Devin, qui lui répondit par un large sourire de bonheur.

Sertino tendit une bouteille à Erlein. Il but une longue gorgée, puis s'essuya la bouche. « En vous voyant tous courir de la sorte, je n'ai pas eu de mal à deviner qu'il était arrivé quelque chose. J'ai essayé de vous suivre, mais je ne cours plus très vite. Alors j'ai décidé d'avoir recours à la magie. Au moment où Alessan et Devin arrivaient d'un côté du mur d'enceinte du château, j'atterrissais de l'autre.

— Mais pourquoi ? demanda brusquement Alessan d'une voix étonnée. Tu ne veux jamais te servir de ta magie. Alors pourquoi ce soir ? »

Erlein haussa les épaules avec application. « Je n'avais jamais vu aucun d'entre vous courir aussi vite. » Il fit une grimace. « Je me suis laissé prendre au jeu, sans doute. »

Alessan souriait toujours. Il ne pouvait pas s'en empêcher. Toutes les quelques secondes, il regardait du côté du lit, comme pour se persuader que c'était bien Catriana qui gisait là. « Et ensuite ? demanda-t-il.

— Ensuite, je l'ai vue à la fenêtre et j'ai compris ce qui se passait. Alors, j'ai… je me suis servi de mon pouvoir pour franchir le mur et je suis allé me poster sous la fenêtre. » Il se tourna vers Sandre. « Tu as envoyé une décharge incroyable, étant donné la distance, mais tu n'avais pas la moindre chance. Tu ne pouvais pas le savoir, pour n'avoir jamais essayé, mais il est impossible d'arrêter quelqu'un dans sa chute de cette manière. Il faut que tu te places juste en dessous et que la personne soit inconsciente. Ce que tu as tenté n'est efficace que sur nous-mêmes ; si nous voulons en faire usage sur quelqu'un d'autre, il faut que la volonté du sujet soit annihilée, sinon tout s'embrouille car, dès qu'il entrevoit ce qui lui arrive, son esprit se met à lutter contre. »

Sandre hochait la tête. « J'ai cru ma faiblesse en cause ; que je manquais de pouvoir malgré l'engagement que je venais de prendre. »

Erlein prit un air mystérieux. Il parut sur le point de réagir aux paroles de Sandre, puis décida de poursuivre son récit. « J'ai usé d'un premier sortilège pour lui faire perdre conscience à mi-chemin, et d'un autre, plus puissant, pour l'attraper avant qu'elle ne s'écrase. Et enfin d'un troisième pour repasser de l'autre côté du mur. J'étais passablement épuisé, et terrifié à l'idée que nous allions être repérés sur-le-champ si d'aventure un pisteur se trouvait dans l'enceinte du château. Mais non, il semble que le château ait sombré dans le chaos.

Je crois qu'il se passe autre chose là-bas. Nous nous sommes cachés derrière le temple d'Eanna un bon moment, et puis je l'ai portée jusqu'ici.

— Vous l'avez portée dans vos bras à travers les rues ? Et personne ne s'en est étonné ? » demanda Alaïs.

Erlein lui sourit non sans aménité. « Cela n'a rien de très surprenant à Senzio, chère amie. » Alaïs vira au pourpre, mais Devin vit qu'elle n'était pas fâchée. Ce n'était pas grave. Plus rien n'était grave soudain.

« Nous ferions mieux d'aller faire un tour dans les rues, fit Baerd à l'intention de Ducas. Il faut passer prendre Arkin et quelques autres. Il ne s'agit plus seulement d'un problème de pisteurs, ce miracle change tout. Quand ils vont s'apercevoir que le corps n'est pas dans le jardin, ils vont organiser une battue phénoménale. Je pense qu'il va y avoir de la bagarre. »

Ducas sourit de nouveau, d'un sourire plus que jamais de loup. « J'espère bien », se contenta-t-il de répondre.

« Un moment, intervint calmement Alessan. Je veux que vous soyez tous témoins de quelque chose. » Il se tourna vers Erlein et hésita, prenant garde à bien choisir ses mots. « Nous savons tous deux que tu as agi ce soir sans que je t'y contraigne et contre ton intérêt. »

Erlein jeta un coup d'œil vers le lit tandis que deux taches rouges apparaissaient sur ses joues cireuses. « Ne grossis pas les choses, Alessan, fit-il d'un air bourru. Tout homme connaît des moments de folie. J'ai toujours eu un faible pour les rousses, voilà tout. C'est ainsi que tu m'as piégé d'ailleurs, tu te souviens ? »

Alessan secoua la tête. « Peut-être, mais cela n'explique pas tout, Erlein di Senzio. Je t'ai soumis à ma cause contre ta volonté, mais j'ai l'impression que tu viens d'y adhérer en toute liberté. »

Erlein jura avec émotion. « Ne dis pas de bêtises, Alessan. Je t'ai expliqué que…

— Je t'ai entendu. Mais cela ne m'empêche pas de me faire mon opinion. C'est plus fort que moi. Et la vérité c'est que, ce soir, Catriana et toi m'avez fait sentir qu'il y a des limites à ce que je suis prêt à faire ou à voir les autres faire pour cette cause. Même si c'est la mienne.»

À ces mots, il fit un pas leste et posa la main sur le front d'Erlein. Le magicien tressaillit, mais Alessan le soutint. «Moi Alessan, prince de Tigane, prononça-t-il distinctement, descendant en ligne directe de Micaela, au nom d'Adaon et du présent qu'il fit à ses enfants, je te rend ta liberté, magicien!»

Les deux hommes se séparèrent en chancelant comme si une corde tendue s'était rompue. Erlein était livide. «Laisse-moi te dire une fois de plus que tu es un imbécile, Alessan!» grommela-t-il.

Alessan secoua la tête. «Tu as usé de termes autrement plus péjoratifs à mon égard, et non sans raison. Mais je vais maintenant t'affubler d'un nom qui va te faire hurler: je vais te traiter d'honnête homme, porteur du même désir de liberté que nous tous. Erlein, tu n'as plus les moyens de dissimuler ta vraie nature derrière tes humeurs et ta rancœur. Tu ne peux pas reporter ta haine des tyrans sur moi. Si tu souhaites nous quitter, va. Mais je ne le crois pas, et je préfère t'accueillir au sein des nôtres comme un homme qui a librement choisi son camp.»

Erlein avait l'air traqué, acculé, si désorienté que Devin éclata de rire ; tout lui semblait limpide désormais, et drôle, mais tellement inattendu! Il s'avança et serra le bras du magicien.

«Je suis heureux que tu fasses partie des nôtres, dit-il.

— Mais je n'ai jamais rien dit de tel! lança Erlein. Je n'ai rien dit ni rien fait de tel!

— Bien sûr que si.» C'était Sandre qui venait de lui répondre ainsi ; son visage sombre et ridé portait les stigmates de la fatigue et de la douleur. «Tu nous l'as prouvé ce soir. Alessan a raison. Il te connaît mieux que quiconque. Mieux que tu ne te connais toi-même, troubadour. Depuis combien de temps essaies-tu de te persuader que rien ne t'importe hormis toi-même ? Combien de personnes as-tu réussi à convaincre ? Moi, déjà. Baerd et Devin. Et peut-être aussi Catriana. Mais pas Alessan, Erlein. En te libérant, il vient de nous prouver que nous nous trompions tous à ton sujet. »

Il y eut un silence. Des cris leur parvenaient de la rue en contrebas, ainsi que le bruit d'une course précipitée. Erlein se tourna vers Alessan, et les deux hommes se regardèrent. Une image prit brusquement forme dans l'esprit de Devin – encore une intrusion de sa mémoire : un campement, au Ferraut, et Alessan qui jouait des mélodies du Senzio pour Erlein blotti près de la rivière, telle une ombre furibonde. Une scène si riche de sens, où se superposaient couche sur couche de termes subtils.

Il vit alors Erlein di Senzio lever la main, la gauche, celle où s'effectuait l'illusion des cinq doigts, et l'offrir à Alessan. Qui, lui, tendit la droite, afin qu'elles se joignissent, paume contre paume.

« Il faut croire que je suis des tiens, tout bien considéré, dit Erlein.

— Je sais, répondit Alessan.

— Venez ! s'écria Baerd un instant plus tard. Nous avons du pain sur la planche. » Devin le suivit, puis Ducas, Naddo et Sertino, vers l'escalier extérieur.

Juste avant d'enjamber la fenêtre, Devin se retourna et jeta un coup d'œil en direction du lit. Erlein s'en aperçut et fit de même.

« Elle va bien, fit doucement le magicien. Très bien, même. Fais ce que tu as à faire et reviens-nous vite. »

Devin leva les yeux vers lui. Ils échangèrent un sourire timide. « Merci », dit Devin, qui entendait en dire long de ce seul mot. Il suivit Baerd dans le vacarme de la rue.

◆

Elle demeura quelques instants éveillée sans ouvrir les yeux. Elle était allongée sur une couche douillette étonnamment familière ; des voix allaient et venaient, tantôt proches, tantôt lointaines, comme l'océan qui se gonfle ou les lucioles de son village, les nuits d'été. Elle eut d'abord du mal à reconnaître ces voix. Elle n'osait pas ouvrir les yeux.

« Je crois qu'elle est réveillée, disait quelqu'un. Auriez-vous l'obligeance de me laisser seul avec elle un moment ? »

Elle connaissait cette voix, elle en était sûre. Elle entendit des gens se lever et quitter la pièce. La porte se referma. Cette voix, c'était celle d'Alessan.

Elle n'était donc pas morte. Elle n'était pas dans l'antichambre de Morian et les voix qui l'entouraient n'appartenaient pas à des défunts. Elle ouvrit les yeux.

Il avait tiré sa chaise tout près du lit. Elle se trouvait dans sa chambre à l'auberge *Solonghi*, couchée dans son lit. On avait étendu une couverture sur elle. Quelqu'un lui avait ôté sa robe de soie noire pour laver le sang sur sa peau. Le sang d'Anghiar, qui avait coulé de sa gorge comme d'une fontaine.

Le retour impétueux de sa mémoire lui donnait des vertiges.

« Tu es vivante, lui dit doucement Alessan. Erlein t'attendait dans le jardin, sous la fenêtre. Il t'a fait t'évanouir, t'a reçue dans ses bras et t'a ramenée en usant de son pouvoir. »

Elle ferma de nouveau les yeux, le temps de digérer toutes ces informations. La vie circulait en elle – sa poitrine qui se soulevait et retombait à chaque respiration, les battements de son cœur, cette sensation de légèreté dans la tête. Elle avait l'impression que la moindre brise suffirait à l'emporter.

Mais non. Elle était à l'auberge *Solonghi* et Alessan se tenait à côté d'elle. Il avait demandé aux autres de partir. Elle tourna la tête et le regarda de nouveau. Il était d'une pâleur extrême.

« Nous t'avons tous crue morte, dit-il. Quand nous t'avons vue tomber depuis notre poste d'observation, à l'extérieur des murs. Ce qu'Erlein a fait, il l'a fait de sa propre initiative. Aucun de nous n'était au courant. Nous te croyions morte », répéta-t-il un instant plus tard.

Elle réfléchit à ses paroles puis demanda : « Ai-je réussi ? Les choses ont-elles bougé ? »

Il se passa la main dans les cheveux. « Il est encore trop tôt pour affirmer quoi que ce soit. Mais je crois que oui. Il y a un remue-ménage incroyable dans les rues. Écoute bien et tu l'entendras. »

En effet, en se concentrant, elle distinguait des cris et des galopades sous les fenêtres.

Alessan avait perdu toute trace de son dynamisme, comme s'il luttait en lui-même. Il régnait une atmosphère paisible dans la chambre. Le lit lui parut plus doux que dans son souvenir. Elle attendit, les yeux posés sur lui, remarquant les mèches de cheveux rebelles là où sa main ne cessait de passer et de repasser.

Choisissant ses mots avec soin, il lui dit : « Catriana, je ne puis t'exprimer à quel point j'ai eu peur ce soir. Il faut que tu m'écoutes et que tu réfléchisses à ce que je vais tâcher de t'exposer, parce qu'il s'agit de quelque chose de très important. » Il faisait une drôle de tête et il y avait dans le ton de sa voix quelque chose qu'elle ne saisissait pas très bien.

Il posa la main sur la sienne, à plat sur la couverture. « Catriana, je ne mesure pas ta valeur à l'aune de ton père. Aucun d'entre nous n'a jamais songé à le faire. Alors arrête de t'éprouver de la sorte. Tu n'as aucune faute à réparer ; tu es ce que tu es et ce que tu as choisi d'être. »

Il s'était engagé sur un terrain difficile, le plus difficile de tous, et elle constata que son cœur battait plus vite. Elle le regarda, plongeant son regard bleu dans ses yeux gris. Ses longs doigts minces couvraient les siens.

« Nous venons au monde avec un passé, dit-elle, une histoire et une famille. Mon père était un poltron et il s'est sauvé. »

Alessan secoua la tête ; il y avait quelque chose de tendu dans l'expression de son visage. « Nous devons faire attention, très attention quand nous jugeons les nôtres ou quand nous jugeons ce qu'ils ont fait à cette époque. Il y a des raisons, outre la peur, qui font qu'un homme marié, père d'une très jeune enfant... puisse choisir de rester avec elle et son épouse, et tente de les protéger. Crois-moi, Catriana, au cours de toutes ces années j'ai vu tant d'hommes et de femmes qui étaient partis pour leurs enfants. »

Elle sentit les premières larmes se former et lutta pour les refouler. Elle détestait aborder ce sujet. C'était le noyau douloureux au centre de tout ce qu'elle entreprenait.

« Mais il a fui avant même la Deisa, murmura-t-elle, avant les batailles, y compris celle que nous avons remportée. »

Cette fois encore, il secoua la tête et tressaillit devant son désarroi. Il souleva sa main et la porta à ses lèvres. Elle ne se rappelait pas qu'il eût jamais fait chose pareille. Il y avait quelque chose de vraiment étrange dans tout ceci.

« Les relations entre parents et enfants sont si complexes, reprit-il d'une voix à peine audible ; et nous sommes si prompts à juger. » Il hésita un instant. « Je ne sais pas si Devin te l'a dit, mais ma mère m'a maudit dans l'heure qui a précédé sa mort. Elle m'a traité de couard et de renégat. »

Elle cligna des yeux et se redressa sur son séant. Mais il était encore trop tôt ; la tête lui tournait et elle se sentait terriblement faible. Devin ne lui avait rien dit ; il n'avait pratiquement jamais fait allusion à cette journée-là.

« Comment a-t-elle pu faire une chose pareille ? » demanda-t-elle tout en sentant la colère la gagner, quand bien même elle n'avait jamais vu cette femme. « Toi ? un couard ? N'était-elle donc pas au courant ?...

— Elle était au courant de tout ou presque, dit-il posément. Mais ce n'était pas l'idée qu'elle se faisait de mon devoir. C'est ce que j'essaie de t'expliquer, Catriana : il est possible d'être en désaccord sur de tels sujets et d'en arriver à un stade insupportable, comme toi et moi l'avons vécu. J'apprends tant de choses si tardivement ! Dans le monde où nous vivons, ce dont nous avons le plus besoin c'est de compassion, me semble-t-il, sinon nous nous retrouvons seuls. »

Cette fois, elle réussit à se redresser un peu mieux dans son lit. Elle le regarda en essayant d'imaginer cette journée, les paroles de sa mère. Elle se souvint de ce qu'elle-même avait dit à son père à la veille de son départ, des mots blessants qui l'avaient contraint à sortir dans la nuit. Il errait toujours seul quelque part quand elle s'était enfuie.

« Est-ce que… est-ce que tout s'est terminé là-dessus avec ta mère ? Est-ce ainsi qu'elle est morte ?

— Elle n'est pas revenue sur ses paroles, mais elle m'a laissé lui prendre la main juste avant la fin. Je ne saurai jamais si cela signifiait…

— Bien sûr que si ! s'empressa-t-elle de dire, bien sûr que si, Alessan ! Nous sommes tous ainsi. Nous exprimons avec nos mains ou nos yeux ce que nous n'osons pas déclarer. » Elle se surprenait elle-même ; elle n'avait même pas conscience de savoir ces choses-là.

Il lui sourit et se pencha sur leurs mains entrelacées. Elle se sentit rougir. « Il y a du vrai dans ce que tu viens de dire, fit-il. C'est exactement ce que je suis en train de faire. Peut-être que je suis bel et bien un couard après tout. »

Il avait renvoyé les autres. Elle sentait son cœur battre à se rompre. Elle le fixa dans les yeux, puis détourna aussitôt le regard, de crainte de paraître indiscrète après ce qu'elle venait de lui dire. Elle se faisait l'effet d'une enfant baignant dans la plus extrême confusion ; elle était certaine de passer à côté de quelque chose d'important. Elle avait toujours détesté que les choses lui échappent. Et, pourtant, elle ressentait une chaleur extraordinaire à l'intérieur d'elle-même, et une étrange sensation de lumière, plus vive que la lueur des chandelles.

Elle s'efforça de contrôler sa respiration et, parce qu'elle avait besoin d'une réponse tout en ayant une peur affreuse de ce qu'elle serait, elle bafouilla: «Peux-tu… peux-tu m'expliquer un peu mieux? S'il te plaît?»

Elle ne se détourna pas cette fois et vit son sourire, puis son regard qui s'enflammait, et elle alla jusqu'à lire sur ses lèvres à mesure qu'elles formaient les mots.

«Quand je t'ai vue tomber, murmura-t-il, et sa main tenait toujours la sienne, je me suis aperçu que je tombais avec toi, chère Catriana. J'ai fini par comprendre, quoique un peu tard, que je m'étais refusé, interdit quelque chose de capital dont j'étais allé jusqu'à nier la possibilité tant que la Tigane demeurerait sous le joug. Le cœur… a ses lois cependant, Catriana, et, pour dire la vérité, tu es la loi du mien. Je l'ai compris lorsque je t'ai vue debout sur cette fenêtre. Dans l'instant qui a précédé ta chute, j'ai su que je t'aimais. Brillante étoile d'Eanna, pardonne-moi la manière dont je te le révèle, mais tu es le havre de mon âme de voyageur.»

Brillante étoile d'Eanna. Il l'avait toujours appelée ainsi, dès le début. Avec légèreté, insouciance, un nom parmi d'autres, une taquinerie lorsqu'elle se rebiffait, un terme élogieux quand elle faisait quelque chose de bien. Le havre de son âme.

Elle pleurait en silence, des larmes qui montaient à ses yeux et s'écoulaient de chaque côté de ses joues.

« Non, Catriana, pas cela, dit-il avec une étrange intonation dans la voix. Pardonne-moi, je ne suis qu'un imbécile. J'aurais dû attendre, après ce que tu viens de faire. Je n'aurais pas dû te parler ce soir. Je ne sais même pas si tu…»

Il s'interrompit, et pas seulement parce qu'elle lui avait posé un doigt sur les lèvres pour le faire taire. Elle pleurait encore, oui, mais prenait peu à peu conscience de l'étonnante clarté qui baignait la chambre, plus vive que la lueur des bougies ou le clair des deux lunes : un éclat semblable à celui du soleil levant lorsqu'il franchit la barrière de l'obscurité.

Elle enleva ses doigts, qu'il tenait pressés contre ses lèvres, et lui prit la main comme il l'avait fait tout à l'heure. *Nous faisons avec nos mains ce que nous n'osons pas dire.* Elle était incapable de prononcer un mot. Elle tremblait. Elle se souvint à quel point ses mains tremblaient lorsqu'elle avait quitté cette chambre, plus tôt dans la soirée. Moins d'une heure auparavant, elle était debout à la fenêtre du château, certaine qu'elle allait mourir. Ses larmes coulaient sur la main d'Alessan. Elle baissa la tête mais d'autres larmes suivirent. Son cœur était un oiseau, un trialla qui vient de naître, ouvre les ailes et s'apprête à chanter pour la première fois.

Il s'était agenouillé au pied du lit. De sa main libre elle lui caressa les cheveux, essayant vainement de les lisser. Cela devait faire longtemps qu'elle en avait envie. Mais depuis quand ? Combien de temps peut-on vivre avec une envie pareille sans y céder ni même reconnaître son existence ?

« Quand j'étais petite, dit-elle enfin d'une voix étranglée qui trahissait le besoin de parler, j'ai souvent fait ce rêve. Alessan, suis-je morte pour ressusciter ensuite ? Ce qui m'arrive maintenant est-il bien réel ? »

Il sourit lentement, de ce sourire profondément rassurant qu'elle connaissait si bien, qu'ils connaissaient tous, comme si les paroles qu'elle avait prononcées l'avaient libéré de ses craintes, lui avaient permis de recouvrer sa personnalité. Il la gratifia de ce regard unique, celui qui signifiait depuis toujours : Je suis avec vous, ayez confiance, tout ira bien.

Puis, contre toute attente, il posa la tête sur la couverture, comme s'il cherchait un refuge à son tour, que seule elle était capable de lui donner. Elle entendit sa requête. Quelle déesse aurait prédit qu'elle avait réellement quelque chose à lui offrir, quelque chose d'autre que sa mort en fin de compte ? Elle leva les mains et lui prit la tête. Elle le tint contre elle, et, à cet instant, il lui sembla que le trialla nouveau-né dans son âme se mettait à chanter. Il chantait les épreuves subies et celles à subir, le doute et les ténèbres, toutes les incertitudes profondes qui définissent les frontières de la vie des mortels, mais aussi l'amour au fondement de toute chose, telle une lueur, telle la première pierre d'une tour qui se construit.

◆

Il y avait bel et bien un pisteur à Senzio comme Devin l'apprit cette nuit-là, mais on s'était chargé de le tuer à leur place. Ils n'eurent pas non plus à affronter la traque massive qu'ils craignaient. L'aube approchait quand ils parvinrent enfin à mettre les éléments de l'histoire bout à bout.

Les Barbadiens étaient devenus fous.

Lorsqu'ils avaient découvert le couteau ygrathien à la lame empoisonnée après avoir entendu les dernières paroles de cette femme, il ne leur avait pas fallu longtemps pour en tirer des conclusions cruellement évidentes.

Ils étaient vingt Barbadiens à Senzio, qui formaient la garde d'honneur d'Anghiar. Ils se rassemblèrent, prirent les armes et se dirigèrent droit sur l'aile occidentale du château du gouverneur. Là, ils tuèrent les six Ygrathiens de garde, enfoncèrent une porte et se ruèrent sur Cullion d'Ygrath, le représentant de Brandin, alors qu'il s'habillait en hâte. Ils prirent leur temps pour l'achever. Ses hurlements résonnèrent dans tout le château.

Puis ils redescendirent, traversèrent la cour et marchèrent jusqu'à la grille d'entrée. Ils taillèrent en pièces les quatre gardes senzians qui avaient laissé entrer cette femme sans la fouiller correctement. C'est alors que le capitaine des gardes du château surgit dans la cour avec une compagnie de Senzians et leur ordonna de déposer les armes.

À en croire la plupart des rapports ultérieurs, les Barbadiens étaient sur le point d'obtempérer, maintenant qu'ils avaient assouvi leur désir de vengeance immédiate, quand deux des Senzians, que le massacre de leurs amis avait rendu fous de rage, leur décochèrent une volée de flèches. Deux Barbadiens s'écroulèrent, l'un tué sur le coup, l'autre mortellement blessé. Le mort n'était autre que le pisteur d'Alberico. S'ensuivit une mêlée sanglante à la lueur des flambeaux éclairant la cour du château, que le sang rendit bientôt glissante. Les Barbadiens périrent tous jusqu'au dernier, non sans avoir d'abord massacré trente ou quarante Senzians.

Nul n'aurait su dire qui avait tiré la flèche qui tua le gouverneur Casalia alors qu'il descendait en hâte et leur criait d'une voix rauque de se séparer.

Dans le chaos qui suivit sa mort, personne ne songea à descendre au jardin retrouver le corps de la femme à l'origine de tout cela. En ville, la panique ne cessait de croître à mesure que les nouvelles se répandaient. Une foule de gens terrifiés se massa devant le château. Peu après minuit, on vit deux chevaux sortir de la ville au triple galop et se diriger vers la frontière du Ferraut, au sud. Guère plus tard, les cinq survivants de la délégation ygrathienne enfourchèrent leurs montures à leur tour et s'éloignèrent en groupe compact sous les deux lunes. Ils prirent au nord, bien entendu, en direction de Farsaro où était ancrée la flotte ygrathienne.

◆

Catriana dormait dans l'autre lit, le visage lisse et paisible, presque enfantin à force de sérénité. Alaïs, elle, n'arrivait pas à trouver le repos. Il y avait trop de bruit et de remue-ménage dans les rues, et son père était dans la tourmente lui aussi, dont on ne connaissait d'ailleurs pas la nature exacte.

Lorsque Rovigo rentra, il s'arrêta à leur porte pour jeter un coup d'œil et l'informa qu'il ne semblait pas y avoir de danger immédiat ; cela ne suffit pas à l'endormir. La soirée avait été trop fertile en événements, mais elle, qui n'avait pas fait grand-chose, n'était pas aussi lasse que Catriana. Elle oscillait entre exaltation et inquiétude, sans pouvoir définir ce qui la mettait dans un tel état. Finalement, elle enfila la robe qu'elle avait achetée au marché deux jours plus tôt et alla s'asseoir sur le rebord de la fenêtre ouverte.

Il était très tard à présent, les deux lunes étaient passées à l'ouest et descendaient au-dessus de la mer. Elle n'apercevait pas le port, l'auberge étant trop loin de la côte, mais elle savait qu'il était là et s'imaginait le léger balancement de *la Sirène* à l'ancre sous l'effet de la brise nocturne. Il y avait du monde dans les rues, encore à cette heure ; elle voyait passer des silhouettes dans la venelle en dessous et entendait des cris en provenance du quartier des tavernes, mais rien de plus que les bruits normaux d'une ville sans couvre-feu, encline à vivre la nuit.

L'aube ne devait pas être bien loin, et elle se demanda combien de temps encore elle devrait rester éveillée si elle voulait voir le lever du soleil. Elle se dit qu'elle allait veiller jusque-là. Ce n'était pas une nuit propice au sommeil ; en tout cas pas pour elle, rectifiat-elle en regardant Catriana. Elle se rappelait la première fois qu'elles avaient partagé une chambre ; sa chambre, chez elle.

Elle en était bien loin. Qu'avait bien pu penser sa mère en recevant la missive de Rovigo – une lettre d'explication ou presque, en termes dûment pesés – qu'il avait fait porter par courrier depuis le port d'Ardin, en Astibar, avant de mettre le cap sur le Senzio ? Elle se posa la question, mais d'une certaine manière elle connaissait la réponse. La confiance mutuelle de ses parents était un des éléments qui définissaient et sous-tendaient son univers.

Elle leva les yeux au ciel. Il faisait encore sombre et les étoiles brillaient d'un éclat plus intense encore, maintenant que les deux lunes se couchaient ; sans doute encore quelques heures avant l'aube. Elle entendit un rire de femme juste en dessous et s'aperçut avec une sensation bizarre que c'était la première fois depuis le début de la soirée, en raison du tumulte qui régnait dans les rues. D'une manière curieuse, inattendue, l'éclat étouffé de la femme, bientôt suivi du murmure d'un homme, contribua à la rassurer: malgré ce qui se passait, malgré ce qui les attendait, certaines choses de la vie demeuraient immuables.

Elle entendit craquer une des marches de bois de l'escalier extérieur. Alaïs se pencha en arrière et se dit à retardement qu'on pouvait sans doute l'apercevoir d'en bas.

« Qui est-ce ? demanda-t-elle doucement, pour ne pas réveiller Catriana.

— Ce n'est que moi », fit Devin en atteignant le palier de la chambre. Elle le regarda. Ses vêtements étaient maculés de boue, comme s'il était tombé ou qu'il avait roulé par terre, mais sa voix était calme. Il faisait trop sombre pour distinguer ses yeux. « Comment se fait-il que tu ne dormes pas ? » demanda-t-il.

Elle fit un geste du bras, ne sachant trop que lui répondre. « Il s'est passé tellement de choses en si peu de temps ! Je n'ai pas l'habitude. »

Il lui sourit de toutes ses dents. « Nous non plus, crois-moi. Mais je ne pense pas qu'il se passe grand-chose d'autre d'ici demain. Nous allons tous nous coucher.

— Mon père est passé il y a un moment. Il m'a dit que l'agitation s'était quelque peu calmée. »

Devin hocha la tête. « Du moins pour l'instant. Le gouverneur s'est fait assassiner dans son château. Catriana a bel et bien mis fin aux jours du Barbadien. Un vent de folie meurtrière a soufflé sur le château, et quelqu'un aurait tué le pisteur d'une flèche. C'est ce qui nous a sauvés. »

Alaïs soupira. « Mon père ne m'a rien dit de tout cela.

— Il n'aura pas voulu t'alarmer à cette heure tardive. Pardonne-moi si c'est ce que je viens de faire. » Il jeta un coup d'œil à l'autre lit. « Comment va-t-elle ?

— Bien, me semble-t-il. Elle dort comme un bébé. » Elle avait saisi la note d'inquiétude qui perçait dans sa voix. Mais Catriana méritait cette sollicitude, cette tendresse, depuis longtemps, pour des raisons qui allaient bien au-delà de ce qu'Alaïs parvenait à envisager.

« Et toi, Alaïs ? » demanda Devin sur un ton différent, en se tournant vers elle. Il y avait dans sa voix, comme altérée, plus profonde, quelque chose qui lui rendit la respiration difficile.

« Je suis bien ici, honnêtement.

— Je sais que tu es bien, et plus encore, Alaïs. Oui, beaucoup plus. » Il hésita un instant, se sentant gauche tout à coup. Elle ne comprit pas pourquoi, jusqu'à ce qu'il se penchât lentement vers elle et l'embrassât sur la bouche. Pour la seconde fois, si l'on comptait le baiser qu'il lui avait donné en public, dans la salle surpeuplée du rez-de-chaussée, mais celui-ci n'avait pas grand-chose à voir avec le premier. D'abord il prit son temps, et puis ils étaient seuls, et il faisait très sombre. Elle sentit sa main remonter puis effleurer le devant de sa robe avant d'aller se poser dans ses cheveux.

Il recula, comme étourdi. Alaïs ouvrit les yeux. Il paraissait incertain et plus fragile, sur ce palier. Des gens passèrent dans la ruelle en contrebas, plus lentement cette fois, sans courir. Devin et Alaïs se regardaient en silence. Il s'éclaircit la gorge. « Il reste… il reste encore deux ou trois heures avant l'aube. Tu devrais essayer de dormir un peu, Alaïs. Il risque de se passer beaucoup de choses dans les jours à venir. »

Elle sourit. Il hésita encore un instant, puis s'en alla le long du palier jusqu'à la chambre qu'il partageait avec Erlein et Alessan.

Elle demeura assise au bord de la fenêtre quelques moments de plus, pour admirer la brillance des étoiles et permettre à son cœur de retrouver un rythme normal. Elle réentendit dans sa tête l'incertitude passagère et juvénile, l'étonnement qui transparaissait dans ses dernières paroles. Alaïs se sourit encore à elle-même dans l'obscurité. Pour quelqu'un formé à l'école de l'observation, cette voix était révélatrice. Dire que l'avoir touchée suffisait à le mettre dans cet état ! Voilà qui était, se dit-elle en y réfléchissant et en revivant ce baiser, pour le moins surprenant.

Elle souriait encore lorsqu'elle descendit de la fenêtre et retourna se coucher. Et, cette fois, elle s'endormit pour les dernières heures, ô combien différentes, d'une longue nuit.

◆

Le lendemain fut jour d'attente. Le voile de la fatalité était suspendu comme un nuage au-dessus de Senzio. Le grand argentier de la ville tenta de prendre le contrôle du château, mais le commandant de la garde n'entendait pas recevoir d'ordres de lui. Leur désaccord se manifesta bruyamment jusqu'au soir. Quelqu'un songea tout à coup à aller quérir le corps de la jeune femme, mais on l'avait déjà emporté ; nul ne savait où ni sur l'ordre de qui.

Toute activité cessa. Les gens arpentaient la ville, se nourrissant de rumeurs, étouffant de peur. À chaque coin de rue il circulait une histoire différente. On racontait que Rinaldo, le frère du dernier duc, était revenu prendre les rênes du Senzio ; aux alentours de midi, chacun avait entendu une version de l'histoire, mais nul n'avait vu l'homme.

Au tomber du jour, plus personne ne tenait en place. Nombreux furent ceux qui passèrent la nuit dehors. Nul ne semblait disposé à dormir. C'était une belle nuit claire et les deux lunes chevauchaient allègrement dans un ciel dégagé. Il y avait tant de monde à l'auberge *Solonghi* que beaucoup durent se contenter de rester à l'extérieur pour écouter les trois musiciens chanter la liberté et la gloire passée du Senzio. Des chants qu'on avait cessé d'interpréter depuis que Casalia avait renoncé au trône ducal de son père pour se contenter du titre de gouverneur, conseillé par les émissaires des tyrans. Mais Casalia était mort. Les deux émissaires aussi. La musique s'échappait de l'auberge, se glissait dans les ruelles, puis montait dans la nuit odorante de l'été vers les étoiles.

Juste après le lever du jour, on apprit qu'Alberico de Barbadior avait passé la frontière l'après-midi précédent et marchait vers le nord avec ses trois armées, brûlant villages et récoltes sur son passage. Avant midi, d'autres nouvelles arrivèrent, du nord cette fois : Brandin et sa flotte avaient levé l'ancre de Farsaro et mis le cap au sud sous un vent favorable.

La guerre était là.

À Senzio, nombreux furent ceux qui décidèrent de quitter leur toit. Les tavernes se vidèrent, les rues aussi, et tous se massèrent, tardivement il est vrai, dans les temples de la Triade.

Cet après-midi-là, dans la salle pratiquement déserte de *Solonghi*, un homme continuait à jouer de la flûte de Tregea ; sans cesser de monter dans les aigus, sur un rythme de plus en plus rapide, il interprétait un air endiablé que tout le monde ou presque avait oublié.

Chapitre 20

La mer était derrière elle, au pied d'une piste de chevriers qui serpentait le long de la pente jusqu'à une bande de sable; c'est là qu'ils avaient échoué les bateaux et mis pied à terre. À deux milles au nord environ se dressaient les murs de Senzio ; de son promontoire, Dianora apercevait les dômes brillants des temples et les remparts du château. Le soleil qui se levait au-dessus de la forêt de pins, à l'est, était couleur de bronze dans la chape d'un bleu intense du ciel. Il faisait déjà tiède en ces premières heures du jour. Il ferait chaud dès le milieu de la matinée.

À ce moment-là, la bataille aurait commencé.

Brandin s'entretenait avec d'Eymon, Rhamanus et ses capitaines dont trois, récemment nommés, étaient originaires des provinces. De Corte, d'Asoli et de Chiara. Pas de Basse-Corte, certes, encore qu'un certain nombre d'hommes étaient venus de sa province pour grossir les rangs de l'armée dans la vallée à leurs pieds. Un soir qu'elle n'arrivait pas à trouver le sommeil, à bord du vaisseau amiral au large de Farsaro, elle s'était demandé un instant si Baerd se trouvait parmi eux. Elle savait que non, pourtant. Car, s'il était un principe sur lequel ni Brandin ni son frère ne reviendraient jamais, c'était bien celui-là. Le monde pouvait changer, cet état de choses se perpétuerait jusqu'à ce que la dernière génération de l'ancienne Tigane ait disparu.

Et elle ? Depuis le plongeon, depuis qu'elle était sortie de l'océan, elle avait essayé de ne plus penser du tout. De se contenter de vivre les événements dont elle était l'instigatrice. D'accepter le joyau que constituait l'amour de Brandin, mais aussi les terribles incertitudes de cette guerre. Elle avait cessé de voir le chemin tracé par la riselka. Elle en connaissait la signification, mais elle s'efforçait de ne pas s'y arrêter pendant la journée. La nuit, les choses étaient différentes, ne serait-ce qu'à cause des rêves.

Elle se sentait à la fois détentrice et prisonnière d'un cœur cruellement divisé.

Flanquée de ses deux gardes, elle fit quelques pas sur le sommet de la colline et porta le regard au-delà de la vallée qui courait d'est en ouest. Elle distinguait la forêt de pins, les oliviers qui poussaient sur les pentes méridionales, plus abruptes, et au nord le plateau qui menait à la ville de Senzio.

Les deux armées en contrebas s'apprêtaient tout juste. Les hommes émergeaient de leurs tentes et roulaient leur matériel de couchage. On sellait les chevaux, on les bridait, on nettoyait les épées, on ajustait les arcs. Partout dans la vallée, le métal luisait au soleil levant. Le bruit des voix montait sans peine jusqu'à elle dans l'atmosphère lumineuse et dégagée de ce matin d'été. Il y avait juste assez de brise pour soulever les bannières, les exposer aux yeux de tous. Brandin avait choisi un nouvel emblème : un dessin de la Palme, de couleur or, se détachant sur le bleu profond de la mer. La symbolique de l'image était on ne peut plus claire : certes, il se battait au nom de la Palme occidentale, mais à plus long terme il revendiquait la péninsule tout entière, une péninsule unie dont le Barbadior aurait été chassé. C'était un symbole porteur, Dianora le savait. C'était également la démarche la plus cohérente, celle qui servirait le mieux les intérêts de la péninsule. Mais celui qui l'entreprenait n'était autre que l'ancien roi d'Ygrath.

Il y avait même des Senzians dans l'armée d'Ygrath, outre les ressortissants des quatre provinces. Plusieurs centaines d'entre eux étaient arrivés de la ville ces deux derniers jours, depuis que la flotte de la Palme occidentale avait accosté dans la partie méridionale de la baie. Maintenant que le gouverneur était mort et qu'au château on se disputait un pouvoir insignifiant, la politique de neutralité du Senzio avait volé en éclats. Avec l'aide, nul n'en doutait, du délire incendiaire d'Alberico dans les campagnes, qui entendait ainsi venger les Barbadiens morts en ville. Si l'armée barbadienne s'était montrée plus rapide, Rhamanus aurait peut-être eu du mal à échouer ses navires face à l'ennemi, mais les vents les avaient avantagés et ils avaient atteint la ville vingt-quatre heures avant Alberico. Ce qui avait permis à Brandin de choisir la colline la mieux située, d'où il pouvait surveiller la vallée, et de placer ses hommes à sa guise. Il disposait ainsi d'un avantage certain, nul ne l'ignorait.

Mais il leur parut dérisoire, le lendemain matin, quand les trois armées du Barbadior émergèrent de la fumée levée par les incendies, au sud. Les Barbadiens marchaient sous deux bannières et non une seule : celle de l'Empire – montagne rouge et tiare d'or sur champ d'argent – et celle d'Alberico, un sanglier de couleur pourpre sur champ jaune blé. Il y avait tant de rouge dans ces deux bannières que la plaine était comme mouchetée de taches de sang, tandis que cavaliers et fantassins, tous bien entraînés, se déployaient en rangs impeccables sur la bordure orientale de la vallée. Les soldats de l'empire barbadien avaient conquis la plupart des terres connues à l'orient de la péninsule.

Dianora les avait regardés venir du haut de la colline. On aurait cru qu'ils n'en finiraient jamais. Elle avait fait plusieurs allers et retours jusqu'à la tente qu'elle partageait avec Brandin. Le soleil se couchait. Il était déjà loin derrière elle, il dominait la mer, que les mercenaires d'Alberico, fantassins et cavaliers, n'étaient pas encore tous arrivés.

« Trois contre un, peut-être un petit peu moins », fit Brandin en s'approchant. Il allait tête nue et ses cheveux gris, coupés courts, étaient tout ébouriffés par la brise crépusculaire.

« Sont-ils trop nombreux ? » demanda-t-elle à voix basse pour que personne ne l'entendît.

Il la regarda brièvement et lui prit la main. Il faisait souvent ce geste, comme s'il avait besoin d'un contact physique fréquent avec elle. Leurs ébats amoureux atteignaient une telle intensité désormais qu'ils les laissaient épuisés, vidés de leur substance, à peine capables de formuler une pensée. C'est exactement ce que cherchait Dianora : elle voulait s'engourdir le cerveau, faire taire les voix et les souvenirs, effacer l'image de ce chemin linéaire, évident, qui devait s'achever dans l'obscurité des fonds marins.

Le jour où les Barbadiens arrivèrent, Brandin glissa les doigts entre les siens, sur la colline, et lui dit : « Ils sont peut-être trop nombreux, c'est difficile à dire. Mais j'ai davantage de pouvoir qu'Alberico. Il me semble que du haut de cette colline je devrais pouvoir compenser la différence entre nos deux armées. »

Une déclaration tranquille, mûrement pesée, pertinente, mais sans arrogance, née de cette fierté constante et inébranlable. Et pourquoi remettrait-elle en cause son pouvoir de sorcier ? Elle était bien placée pour savoir les ravages qu'il avait causés lors d'une guerre remontant à presque vingt années.

Cette conversation datait de la veille. Ensuite, elle s'était tournée vers la mer pour observer le coucher du soleil. Il avait fait une belle nuit claire ; Vidomni croissait, Ilarion était pleine, lune bleue et mystérieuse, porteuse de rêve, lune fantastique, lune magique. Elle se demandait s'ils auraient un peu de temps à eux, mais Brandin passa la majeure partie de la nuit parmi les tentes de son armée et s'entretint ensuite avec ses capitaines. D'Eymon, elle le savait, resterait avec lui sur la colline le lendemain, et Rhamanus, qui était davantage marin que soldat, serait là lui aussi pour encadrer les gardes du roi en défense, si le besoin s'en faisait sentir. Mais, s'ils étaient obligés d'en arriver là, elle ne donnait pas cher de leurs vies à tous.

Les deux lunes s'étaient couchées au moment où Brandin revint à leur tente perchée sur cette colline au-dessus de la mer. Elle l'attendait et lut la fatigue sur son visage. Il portait des cartes, des croquis topographiques qu'il voulait étudier une dernière fois, mais elle l'obligea à les poser.

Il s'approcha du lit et s'allongea tout habillé. Il posa la tête sur ses genoux. Tous deux restèrent longtemps silencieux. Puis Brandin bougea légèrement et leva les yeux vers elle.

« Je hais cet homme là-bas, dit-il calmement. Je hais tout ce qu'il représente. Il est incapable de la moindre passion. L'amour ? La fierté ? Il ne sait pas ce que c'est. Il ne connaît que l'ambition. Rien d'autre ne compte à ses yeux. Rien ne l'émeut, rien ne lui inspire ni pitié ni chagrin, sauf son propre sort. Les choses de la vie ne sont que des instruments, des outils à ses yeux. Il veut la tiare de l'empereur mais il ne sait même pas dans quel but. Il la veut, c'est tout. Je ne pense pas qu'il ait jamais ressenti la moindre émotion, éprouvé le moindre sentiment pour qui que ce soit… ni amour, ni douleur de la perte, rien. »

Il se calma. Il était si fatigué qu'il se répétait. Elle lui massa les tempes tout en regardant son visage tandis qu'il se retournait, fermait les yeux, et que son front se déridait sous la pression de ses doigts. Puis sa respiration se fit plus régulière et elle comprit qu'il s'était endormi. Elle-même resta éveillée, ses mains allant et venant comme des mains d'aveugle. Elle savait, à la qualité de la lumière dehors, que les lunes s'étaient couchées, qu'au matin la guerre aurait commencé et qu'elle aimait cet homme plus que tout au monde.

◆

Elle avait dû finir par s'endormir car, lorsqu'elle rouvrit les yeux, le ciel gris annonçait le lever du jour et Brandin n'était plus avec elle. Elle vit une anémone rouge sur l'oreiller à côté d'elle. Elle la regarda un moment sans bouger, puis s'en empara et l'écrasa contre son visage, humant sa senteur délicate. Elle se demanda s'il connaissait la légende attachée à cette fleur dans la péninsule. Sûrement pas, conclut-elle.

Elle se leva, et, quelques instants plus tard, Scelto entra, une tasse de khav à la main. Il portait le gilet de cuir rigide des messagers, une armure légère mais inefficace contre les flèches. Il faisait partie de cette vingtaine d'hommes qui s'étaient portés volontaires pour transmettre ordres et messages du sommet de la colline à la vallée et vice versa. Mais c'était elle qu'il était venu voir en premier, comme chaque matin au saishan depuis douze ans. Dianora craignait qu'à trop s'en faire la remarque elle se mît à pleurer : un signe de mauvais augure en un jour pareil. Elle parvint à esquisser un sourire et lui dit de retourner vers le roi, qui avait davantage besoin de lui ce matin.

Après son départ, elle but lentement son khav, à l'écoute des bruits extérieurs qui s'amplifiaient. Puis elle se lava, s'habilla et sortit de la tente. Le soleil se levait.

Deux hommes de la garde royale l'attendaient. Ils la suivaient partout, en prenant soin de rester un ou deux pas derrière, mais jamais plus. Elle demeurerait sous bonne garde toute la journée, elle le savait. Elle chercha Brandin du regard et tomba sur Rhun. Tous deux se tenaient sur la crête nivelée ; ils ne portaient ni couvre-chef ni armure mais des épées identiques au côté. Brandin avait revêtu le simple uniforme brun des soldats.

Cela ne suffisait pas à la tromper, ni personne d'autre. Impossible.

Peu après, on le vit se diriger seul vers la corniche et lever le bras, que chacun dans l'une et l'autre armée le reconnût. Sans un mot, sans un avertissement, une fusée rouge sang jaillit de sa main tendue, telle une flamme dans le bleu profond du ciel. Du fond de la vallée monta une clameur ; c'étaient les soldats de Brandin qui criaient le nom de leur roi, tout en s'apprêtant à traverser la vallée pour marcher à la rencontre de l'immense armée d'Alberico et livrer une bataille qui menaçait depuis bientôt vingt ans.

◆

« Pas encore, dit fermement Alessan pour la cinquième fois au moins. Cela fait des années que nous attendons, nous n'allons tout de même pas céder à la précipitation maintenant. »

Devin avait l'impression qu'au travers de cette incitation à la prudence le prince s'adressait davantage à lui-même qu'aux autres. Tant qu'Alessan ne leur aurait pas donné l'ordre d'agir, ils n'avaient rien d'autre à faire que de regarder les soldats de Barbadior, d'Ygrath et des provinces de la Palme s'entre-tuer sous le soleil torride du Senzio.

Il était midi, à peine plus, à en juger par le soleil, et il faisait une chaleur accablante. Devin essaya d'imaginer ce que pouvaient bien ressentir les hommes en contrebas, qui se frappaient du haut de leur cheval, glissaient dans le sang, piétinaient ceux qui avaient chu tandis que la bataille faisait rage. Devin et les siens étaient trop loin pour reconnaître quiconque, mais pas si loin qu'ils ne pussent entendre les hommes hurler et mourir.

C'était Alessan qui avait choisi leur poste d'observation une semaine plus tôt, en misant avec beaucoup d'acuité sur la position des deux sorciers. Tous deux s'étaient postés exactement où il l'avait prédit. Depuis la crête pentue où ils s'étaient installés, à un demi-mille au sud de la colline plus large et plus élevée où Brandin se tenait, Devin plongea le regard sur la vallée et vit les deux armées enchevêtrées qui s'acharnaient l'une et l'autre à expédier le plus possible d'âmes chez Morian.

« L'Ygrathien a bien choisi son terrain », avait déclaré Sandre au début de la matinée, avec une admiration presque détachée, tandis que leur parvenaient les premiers cris des hommes et des chevaux. « La plaine est assez large pour lui permettre de manœuvrer, mais assez étroite pour interdire aux Barbadiens de l'encercler sans se mettre en difficulté dans les hauteurs. Il faudrait qu'ils grimpent dans les collines de part et d'autre, suivent les pentes dangereusement exposées puis redescendent de nouveau.

— Et, à y regarder de près, avait ajouté Ducas, on constate que Brandin a placé la plupart de ses archers sur son flanc droit, en direction du sud, pour le cas où les Barbadiens s'y risqueraient malgré tout. Ils peuvent les tirer comme du gibier parmi les oliviers qui poussent sur les pentes, si les Barbadiens essaient de les contourner. »

De fait, un régiment de Barbadiens avait tenté la manœuvre une heure plus tôt. La plupart avaient été massacrés, les autres avaient battu en retraite sous les flèches des archers de la Palme occidentale. Devin avait ressenti une bouffée d'excitation, qui s'était bientôt mue en un trouble et un embarras certain. Les Barbadiens étaient les champions de la tyrannie, certes, et de tout ce qui en découlait, mais comment pourrait-il se réjouir du triomphe de Brandin d'Ygrath ?

Pourtant, lui fallait-il souhaiter la mort des hommes de la Palme sous les coups des mercenaires d'Alberico ? Il ne savait plus que penser ni comment réagir. C'était comme si son âme avait été mise à nu et exposée ici, pour brûler sous le soleil senzian.

Catriana se tenait juste devant lui, aux côtés du prince. Depuis qu'Erlein l'avait ramenée du château vivante, ils ne se quittaient plus. Le lendemain, Devin avait connu un moment difficile, tandis que, pour le moins désorienté, il s'efforçait d'accepter l'évidence – cet extraordinaire rayonnement qui émanait d'eux. Alessan avait ce même air de ravissement qui s'emparait de lui dès qu'il se mettait à jouer de la musique. On aurait dit qu'il venait de poser la première pierre de son foyer. Devin s'était alors tourné vers Alaïs, mais elle l'observait avec un curieux sourire, évocateur d'une grande intimité, qui l'avait laissé encore plus perplexe. Il se sentait dépassé par ce qui lui arrivait, à plus forte raison par les bouleversements autour de lui. Il savait également qu'il n'avait pas le temps de s'appesantir sur ces considérations avec ce qui se préparait au Senzio.

Les deux jours suivants, les armées arrivèrent, l'une par le nord, l'autre par le sud, et chacun d'eux prit d'autant plus conscience que leur destin était en suspens, comme posé sur les plateaux de la balance divine, juste au-dessus de leurs têtes.

De la corniche d'où ils surplombaient la bataille, Devin se retourna et vit Alaïs offrir de l'eau à Rinaldo, installé à l'ombre chiche d'un olivier tordu accroché au flanc de la pente. Le guérisseur avait insisté pour venir avec eux plutôt que de rester caché en ville avec Solonghi. « Ma place est là où des vies sont menacées », s'était-il contenté de dire, et il les avait accompagnés dès l'aube en s'appuyant sur sa canne coiffée d'une tête d'aigle.

Devin jeta un coup d'œil à Rovigo et Baerd. Il aurait dû rester avec eux, il le savait. Il avait les mêmes responsabilités : garder la colline au cas où l'un ou l'autre des sorciers enverrait des troupes de ce côté. Ils disposaient d'une soixantaine d'hommes : Ducas et sa bande, Rovigo et sa poignée de marins fidèles, et quelques hommes triés sur le volet, venus au Senzio chacun de leur côté en réponse au message qui avait couru dans les provinces. Soixante hommes. Il faudrait s'en contenter.

« Sandre ! Ducas ! cria Alessan, ce qui suffit à sortir Devin de ses rêveries. Regardez attentivement et dites-moi où ils en sont.

— J'allais le faire, répondit Sandre avec une pointe d'excitation dans la voix. Tout se passe comme nous l'avons imaginé : du haut de sa colline, Brandin résiste aux Barbadiens, même s'ils sont trois fois plus nombreux. Il a beaucoup plus de pouvoir qu'Alberico ; plus que je ne croyais, en vérité. Si tu veux savoir ce que je pense de la situation dans l'immédiat, je dirais que d'ici une heure l'Ygrathien aura ouvert une brèche au centre.

— Et même moins, fit Ducas de sa grosse voix. Au point où ils en sont, ça peut aller très vite. »

Devin s'approcha pour voir plus distinctement. Le centre de la vallée était toujours aussi encombré d'hommes et de chevaux, dont beaucoup étaient morts ou à terre. Mais si les bannières pouvaient servir de point de référence, il apparaissait, même à un œil aussi peu exercé que le sien, que les hommes de Brandin en première ligne gagnaient du terrain, bien que les Barbadiens fussent encore de loin les plus nombreux.

« Comment fait-il ? marmonna-t-il comme pour lui-même.

— Il se sert de son pouvoir de sorcier pour les affaiblir », fit une voix sur sa droite. C'était Erlein. « C'est ainsi qu'ils nous ont conquis autrefois. Je sens qu'Alberico s'efforce de soutenir ses troupes, mais je crois que Sandre a raison : le Barbadien s'affaiblit de minute en minute. »

Baerd et Rovigo quittèrent en hâte leur propre poste d'observation.

« Alessan ? » fit Baerd qui n'ajouta rien d'autre.

Le prince se retourna vers lui. « Je sais, dit-il. Nous pensons la même chose. Je crois qu'il est temps. » Il soutint le regard de Baerd, l'ami de toute une vie, pendant quelques instants ; aucun ne dit mot. Puis Alessan se tourna vers les trois magiciens.

« Erlein, dit-il doucement, tu sais ce qu'il vous reste à faire.

— Oui, répondit le Senzian. Prie que la Triade nous bénisse tous trois. Qu'elle nous bénisse tous.

— Quoi que vous vous apprêtiez à faire, il vaudrait mieux vous dépêcher, fit Ducas sèchement. Les Barbadiens ne tiennent plus leur centre.

— Notre sort est entre vos mains », dit Alessan à Erlein. Il parut sur le point d'ajouter autre chose, mais se ravisa. Erlein se tourna vers Sandre et Sertino qui s'étaient rapprochés. Les autres reculèrent tous de quelques pas pour les laisser seuls.

« Formons la chaîne ! » fit Erlein di Senzio.

◆

Sur la plaine, à l'arrière de son armée mais à proximité tout de même et parmi ses soldats, la distance étant un facteur déterminant en sorcellerie, Alberico de Barbadior avait passé la matinée à se demander si les dieux de l'Empire l'avaient finalement abandonné. Y compris le dieu des sorciers aux sombres cornes et la Reine de la Nuit sur sa jument. Ses pensées, les pensées cohérentes qu'il parvenait encore à former malgré les coups de boutoir répétés de l'Ygrathien – à vous mettre le cerveau en bouillie –, sinistres, lui annonçaient sa ruine imminente ; il avait l'impression que des cendres dans son cœur lui remontaient à la gorge.

Tout lui semblait si simple à une époque. Il suffisait de se montrer patient, organisé, discipliné, et, s'il possédait quelques qualités, c'étaient précisément celles-là. Il les avait consciencieusement mises au service de son ambition pendant vingt années.

Comme le soleil implacable touchait au zénith avant d'entamer sa descente vers l'océan, Alberico comprit de façon irrévocable qu'il avait vu juste au commencement mais s'était trompé sur la fin. Conquérir la Palme tout entière n'était d'aucune importance, mais la perdre revenait à tout perdre. Y compris la vie. Car il n'y avait nulle part où se réfugier, nulle part où se cacher.

L'Ygrathien faisait preuve d'une force brutale stupéfiante. Il le savait, il l'avait toujours su. Il craignait cet homme, non pas à la manière d'un poltron mais en connaissance de cause.

À l'aube, lorsque Brandin avait lâché cette fusée écarlate depuis son promontoire à l'ouest, Alberico s'était laissé aller à espérer, à exulter même, durant un court laps de temps. Après tout, il lui suffisait de défendre ses hommes. Son armée était trois fois plus nombreuse et elle n'allait affronter qu'un petit nombre de soldats ygrathiens entraînés. Le reste des forces de la Palme occidentale se composait d'un mélange improvisé d'artisans et de commerçants, de pêcheurs et d'agriculteurs, et de jeunots tout juste pubères.

Il n'avait qu'à tempérer la pression de Brandin du haut de sa colline et laisser ses soldats faire leur ouvrage. Nul besoin de forcer son propre pouvoir contre l'ennemi. Il lui suffisait de résister. De se défendre.

À condition d'y parvenir. Car, à mesure que la matinée avançait et que la chaleur s'accumulait pour former un manteau étouffant, Alberico sentait le mur de son esprit commencer à s'aplatir et se déformer, non sans réticence, non sans douleur, sous les assauts fulgurants et incessants de Brandin. Les vagues de fatigue et de faiblesse coulaient sans discontinuer sur l'armée barbadienne. Vague après vague après vague, avec la même régularité que l'océan.

Et Alberico devait les arrêter, les absorber, faire écran à ces vagues, afin que ses soldats gardent leur courage et leur énergie intacts, sans autre force pour les miner que la chaleur torride, laquelle affectait aussi l'ennemi.

On était encore loin de midi que déjà la sorcellerie de Brandin avait creusé des failles. Alberico ne parvenait pas à lui faire entièrement obstacle. Elle ne cessait de s'abattre, aussi monotone que la pluie et les vagues, sans jamais changer de rythme ni d'intensité. Un pouvoir à l'état pur, qui se déversait inlassablement.

Bientôt, bien trop tôt, les Barbadiens eurent l'impression qu'ils se battaient à flanc de montagne alors que le terrain était parfaitement plat, que le soleil les atteignait plus durement que ceux qu'ils combattaient et que leur courage et leur confiance s'échappaient avec la sueur qui leur coulait de partout et trempait leurs vêtements et leur armure.

Seule la force du nombre leur permit de se maintenir et de préserver l'équilibre dans la bataille de la plaine du Senzio pendant la matinée. Assis dans le fauteuil surmonté d'un dais qu'on lui avait apporté, les yeux clos, Alberico ne cessait de s'éponger le visage et les cheveux avec des mouchoirs trempés, et ce matin-là il combattit Brandin d'Ygrath avec tout le pouvoir qu'il possédait et tout le courage dont il était capable.

Mais, peu après midi, se maudissant et maudissant l'âme infestée de vers de Scalvaia d'Astibar qui avait été si près de le tuer neuf mois auparavant et qui l'avait suffisamment affaibli pour le tuer aujourd'hui, maudissant son empereur, cette coquille émaciée – un vieillard sénile, un bon à rien –, de mettre si longtemps à mourir, Alberico de Barbadior dut accepter la lugubre et impitoyable vérité : tous ses dieux étaient bel et bien en train de l'abandonner dans cette contrée lointaine, sous un soleil cuisant. Tandis que les messages du front lui parvenaient – un front qui s'effritait de plus en plus –, il commença de se préparer à la mort, selon les coutumes de son peuple.

C'est alors que se produisit le miracle.

Il lui fallut un certain temps avant de comprendre ce qui se passait, tant il se sentait abattu. Le poids colossal du pouvoir qui dégringolait de la colline lui parut soudain plus léger, sans qu'il pût s'expliquer pourquoi. Il n'était plus qu'une fraction, la moitié à peine de sa valeur d'encore quelques instants plus tôt. Alberico parvenait à le contenir sans difficulté. Le niveau de sorcellerie était inférieur au sien désormais, même affaibli comme il l'était. Il pouvait même pousser le sien au lieu de se contenter de défendre. Il était en mesure d'attaquer ! À supposer que Brandin s'épuisât, qu'il eût atteint ses dernières réserves…

Il passa sauvagement en revue la vallée et les collines alentour en quête d'une explication, et soudain il rencontra la troisième source de magie et comprit, le cœur radieux (toutes les cendres s'étaient envolées), que le dieu cornu ne l'avait pas encore abandonné, ni la Reine de la Nuit sur sa monture.

Il y avait des magiciens de la Palme ici, et ils l'aidaient ! Ils haïssaient l'Ygrathien autant que lui ! Pour une raison qui le dépassait, ils avaient choisi son camp contre l'homme qui restait le roi d'Ygrath, en dépit du titre dont il s'était affublé.

« Victoire ! cria-t-il à ses messagers. Avertissez les capitaines en première ligne, remontez-leur le moral. Dites-leur que je suis en train de faire reculer l'Ygrathien ! »

Il entendit des cris de joie tout autour de lui. Lorsqu'il ouvrit les yeux, ses messagers traversaient la vallée à toutes jambes. Il essaya d'atteindre les magiciens – au nombre de quatre ou cinq, jugea-t-il à leur force, six peut-être – afin de confluer avec leur esprit et leur pouvoir.

Il fut refoulé. Il savait précisément où ils se trouvaient. Il les voyait même, sur une bande de terre en surplomb, au sud de la colline de l'Ygrathien, mais ils refusaient de le laisser se joindre à eux et de révéler leur identité. Sans doute le craignaient-ils en raison du sort qu'il réservait aux magiciens.

Le sort qu'il réservait aux magiciens ? Mais il était fier d'eux ! Il était prêt à leur donner de la terre, des biens, des honneurs, ici comme au Barbadior. Des richesses qui dépassaient tout ce qu'ils entrevoyaient dans leurs rêves étriqués. Ils allaient voir !

Même s'ils ne voulaient pas s'ouvrir à lui ! Cela n'avait strictement aucune importance. Tant qu'ils étaient là et mettaient leurs forces au service de sa défense, nul besoin n'était de confluer. À eux tous, ils contrebalançaient le pouvoir de Brandin. Et c'était amplement suffisant car il lui restait deux fois plus de soldats que l'ennemi sur le champ de bataille.

Mais, tandis que ces pensées infusaient un espoir tout neuf à son âme, il sentit la pression revenir. C'était incroyable, mais l'Ygrathien reprenait le dessus. Frénétique, il vérifia : les magiciens sur leur crête le soutenaient toujours. Et pourtant Brandin continuait d'avancer ! Il était si fort, incroyablement fort, ce maudit Ygrathien ! Même contre eux tous, il réussissait à s'imposer, puisant davantage encore à la source de son pouvoir. Jusqu'où pouvait-il aller ? De quelles réserves disposait-il ?

Alberico dut convenir qu'il n'en savait rien, et cette découverte lui fit l'effet d'une douche glacée malgré l'enfer de la bataille et la chaleur brutale de midi. Il n'en avait pas la moindre idée. Ce qui ne lui laissait qu'une solution : la seule depuis le début de la bataille.

Il ferma les yeux pour mieux se concentrer et se prépara, avec tout le pouvoir dont il disposait, à résister de nouveau. À résister, à tenir, pour conserver le mur intact.

◆

« Par les sept sœurs du dieu ! s'exclama Rhamanus avec passion. Ils sont en train de reprendre le terrain qu'ils avaient perdu !

— Il s'est passé quelque chose », fit Brandin d'une voix grinçante. On avait érigé un dais pour lui procurer un peu d'ombre, et apporté un siège. Il préférait rester debout cependant, et s'appuyer sur le dossier de temps à autre pour se reposer un peu, car c'était en position debout qu'il suivait le mieux le déroulement de la bataille en contrebas.

Dianora était à ses côtés, prête à répondre à toutes ses demandes : un verre d'eau, un peu de réconfort, tout ce qu'elle était en mesure de lui offrir, mais elle essayait de ne pas regarder en bas. Elle avait vu assez d'hommes mourir comme cela. Par contre, elle ne pouvait rien faire pour échapper aux hurlements qui traversaient la vallée, et il lui semblait que chaque cri montait jusqu'à elle et venait se loger dans son cœur comme un poignard façonné de plaintes et de douleur humaine.

Les choses s'étaient-elles passées ainsi sur les rives de la Deisa quand son père était mort ? Avait-il hurlé de la sorte au moment où, mortellement blessé, il avait vu son sang s'échapper et teinter les eaux du fleuve sans qu'il pût l'arrêter ? Était-il mort dans des souffrances semblables sous la lame vengeresse des hommes de Brandin ?

Elle était responsable de cette nausée qui lui montait à la gorge. Elle n'aurait jamais dû venir ici. Elle aurait dû savoir les images que la guerre allait engendrer. Elle se sentait malade, physiquement : la chaleur, le vacarme, jusqu'à l'odeur du carnage l'accablaient.

« Il s'est passé quelque chose », répéta Brandin, et sa voix résonna comme une certitude dans le tourbillon du monde qui l'entourait. Il était la raison de sa présence, et, si les autres ne le pouvaient pas, elle, Dianora, qui le connaissait si bien, percevait une sonorité nouvelle dans sa voix, un indice d'une autre nature que la tension extrême à laquelle il était soumis. Elle s'éloigna prestement et revint avec un gobelet d'eau et une serviette pour lui éponger le front.

Il but l'eau. Il semblait ne pas avoir remarqué sa présence ni le contact de la serviette. Il ferma les yeux et tourna lentement la tête d'un côté puis de l'autre, comme cherchant à l'aveuglette.

Puis il rouvrit les yeux et tendit l'index. « Ils sont là-bas, Rhamanus. » Dianora suivit son regard. Sur une crête au sud, par-delà le sol bosselé, mamelonné, elle distinguait des silhouettes.

« Il y a des magiciens là-bas, annonça Brandin, catégorique. Rhamanus, tu vas devoir lancer ma garde sur eux. Ils se sont alliés à Alberico contre moi. J'ignore pourquoi. L'un d'eux ressemble à un Khardhu, mais ce n'en est pas un. Je connais trop bien la magie du Khardhun. Il y a quelque chose de tout à fait bizarre dans cette affaire. »

Ses yeux s'étaient assombris, ils avaient viré au gris nuage.

« Pouvez-vous les tenir en échec, monseigneur ? demanda d'Eymon d'un ton qu'il voulait neutre pour dissimuler toute trace d'inquiétude.

— Je suis sur le point d'essayer. Mais je ne peux raisonnablement pas puiser davantage dans mes réserves, j'ai atteint mes limites. Et je ne peux pas non plus concentrer tout mon pouvoir contre eux, car ils travaillent avec Alberico. Rhamanus, tu vas devoir régler leur sort toi-même. Emmène tous ceux qui sont là. »

Rhamanus avait pris une expression sévère. « Je les arrêterai ou je mourrai, monseigneur, je le jure. »

Dianora le regarda sortir de l'ombre du dais et rassembler les hommes de la garde royale. Ils se mirent en rang par deux et partirent au pas de course. Dianora les vit prendre la piste des chevriers qui descendait à l'ouest et au sud. Rhun les suivit un moment, puis s'arrêta, l'air indécis, désemparé.

Elle sentit une main saisir la sienne et se retourna : c'était Brandin. « Aie confiance en moi, mon amour, murmura-t-il. Et en Rhamanus. » Une seconde plus tard, il ajouta, souriant presque : « C'est lui qui t'a conduite jusqu'à moi. »

Puis il lâcha sa main et porta de nouveau son attention sur la plaine en contrebas. Et, cette fois, il choisit de s'asseoir. Elle l'observait et le vit littéralement rassembler toutes ses forces pour reprendre l'assaut.

Elle se tourna vers d'Eymon et suivit son regard supputatif en direction du sud et du groupe rassemblé au flanc d'une colline à un demi-mille. Ils étaient suffisamment proches pour qu'elle pût distinguer la silhouette du personnage à la peau sombre dont Brandin avait dit qu'il ne s'agissait pas d'un authentique Khardhu. Elle crut apercevoir aussi une femme aux cheveux roux.

Elle n'avait aucune idée de leur identité. Mais brusquement, alors que le nombre de gens autour d'eux avait singulièrement diminué, elle prit peur pour la première fois.

◆

« Les voilà », fit Baerd, tourné vers le nord, une main en visière sur les yeux.

Ils s'y attendaient à vrai dire, aux aguets depuis que les magiciens avaient formé leur chaîne, mais anticiper l'événement et le vivre sont deux choses différentes, et, en voyant les soldats émérites qui formaient la garde de Brandin descendre la piste avec agilité et commencer à traverser le terrain qui les séparait, Devin avait le cœur battant. Depuis l'aurore, la bataille faisait rage dans la vallée ; voilà qu'elle venait à eux.

« Combien sont-ils ? » demanda Rovigo, et Devin fut presque soulagé de la voix tendue du marchand : au moins partageaient-ils les mêmes sentiments.

« Quarante-neuf s'ils sont au complet comme le pense Alessan, répondit Baerd sans se retourner. La garde du roi comprend invariablement quarante-neuf hommes. C'est un nombre sacré en Ygrath. »

Rovigo ne fit aucun commentaire. Devin jeta un coup d'œil sur sa droite et vit les trois magiciens debout très près l'un de l'autre. Erlein et Sertino fermaient les yeux, mais Sandre regardait fixement l'endroit où se tenait Alberico, à l'arrière-garde de son armée. Alessan était resté avec eux jusqu'à présent, mais il partit rejoindre la trentaine d'hommes postés derrière Baerd sur la crête.

« Ducas et les siens ? demanda-t-il d'une voix posée.

— Je ne les vois pas », fit Baerd en lançant un regard hâtif au prince. Le dernier soldat de la garde ygrathienne était au pied de la colline de Brandin. L'avant-garde franchissait déjà le terrain accidenté. « Je n'arrive toujours pas à y croire. »

« Laisse-moi aller à leur rencontre avec mes hommes, avait instamment demandé Ducas à Alessan au moment où les magiciens avaient formé leur chaîne. Nous savons qu'ils vont venir.

— Bien sûr que nous le savons, avait répondu Alessan. Mais nous sommes mal armés et peu entraînés. Nous avons besoin de l'avantage de notre position plus élevée.

— Parle pour toi-même, avait répliqué Ducas en grognant.

— Il n'y a aucune couverture en bas. Où veux-tu te cacher ?

— C'est à moi que tu poses cette question ? » avait répliqué Ducas en feignant la colère. Sa bouche s'élargissait en un sourire vorace. « Alessan, on n'apprend pas à un vieux singe à faire des grimaces. Tu étais encore en Quileia en train de compter les chênes dans je ne sais quel bosquet que je participais déjà à des batailles et des embuscades sur des terrains semblables à celui-ci. Je sais ce que j'ai à faire. »

Alessan n'avait pas ri. Au bout d'un moment, il avait hoché la tête. Ducas n'avait pas besoin de plus. La barbe rouge et ses hommes s'étaient volatilisés. Quand les Ygrathiens avaient décidé d'envoyer la garde royale, les hors-la-loi étaient déjà en contrebas, dissimulés parmi la bruyère et les ajoncs, les hautes herbes et les rares oliviers et figuiers qui poussaient sur la bande de terre entre les collines.

Devin crut apercevoir l'un d'eux du coin de l'œil, mais il n'en était pas certain.

« Par Morian ! s'écria soudain Erlein di Senzio, sur le bord oriental de la crête. Voilà qu'il nous repousse à nouveau !

— Alors tiens-lui tête ! lança Sandre d'une voix hargneuse. Bats-toi ! Puise dans tes réserves !

— Je n'ai plus de réserves ! » fit Erlein, le souffle court.

Baerd sauta sur ses pieds en les dévisageant tous trois. Il hésita, visiblement en proie au doute, puis s'approcha des magiciens en quelques enjambées.

« Sandre ? Erlein ? Vous m'entendez ?

— Bien sûr que nous t'entendons », fit Sandre, le visage ruisselant de sueur. Il regardait toujours à l'est, mais son regard était tourné à l'intérieur de lui-même désormais.

« Alors, allez-y ! Faites ce dont nous avons convenu. S'il vous repousse tous, nous devons essayer, sinon ce n'était pas la peine d'entreprendre tout cela !

— Baerd, ils sont peut-être… » Les paroles d'Erlein tombaient une à une comme s'il les arrachait de ses lèvres.

« Non, il a raison ! intervint Sertino d'une voix haletante. Il faut essayer. Cet homme est… trop fort pour nous. Je vous suivrai tous les deux… Vous savez qui chercher à atteindre ? Allez-y !

— Restez avec moi, alors, fit Erlein, à bout de forces. Restez avec moi tous les deux ! »

Soudain, ils entendirent des cris, puis des hurlements, qui venaient de plus bas, non pas du champ de bataille mais du terrain au nord. Hormis les magiciens, tout le monde se retourna.

Ducas avait tendu son embuscade. Les hors-la-loi dissimulés décochèrent une première volée de flèches contre les Ygrathiens, promptement suivie d'une seconde. Six, huit, dix hommes tombèrent, mais les gardes portaient des armures, même par cette chaleur, et la plupart réussirent à passer puis réagirent avec une agilité effrayante étant donné le poids qu'ils portaient. Ils se ruèrent sur les hommes de Ducas répartis en arc de cercle.

Devin vit trois des gardes à terre se relever. L'un d'eux arracha une flèche logée dans son bras et reprit résolument sa course vers la crête.

« Certains doivent avoir des arcs, fit Alessan. Il faut couvrir les magiciens. Que tous ceux qui disposent d'une quelconque protection viennent par ici ! »

Une demi-douzaine d'hommes encore sur la butte se précipitèrent. Cinq portaient des boucliers de fortune, faits de bric et de broc ; le sixième, un homme d'une cinquantaine d'années, les rejoignit en boitant ; il avait le pied déformé, et pour toute arme une vieille épée abîmée.

« Mon prince, dit-il, mon propre corps fera un bouclier acceptable. Ton père a refusé que j'aille à la Deisa. Ne me rejette pas à ton tour. Je veux me dresser entre eux et les flèches ygrathiennes, au nom de la Tigane. »

Devin remarqua soudain le regard incompréhensif et inquiet sur les visages autour de lui ; un nom avait été prononcé qu'ils n'avaient pas compris.

« Ricaso, dit Alessan en regardant autour de lui, Ricaso, tu n'avais pas besoin… tu n'aurais même pas dû venir ici. Il existe d'autres façons de… » Le prince se tut. Ils crurent un instant qu'il allait refuser, comme son père avant lui, mais il n'ajouta rien et se contenta de hocher la tête avant de s'éloigner à grandes enjambées. L'infirme et les cinq autres hommes formèrent aussitôt un cercle protecteur autour des magiciens.

« Dispersez-vous, ordonna Alessan aux autres. Couvrez le nord et l'ouest de la crête. Catriana, Alaïs, surveillez le versant sud, au cas où certains essaieraient de nous attaquer par-derrière. Si vous décelez le moindre mouvement, criez ! »

L'épée à la main, Devin se précipita vers le chemin de crête au nord-ouest de la butte. Des hommes se déployèrent tout autour de lui. Il jeta un œil en contrebas, tout en courant, et retint son souffle, consterné. Ducas et ses hommes livraient bataille aux Ygrathiens sur le terrain accidenté ; même s'ils avaient l'air de tenir bon et que pour chaque homme qu'ils perdaient un Ygrathien tombait, cela voulait dire qu'ils allaient succomber. Les

Ygrathiens étaient rapides, parfaitement entraînés, et leur détermination ne connaissait pas de limites. Ducas vit leur chef, un homme corpulent plus très jeune, se jeter sur un des hors-la-loi et l'étendre d'un coup de bouclier.

« Naddo ! Attention ! »

Un véritable hurlement. La voix de Baerd. Devin se retourna et comprit pourquoi. Entre les deux collines, Naddo venait de repousser un Ygrathien et, tout en continuant à se battre, il revenait sur ses pas pour rejoindre Arkin et deux de ses compagnons près d'un bosquet. Mais un homme l'avait contourné par l'est à son insu et se précipitait sur lui par-derrière.

L'Ygrathien en question ne vit pas la flèche qui l'atteignit ; c'était Baerd de Tigane qui l'avait tirée du haut de la crête, mettant en œuvre toute la force de son bras et toute la technique acquise au prix d'années de discipline. À si longue distance, le garde royal poussa un grognement et tomba, la flèche dans la cuisse. Naddo pivota aussitôt, le vit et l'acheva de son épée.

Puis il leva les yeux vers la crête et, apercevant Baerd, lui adressa un signe de la main pour le remercier. Il agitait toujours le bras pour saluer l'ami qu'il avait quitté au sortir de l'enfance quand une flèche ygrathienne l'atteignit en pleine poitrine.

« Non ! » hurla Devin, la gorge nouée de douleur. Il regarda Baerd, qui écarquillait les yeux sous le choc. Il faisait un pas dans sa direction quand il entendit un petit grattement, suivi d'un grognement. À ce moment-là, Alaïs cria : « Attention ! »

Il se retourna juste à temps pour voir le premier d'une demi-douzaine d'Ygrathiens escalader la pente. Comment avaient-ils pu faire si vite ? Il cria un second avertissement à l'intention des autres et se précipita pour affronter le premier homme avant qu'il n'atteignît le sommet.

Il n'y parvint pas. L'Ygrathien était déjà debout, bien en équilibre, et tenait un bouclier dans la main gauche. Se ruant sur lui avec l'espoir de le faire basculer dans la pente, Devin balança son épée de toutes ses forces.

Elle heurta le bouclier dans un bruit métallique et il ressentit les ondes de choc tout le long du bras. L'Ygrathien frappa d'estoc à son tour. Devin vit la lame approcher et effectua un mouvement désespéré de côté. Une douleur vive le parcourut tandis que l'épée lui déchirait le flanc juste au-dessus de la taille.

Il se laissa choir, ignorant la blessure, et, tout en tombant, frappa de taille au creux du genou de l'Ygrathien, là où il ne portait pas de protection. Il sentit la lame pénétrer la chair. L'homme poussa un cri, projeté en avant ; mais, alors qu'il s'affaissait, il abattit encore son arme sur Devin. Celui-ci roula le plus loin possible. La tête lui tournait tant la douleur était vive. Il se remit péniblement debout en se tenant le flanc.

Juste à temps pour voir Alaïs, fille de Rovigo, tuer l'Ygrathien net, d'un coup d'épée dans la nuque.

Devin demeura un moment immobile, comme en proie à une hallucination au milieu de tout ce carnage. Il regarda Alaïs, ses yeux bleu clair au regard si doux. Il essaya de parler, mais il avait la gorge trop sèche. Il plongea son regard dans le sien pendant une seconde. Il lui était si difficile d'accepter, d'assimiler cette image d'Alaïs une épée rougie à la main.

Ses yeux cherchèrent plus loin, et c'en fut fini de cet instant de répit. Quinze ou vingt Ygrathiens avaient atteint le sommet maintenant. Davantage arrivaient, certains armés d'un arc. Il vit passer une flèche, qui alla se loger dans un des boucliers autour des magiciens, puis entendit un bruit de pas précipités qui grimpaient la pente sur sa gauche. Eût-il été en mesure de parler qu'il n'en avait plus le temps. Tous s'étaient préparés à la mort s'il le fallait, ils n'en avaient jamais écarté l'éventualité. Ils étaient portés par un idéal, un rêve, une prière. Il n'avait pas oublié l'air que lui avait appris son père lorsqu'il était enfant. Il appuya la main sur sa blessure et s'éloigna d'Alaïs en titubant ; il saisit son épée, prêt à affronter le prochain adversaire qui parviendrait au sommet.

◆

Il faisait doux ; le soleil apparaissait et disparaissait derrière les nuages que la brise poussait allègrement. Au cours de la matinée, elles avaient fait une promenade dans les prairies au nord du château pour cueillir des fleurs, des brassées de fleurs. Des iris, des anémones, des campanules. Les acacias étaient juste en boutons à cette latitude ; les fleurs blanches, elles, ne viendraient que plus tard dans la saison.

De retour au château Borso, un peu après midi, elles buvaient du thé à la menthe quand Elena poussa un petit cri d'effroi. Elle se redressa, comme pétrifiée, et emprisonna sa tête entre ses mains. Elle ne s'aperçut même pas qu'elle avait renversé son thé et taché le tapis quiléian.

Aliénor posa sa tasse aussitôt. « Ça y est ? lui dit-elle. Tu as reçu l'appel ? Elena, y a-t-il quelque chose que je puisse faire ? »

Elena secoua la tête. C'est à peine si elle entendait sa compagne. Une voix plus distincte, plus ferme, qui lui en imposait davantage, résonnait dans sa tête. Elle n'avait encore jamais rien éprouvé de tel, pas même les nuits de Quatre-Temps. Mais Baerd avait raison, son étranger, l'homme qui avait surgi de l'obscurité et retourné le cours de la bataille des Quatre-Temps.

Il était revenu au village le lendemain dans la soirée, après que ses amis furent redescendus du col et partis vers l'ouest. Il s'était adressé à Donar et à Mattio, à Carenna et à Elena, pour leur dire que l'expérience partagée par les Marcheurs de la Nuit devait relever de la magie, sinon la même que celle des magiciens de la Palme. Leur corps se transformait les nuits de Quatre-Temps, ils avançaient au clair d'une lune verte sur des terres qui n'étaient plus là au lever du jour, et les tiges de blé devenaient des épées entre leurs mains. À leur manière, ils étaient unis à la magie de la Palme, leur avait-il dit.

Donar en avait convenu. Petit à petit, Baerd leur avait révélé son but et celui de ses amis, et il avait demandé à Elena de s'installer au château Borso jusqu'à la fin de l'été. Au cas où le pouvoir des Marcheurs, avait-il ajouté, pourrait servir leur cause.

Acceptaient-ils ? Ce n'était pas sans danger. Il avait posé la question avec timidité, mais Elena n'avait pas eu l'ombre d'une hésitation : elle l'avait regardé droit dans les yeux et répondu qu'elle irait. Les autres avaient accepté avec la même simplicité. Il était venu vers eux à un moment où ils avaient un besoin crucial d'aide. Ils lui devaient au moins cela, et plus encore. Eux-mêmes étaient victimes de la tyrannie dans leur province. La cause diurne qui était la sienne était aussi la leur.

Elena di Certando, m'entends-tu ? Es-tu au château ?

Elle ne connaissait pas cette voix qui parlait dans sa tête, mais c'était une voix aux accents désespérés, qui semblait émerger du chaos le plus total.

Oui, je suis là. Que... que dois-je faire ?

Je n'arrive pas à le croire ! Une autre voix venait de s'exprimer à son tour, plus profonde, plus autoritaire. *Erlein, tu l'as trouvée !*

Baerd est-il là ? ne put-elle s'empêcher de demander. Cette liaison si soudaine lui donnait le tournis, ainsi que le tumulte qu'elle percevait là-bas. Elle vacilla, prête à tomber. Elle tendit les deux mains et s'appuya sur le dossier d'une chaise. C'est à peine si elle distinguait encore la salle du château et, si Aliénor s'était adressée à elle à cet instant, elle ne l'aurait probablement pas entendue.

Il est là, fit la première voix. *Il est avec nous, et nous avons terriblement besoin d'aide. Nous sommes en guerre. Peux-tu entrer en liaison avec tes amis ? Avec les tiens ? Nous t'aiderons. Je t'en prie, essaie !*

Elle n'avait jamais rien tenté de tel, ni de jour ni sous la clarté verte des nuits de Quatre-Temps. Elle n'avait jamais entendu parler de cette chaîne magique, mais elle sentait leur présence en elle et elle savait où trouver Mattio et Donar ; quant à Carenna, elle serait chez elle avec son dernier-né. Elle ferma les yeux et les appela tous les trois, faisant un gros effort de concentration pour visualiser la forge, le moulin, la maison de Carenna. Pour bien les visualiser, puis appeler. Solliciter.

Elena, que... ? C'était bien Mattio. Elle avait réussi à le joindre.

La chaîne ! lui expliqua-t-elle brièvement. *Les magiciens sont là. C'est la guerre.*

Il n'en demanda pas davantage. Elle sentait sa présence rassurante dans son esprit tandis que les magiciens l'aidaient à devenir réceptive. Elle perçut le choc soudain qu'éprouva Mattio quand le lien s'établit avec eux. Avec deux d'entre eux du moins, mais il y en avait un troisième à proximité.

Elena, le moment est-il venu ? Ils nous ont appelés ? fit Donar dans sa tête, toujours prompt à saisir la vérité.

Je suis là, mon cœur, fit la voix intérieure de Carenna, prompte et gaie, parfaitement fidèle à sa façon de s'exprimer. *Elena, que veux-tu que nous fassions ?*

Restez en liaison les uns avec les autres et laissez-nous venir à vous ! répondit le second magicien, celui qui avait une présence imposante. *Nous avons peut-être une chance. Le danger est grand, je ne vous le cacherai pas, mais si, pour une fois, nous unissons nos forces dans cette péninsule, nous pouvons y arriver ! Joignez-vous à nous, il nous faut fondre nos esprits et forger un bouclier. Je suis Sandre d'Astibar et je ne suis pas mort. Joignez-vous à nous !*

Elena lui ouvrit son esprit et chercha à l'atteindre. À cet instant, elle eut l'impression que son corps avait disparu et qu'elle n'était plus qu'un conduit ; l'expérience n'était pas sans rappeler ce qui se passait aux Quatre-Temps bien que très différente. Elle en conçut une peur moite mais releva la tête pour résister. Ses amis étaient avec elle, le duc d'Astibar aussi – vivant, c'était incroyable –, et Baerd l'accompagnait dans cette lointaine province du Senzio, pour batailler contre les tyrans.

Il était venu vers eux, vers elle, pour prendre part à leur combat. Elle l'avait entendu pleurer et ils avaient fait l'amour sur une colline dans l'obscurité qui suivait le coucher de la lune verte. Elle n'allait pas le décevoir maintenant. Elle allait lui apporter l'aide des disciples de Carlozzi en la faisant transiter par son esprit et son âme.

Ils y parvinrent sans prévenir. La chaîne était forgée. Elena se trouvait sur une hauteur écrasée de soleil, une colline du Senzio, et voyait le monde par les yeux du duc d'Astibar. Les images dansaient et elle avait l'estomac chaviré. Puis elles se stabilisèrent, et Elena vit des hommes qui s'entre-tuaient dans la vallée en dessous, deux armées aux prises l'une avec l'autre dans la chaleur, des corps convulsés. Les hurlements stridents l'agressaient physiquement. Puis elle perçut autre chose.

La présence d'un sorcier au nord de leur position, sur une colline : Brandin d'Ygrath. Et, à ce moment, Elena et les trois Marcheurs de la Nuit comprirent pourquoi on avait fait appel à eux tandis qu'ils prenaient conscience de l'effort exténuant qu'il fallait fournir pour soutenir pareil assaut.

Au château Borso, Aliénor ne bougeait pas, impuissante, aveugle même. Elle ne comprenait certes rien à ce qui se passait mais savait que le moment était enfin arrivé. Elle avait envie de prier, de retrouver des mots qu'elle avait cessé de prononcer, même en esprit, depuis bientôt vingt ans. Elle vit Elena se couvrir le visage des deux mains.

« Oh, non ! murmurait la jeune femme d'une voix aussi ténue qu'un vieux parchemin. Comment un seul homme peut-il être si fort ? »

Aliénor se tordit les mains ; ses phalanges étaient toutes blanches. Elle attendit, dans l'espoir de saisir un indice qui l'aiderait à comprendre ce qui leur arrivait à tous si loin dans le Nord, là où elle ne pouvait pas aller.

Elle n'entendit pas la réponse de Sandre d'Astibar ; comment l'aurait-elle pu ?

Il est fort, oui, mais avec votre aide nous serons plus forts ! Enfants de la Palme, nous pouvons y arriver ! Au nom de cette péninsule, nous pouvons trouver la force de le battre !

Aliénor vit alors Elena ôter les mains de son visage blanc comme linge et retrouver une sérénité tandis que la peur primitive et sauvage qui émanait de ses yeux grands ouverts disparaissait.

« Oui, chuchota-t-elle, oui. »

Alors le silence régna dans cette salle du château Borso dominé par le col du Braccio. Dehors, le vent frais des sommets continuait de pousser les nuages blancs qui couvraient puis découvraient le soleil, tandis qu'un faucon solitaire en chasse, les ailes immobiles, planait devant la montagne qui prêtait son cadre à ce jeu d'ombres et de lumière.

◆

En fait, le second homme à escalader le flanc de la falaise fut Ducas di Tregea. Devin balançait déjà son épée quand il s'en aperçut.

Ducas se hissa sur la crête en deux enjambées déterminées, soulevant la poussière sur son passage. Il était dans un état épouvantable, avec son visage et sa barbe sanguinolents. Il avait du sang partout sur lui, y compris sur la lame de son épée. Il souriait néanmoins, et Devin lut dans son regard terrifiant la flamme rouge et forcenée du combat.

« Tu saignes ! dit-il sèchement à Devin.

— Tu ne t'es pas regardé, grogna Devin en appuyant la main sur son flanc déchiré. Allez, viens ! »

Ils prirent à l'est sans tarder. Il y avait encore une bonne quinzaine d'Ygrathiens sur le coteau, qui s'acharnaient sur les hommes sans entraînement qu'Alessan avait placés là pour protéger les magiciens. Ils étaient à peu près aussi nombreux, mais les Ygrathiens étaient des guerriers implacables et chevronnés de leur royaume.

Et pourtant, malgré cette supériorité, ils n'arrivaient pas à bout des hommes d'Alessan. Ils n'y parviendraient jamais, comprit Devin avec un élan de joie qui lui fit momentanément oublier la douleur.

Ils n'y parviendraient pas parce qu'ils affrontaient deux hommes dont les épées allaient et venaient en parfaite harmonie, deux hommes qui livraient enfin un combat auquel ils aspiraient depuis tant d'années – Alessan, prince de Tigane, et Baerd, fils de Saevar, son frère spirituel – et que ces deux-là étaient indomptables, parfaits, beaux même, si donner la mort mérite ce terme.

Devin et Ducas se précipitèrent, mais il ne restait plus déjà que cinq Ygrathiens, et bientôt trois seulement. Puis plus que deux. L'un d'eux fit mine de vouloir poser son épée. Avant qu'il en ait eu le temps, une silhouette se détacha du cercle d'hommes autour des magiciens, avec une rapidité déroutante chez quelqu'un d'aussi maladroit et qui traînait un pied difforme. Ricaso surgit devant l'Ygrathien et, avant que quiconque ait pu l'arrêter, fit décrire un arc de cercle cinglant et passionné à sa vieille épée rouillée, qui fendit les chaînons de l'armure pour se planter dans la poitrine de l'homme.

Puis il tomba à genoux à côté de sa victime et se mit à pleurer comme si son âme entière se vidait.

Il ne restait qu'un soldat, le chef de la garde, l'homme corpulent à la poitrine large que Devin avait aperçu plus bas. Il avait les cheveux collés au crâne, le visage rouge de fatigue et de chaleur, et cherchait désespérément à reprendre son souffle, mais son regard furieux transperçait Alessan.

« Êtes-vous fous, dit-il en haletant, pour soutenir ainsi le Barbadien ? Et non l'homme qui a lié son sort à celui de la Palme ? Avez-vous envie de devenir esclaves ? »

Alessan secoua lentement la tête. « Brandin a attendu vingt années de trop pour lier son sort à la Palme. Il était déjà trop tard le jour où il a envahi la péninsule. Vous êtes un brave et je préférerais ne pas avoir à vous tuer. Acceptez-vous de prêter serment en votre nom et de déposer votre épée en signe de reddition ? »

À côté de Devin, Ducas gronda de colère, mais, avant qu'il ait eu le temps de dire un mot, l'Ygrathien répondit : « Je m'appelle Rhamanus. J'en suis fier, car jamais aucun déshonneur n'est venu entacher ce nom.

Mais vous n'obtiendrez pas le serment que vous me demandez. Je me suis engagé auprès du roi que j'aime avant de conduire sa garde ici. Je lui ai promis de vous arrêter ou de mourir, et j'entends respecter ce serment. »

Il leva son épée et fit mine de vouloir frapper Alessan – sans grande conviction, Devin le comprit ensuite. Le prince ne fit rien pour parer le coup. Ce fut Baerd dont la lame s'abattit pour trancher la gorge de l'Ygrathien, qui s'écroula.

« Ô mon roi, fit l'homme d'une voix pâteuse, la bouche pleine de sang. Ô Brandin, pardonne-moi ! »

Puis il roula sur le dos et s'immobilisa ; il regardait fixement le soleil brûlant de ses yeux aveugles.

C'était aussi sous un soleil brûlant qu'il avait un matin défié le gouverneur d'une province et pris une jeune serveuse comme tribut à Stévanie, tant d'années auparavant.

◆

Dianora vit un homme lever son épée sur ce coteau. Elle tourna la tête pour ne pas voir Rhamanus mourir. Elle éprouvait une douleur et un sentiment de vide grandissants, comme si tous les abîmes de son existence s'ouvraient sous ses pieds. L'homme était son ennemi, il s'était emparé d'elle pour en faire une esclave. Envoyé par Brandin pour lever tribut, il avait fait brûler des villages en Corte et en Asoli. C'était un Ygrathien, un de ceux de la flotte d'invasion qui avait débarqué dans la péninsule et combattu à la seconde bataille de la Deisa.

C'était aussi son ami.

Un de ses rares amis. Courageux, honnête et loyal envers son roi depuis toujours ; généreux et franc, mal à l'aise au milieu des subtilités de la cour. Dianora constata qu'elle pleurait sa mort, la mort d'un être bon dont l'existence venait d'être coupée à la racine, tel un arbre, par l'épée de cet étranger.

« Ils ont échoué, monseigneur », fit d'Eymon dont la voix trahissait un soupçon d'émotion – ou bien n'était-ce qu'une impression ? « Tous les gardes sont tombés, Rhamanus avec eux. Les magiciens sont encore là. »

Brandin, qui n'avait pas bougé de son siège sous le dais, ouvrit les yeux. Il avait le regard résolument tourné vers la vallée et il ne broncha pas. Dianora vit qu'il était très pâle, même dans la chaleur torride de ce milieu de journée, tant l'effort qu'il fournissait était intense. Elle essuya promptement ses larmes. Il ne fallait pas qu'il la vît pleurer si d'aventure il venait à tourner la tête. Il pouvait avoir besoin d'elle, de la force et de l'amour qu'elle était capable de lui donner. Il ne fallait pas qu'elle lui causât le moindre souci et le détournât de sa tâche. Il était seul à se battre contre tant d'ennemis !

Et plus encore qu'elle ne croyait. Car les magiciens étaient entrés en liaison avec les Marcheurs de la Nuit du Certando. Ils formaient une même chaîne et avaient réuni tous leurs pouvoirs pour soutenir Alberico.

De la plaine en contrebas monta un rugissement, plus puissant encore que le fracas de la bataille. Un cri d'enthousiasme émanant des Barbadiens. Dianora vit leurs messagers, tout de blanc vêtus, courir au front. Elle vit aussi que les hommes de la Palme occidentale ne progressaient plus. Ils étaient toujours les moins nombreux, et de loin. Si Brandin n'avait plus les moyens de les aider, c'en était fait d'eux ; tout était fini. Elle se tourna vers le sud, vers le coteau où s'étaient rassemblés les magiciens et où Rhamanus avait trouvé la mort. Elle avait envie de tous les maudire, sans y parvenir tout à fait.

Car ils étaient de la Palme, après tout. De son peuple. Mais ceux de son peuple mouraient aussi dans la vallée, sous le fer de l'Empire. Au-dessus d'elle, le soleil était une forge, le ciel un dôme vide et implacable.

Elle regarda d'Eymon. Ni l'un ni l'autre ne parla. Ils entendirent des pas rapides sur la sente. Scelto arriva au sommet, hors d'haleine.

« Monseigneur, fit-il en tombant à genoux près du siège de Brandin, nous sommes en difficulté… au centre et sur l'aile droite. Le flanc gauche tient, mais c'est tout juste. J'ai ordre… de vous demander si vous souhaitez nous voir nous replier. »

On en était arrivé là.

« Je hais cet homme, lui avait-il confié la nuit passée avant de tomber de fatigue. Je hais tout ce qu'il représente. »

Il y eut un silence. Dianora avait l'impression que son oreille possédait tout à coup l'étrange faculté d'entendre les battements de son cœur malgré le vacarme qui montait vers elle. Bizarrement, il s'était fait moins intense et s'atténuait de minute en minute.

Brandin se leva.

« Non, dit-il calmement. Nous ne nous replierons pas. Nous n'avons nulle part où nous replier, et surtout pas devant le Barbadien. Jamais. » Il portait un regard mélancolique par-delà la forme agenouillée de Scelto, comme s'il voulait combler la distance qui le séparait d'Alberico du regard et l'atteindre en plein cœur.

Mais il y avait autre chose en lui maintenant, un élément nouveau, qui allait bien au-delà de la fureur, de la sombre ténacité et de l'orgueil intarissable. Dianora le sentait sans réussir à le comprendre. Puis il se tourna vers elle, et elle vit s'ouvrir dans son regard gris un abîme de douleur comme jamais encore il ne lui avait été donné d'en voir, ni chez Brandin ni chez nul autre. Jamais. La veille, il avait prononcé les mots de pitié, chagrin, amour. Il se passait quelque chose ; le cœur de Dianora se mit à battre violemment et ses mains à trembler.

« Mon amour », dit Brandin. Marmonna-t-il, car il avait du mal à articuler. Elle lut la mort dans ses yeux, un chagrin purulent qui le rendait presque aveugle et mettait son âme à nu. « Oh, mon amour, qu'ont-ils fait ? Vois ce qu'ils vont m'obliger à faire. Vois ce qu'ils m'obligent à faire !

— Brandin ! » s'écria-t-elle, terrifiée, car elle ne comprenait plus rien soudain. Elle se mit à pleurer avec frénésie. Il n'était plus qu'une masse de douleur, une plaie ouverte. Elle tendit la main vers lui, mais il ne la voyait déjà plus et se retournait vers l'orient, vers l'arête de la butte et la vallée dessous.

◆

« Voilà », fit Rinaldo le guérisseur en retirant les mains. Devin ouvrit les yeux et constata que la blessure s'était refermée et ne saignait plus. Il se sentait nauséeux, sans doute en raison de la rapidité excessive de cette guérison alors que ses sens, eux, s'attendaient à trouver une plaie toute fraîche à cet endroit. « Tu as gagné une jolie cicatrice qui permettra aux femmes de te reconnaître dans le noir », ajouta Rinaldo d'un air pincé. Ducas éclata d'un grand rire.

Devin tressaillit et évita soigneusement le regard d'Alaïs. Elle était à côté de lui et lui enveloppait le torse d'un linge pour protéger la blessure. Il préféra se tourner vers Ducas ; lui aussi venait d'être guéri d'une coupure au-dessus de l'œil grâce à l'intervention de Rinaldo. Arkin, qui avait survécu à l'escarmouche, lui bandait le front. Avec sa barbe rousse maculée de sang et poisseuse, Ducas ressemblait à quelque monstrueuse créature sortie tout droit d'un cauchemar d'enfant.

« Ce n'est pas trop serré ? » demanda doucement Alaïs.

Devin inspira pour vérifier et secoua la tête. La blessure était douloureuse, mais par ailleurs il se sentait bien.

« Tu m'as sauvé la vie », lui murmura-t-il. Elle était derrière lui maintenant et fixait les extrémités de la bande. Elle s'interrompit un instant, puis se remit à l'ouvrage.

« Non, répondit-elle d'une voix étouffée. Il était à terre et ne pouvait plus t'atteindre. Je n'ai fait que tuer un homme. » Catriana, qui n'était pas loin, lui jeta un bref coup d'œil. « Et… et je le regrette… » reprit Alaïs avant d'éclater en sanglots.

Devin, la gorge sèche, voulut se retourner pour la consoler, mais Catriana, plus rapide, avait déjà pris la jeune fille dans ses bras. Il les regarda toutes deux en se demandant quel réconfort leur apporter sur cette crête dénudée, tandis que la guerre faisait rage.

« Erlein, vas-y ! Brandin s'est levé ! » Le cri d'Alessan couvrit tous les autres bruits. Devin, dont le cœur s'était remis à battre à toute allure, se précipita vers le prince et le magicien.

« Il a tourné son pouvoir contre nous, dit Erlein froidement en s'adressant à ses deux collègues. Je vais devoir me retirer pour le pister. Attendez mon signal mais, dès que je vous aurai fait signe, coupez les ponts !

— D'accord, fit Sertino, haletant. Que la Triade nous protège ! » Le visage poupin du magicien était ruisselant de sueur. Ses mains tremblaient tant la tension était grande.

« Erlein, le pressa Alessan, il faut qu'il utilise tout jusqu'au bout, tu sais ce que tu…

— Tais-toi. Je sais exactement ce que j'ai à faire. Alessan, c'est toi qui es à l'origine de cette stratégie, c'est toi qui nous as tous amenés au Senzio, les vivants comme les morts. Maintenant, c'est à nous de faire le reste. Alors, tiens-toi tranquille et prie. »

Devin se tourna vers le nord et vit Brandin quitter l'abri du dais et s'avancer.

« Ô Triade, entendit-il Alessan murmurer d'une voix singulièrement aiguë, ô Adaon, souviens-toi de tes enfants et protège-nous ! » Le prince tomba à genoux. « Ô dieu et déesses, je vous en prie, murmura-t-il à nouveau, faites que j'aie eu raison ! »

Sur sa colline, au nord de leur position, Brandin d'Ygrath tendit un bras, puis l'autre, sous le soleil brûlant.

◆

Dianora le vit quitter l'ombre du dais pour l'éclat aveuglant du soleil et s'avancer au plus près du bord de la colline. Scelto recula en titubant. Sous eux, l'armée de la Palme occidentale subissait une sévère défaite et cédait du terrain, aussi bien au centre que sur les flancs. Chaque cri que poussaient les Barbadiens traduisait la malveillance triomphante et leur donnait un coup au cœur.

Brandin leva une main droit devant lui, puis l'autre, paume contre paume, et pointa les dix doigts dans la même direction. Vers l'endroit précis où se trouvait Alberico, derrière son armée.

Et Brandin de la Palme occidentale, qui était roi d'Ygrath lorsqu'il avait foulé la péninsule pour la première fois, s'écria d'une voix qui déchira l'atmosphère et la mit en lambeaux :

« Ô mon fils ! Ô Stevan, pardonne-moi ce que je fais ! »

Dianora retint son souffle. Elle crut qu'elle allait tomber et tendit une main, en quête d'un appui. Elle ne se rendit même pas compte que c'était d'Eymon qui la soutenait.

Puis Brandin parla de nouveau, d'une voix glaciale qu'elle ne l'avait jamais entendu prendre, et proféra des paroles inintelligibles, sauf pour le sorcier embusqué au fond de la vallée, qui, lui, comprendrait l'énormité de ce qui allait se passer.

Elle vit Brandin écarter les jambes, comme pour se donner un meilleur appui, et fut témoin de ce qui se produisit alors.

◆

« Allez-y, hurla Erlein di Senzio. Tous les deux ! Coupez la liaison avec ceux du Sud et rompez la chaîne, tout de suite !

— Ils sont libérés ! cria Sertino. Je me retire à mon tour ! » Il roula en boule par terre comme s'il ne devait jamais se relever.

Il se passait quelque chose sur la colline au nord. En plein milieu du jour, malgré la brillance du soleil, il leur sembla que le ciel changeait au-dessus de Brandin, qu'il s'assombrissait. Quelque chose qui n'était ni fumée ni lumière mais plutôt un fluide gazeux s'échappait de ses mains en bouillonnant pour se diriger en piquant vers l'est, quelque chose de dérangeant pour l'œil, d'indistinct, de surnaturel – le destin en marche.

Erlein tourna soudain la tête, les yeux écarquillés d'effroi.

« Sandre, que fais-tu ? hurla-t-il en secouant le duc avec rudesse. Retire-toi, imbécile ! Au nom d'Eanna, retire-toi !

— Pas… encore », fit Sandre dont la voix portait aussi la trace du destin en marche.

◆

D'autres s'étaient joints aux trois premiers pour lui porter secours. Pas des magiciens, non, des gens de la Palme qui pratiquaient une magie quelque peu différente, dont il n'avait jamais entendu parler et à laquelle il n'entendait rien. Cela n'avait d'ailleurs aucune importance. Ils étaient là et le soutenaient, même si lui n'avait pas la capacité de les voir, et grâce à eux, grâce à tous ceux qui mettaient leur pouvoir à son service, il avait pu exercer le sien et affirmer sa force face à l'ennemi.

Lequel reculait ! Toute gloire en fin de compte n'était pas morte, il restait encore de l'espoir en ce monde, plus que de l'espoir, la perspective d'un triomphe étincelant qui n'allait pas manquer de balayer la plaine devant lui. Et par le sang versé de ses ennemis il allait tracer une voie d'accès directe à la côte, qui traverserait l'océan et le mènerait droit à la tiare.

Bénis soient ces magiciens, il saurait les récompenser ! Faire d'eux les seigneurs d'un domaine bien réel, ici dans cette colonie ou bien au Barbadior. Là où ils le souhaiteraient, dans le territoire qu'ils choisiraient. Et, tout en y songeant, Alberico sentait son propre pouvoir couler dans ses veines tel un vin qui tourne la tête, il le déversait sur les Ygrathiens et ceux de la Palme occidentale ; ses soldats, grisés par le succès, riaient eux aussi en levant leurs épées qui ne pesaient soudain pas plus lourd qu'un brin d'herbe.

Ils les entendit se mettre à chanter les anciens chants de guerre qu'entonnaient les légions de l'Empire lorsqu'elles partaient à la conquête de terres lointaines il y avait des siècles. Or c'est précisément ce qu'ils étaient en passe de devenir : non plus une armée de simples mercenaires mais une légion de l'Empire, car lui-même personnifiait ou ne tarderait pas à personnifier l'Empire. C'était clair désormais, aussi clair que de l'eau de roche malgré la chaleur torride.

C'est alors que Brandin d'Ygrath se leva et vint se planter à l'extrême bord de sa colline, silhouette lointaine et solitaire sur un promontoire écrasé de soleil. Et, un instant plus tard, Alberico, sorcier lui-même, sentit, car il était impossible qu'il les eût entendues, les paroles sombres et sans appel, l'invocation de Brandin, et son sang se glaça dans ses veines comme au beau milieu d'une nuit d'hiver.

« C'est impossible, éructa-t-il. Pas au bout de tant d'années ! Il n'a pas le droit de faire cela ! »

C'est pourtant ce que l'Ygrathien s'apprêtait à faire. Il allait faire appel à tout son pouvoir, jusqu'à la dernière étincelle de magie, jusqu'à ses ultimes réserves. Sans même épargner le pouvoir sous-tendant la vengeance qui l'avait tenu dans ce pays toutes ces années. Il était sur le point de se vider entièrement pour perpétrer une sorcellerie telle qu'on n'en avait jamais brandie.

Désespérément, Alberico, toujours à moitié incrédule, tenta d'atteindre les magiciens. Pour leur dire de rassembler leurs forces et de se tenir prêts. Les persuader qu'à huit ou neuf il était possible de résister. Il leur suffisait de survivre à ce moment décisif, et Brandin ne serait plus qu'une coquille vide. Une loque. Il en aurait pour des semaines, des mois, des années à s'en remettre ! Un homme creux, privé de sa magie.

Les magiciens restèrent sourds à sa requête, murés. Pourtant ils étaient encore là, qui se défendaient, unis entre eux. Oh, si le dieu cornu et la Reine de la Nuit étaient auprès de lui ! S'ils ne l'avaient pas abandonné, il pourrait peut-être…

Mais non, ils n'y avait plus personne.

Car à cet instant il sentit les magiciens de la Palme couper les ponts, disparaître sans prévenir, avec une soudaineté stupéfiante, l'abandonner, nu et sans défense. Sur la colline, Brandin avaient tendu ses deux mains jointes et diffusait un nuage mortel aux reflets gris-bleu, une présence à la fois occlusive et exclusive, un jet écumant et bouillonnant qui planait sur la vallée et se dirigeait vers lui.

Et les magiciens étaient tous partis ! Il était seul.

Presque tous, car il en restait un. Un homme était resté en contact pour le soutenir encore ! Et brusquement son esprit s'ouvrit à lui, comme la porte d'un cachot qu'on déverrouille se rabat brutalement et laisse pénétrer la lumière.

La lumière de la vérité. Alberico de Barbadior poussa un hurlement de terreur et de rage impuissante, car il eut soudain une illumination et comprit, bien qu'un peu tard, pourquoi il était perdu et qui l'avait détruit.

Au nom de mes fils, je te maudis à jamais, dit Sandre, tandis que l'image implacable du duc d'Astibar se dressait à l'esprit d'Alberico, telle une apparition d'horreur surgie de l'au-delà. Mais il était vivant, même si sa survie défiait l'entendement, il était ici, sur cette crête du Senzio, pour lui assener ce regard implacable, sans pitié aucune. Il découvrit ses dents en un sourire funeste. *Au nom d'Astibar et en souvenir de mes enfants, sois maudit et disparais à tout jamais !*

Puis il se retira à son tour, tandis que le poison gris bleuté propulsé par les mains tendues de Brandin descendait la vallée en bouillonnant, avec une rapidité paralysante. Alberico, encore chancelant sous le choc, chercha frénétiquement à agripper quelque chose d'inexistant depuis son siège, avant d'être frappé, enveloppé, consumé par la mort en œuvre, comme l'océan furieux et débordant projette une lame de fond pour arracher les jeunes arbres dans les champs des basses terres.

Elle l'emporta et scinda son corps hurlant et son âme. C'est ainsi qu'il mourut, dans cette lointaine péninsule de la Palme, deux jours avant que l'empereur oublie de se réveiller d'un sommeil sans rêves et s'en aille rejoindre les dieux du Barbadior.

Les soldats d'Alberico entendirent le hurlement dernier de leur maître, et leurs propres cris de joie se figèrent tandis qu'un sentiment de panique et d'horreur s'emparait d'eux; devant pareille sorcellerie, les Barbadiens furent saisis d'une terreur irrépressible, au-delà de ce que les hommes sont en mesure de supporter. C'est tout juste s'ils parvenaient à tenir leurs armes; ils étaient tout aussi incapables de fuir ou de se tenir droits devant leurs ennemis qui avançaient, invincibles, exaltés par un pouvoir assez puissant pour éclipser le soleil, et commençaient à les tailler en pièces, à les passer au laminoir de leur fureur meurtrière.

◆

Jusqu'au bout, se disait Brandin d'Ygrath et de la Palme occidentale, qui pleurait de désespoir en regardant la vallée du haut de la colline. On l'y avait poussé et il avait répondu, il avait fait appel à son pouvoir tout entier dans cet ultime but. Cela avait suffi, mais il n'en fallait pas moins. Il y avait un tel concours de forces magiques contre lui, et la mort qui guettait son peuple en contrebas.

Il savait ce qu'on l'avait poussé à faire et connaissait le prix à payer quand on puisait jusque dans ses ultimes réserves. Il avait déjà payé, il payait et paierait encore et encore jusqu'au dernier soupir. Il avait crié le nom de Stevan, à voix haute mais aussi dans les cavités de résonance de son âme, avant de solliciter tout ce pouvoir. Il savait qu'il défaisait ainsi sous ce soleil de plomb vingt années de vengeance pour cette vie cueillie dans la fleur de l'âge. Ses ultimes réserves. Il n'avait rien gardé. Tout était fini.

Dans la vallée, des hommes mouraient pour lui, qui se battaient sous sa bannière, en son nom, sans aucun moyen de se replier. Lui non plus, d'ailleurs, ne pouvait battre en retraite. On l'avait poussé à ce geste, comme un ours acculé devant une falaise rocheuse par une bande de loups affamés, et maintenant il fallait payer.

Le règlement de comptes était général : la vallée ressemblait à une boucherie, et les Barbadiens se faisaient massacrer les uns après les autres. Son cœur pleurait. Il n'était plus qu'un être brisé, fou de chagrin. Tous les souvenirs de l'amour, tous les tourments d'un père éprouvé revenaient comme une lame de fond, différente celle-ci. *Stevan.*

Il pleura, perdu dans un océan de douleur, loin de toute grève. Il était vaguement conscient de la présence de Dianora à ses côtés, qui serrait ses mains entre les siennes, mais il baignait dans la douleur, irrémédiablement privé de pouvoir, atteint au plus profond de son être. Il n'était plus qu'un homme vieillissant qui s'évertuait sans conviction à concevoir une existence possible au-delà de cette colline.

C'est alors que se produisit un autre événement. Car Brandin avait oublié quelque chose. Une chose connue de lui seul.

Ainsi, le temps que rien n'arrête jamais en vérité, ni le chagrin, ni la pitié, ni l'amour, les conduisit tous inexorablement vers ce qu'aucun sorcier, aucun magicien, aucun flûtiste perché sur sa butte n'avait prévu.

◆

Un poids semblable à celui d'une montagne pesait sur son esprit. Dosé avec une précision exquise pour lui laisser une marge infime d'autonomie. Et c'était là que s'exerçait la torture – une torture à l'état pur. Car, bien que privé de tout contrôle de lui-même, il savait exactement qui il était, qui il avait été et ce qu'on le forçait à faire, écrasé qu'il était par le poids de cette montagne sur son esprit.

Or le poids n'était plus. Il se redressa de sa propre volonté. Il se tourna vers l'est parce qu'il en avait décidé ainsi. Par contre, il ne parvint pas à relever la tête, mais il comprit vite pourquoi : cela faisait trop d'années qu'il la tenait de travers, rentrée dans les épaules. On lui avait brisé les os de l'épaule en plusieurs endroits, soigneusement. Il savait à quoi il ressemblait, ce qu'ils avaient fait de son corps dans les ténèbres il y avait longtemps. Il s'était vu dans les miroirs au fil des années, dans le miroir aussi qu'est le regard des autres. Il savait précisément ce qu'on avait fait de son corps avant de s'attaquer à son esprit.

Cela n'avait plus d'importance maintenant. La montagne avait disparu. Il regardait avec ses yeux à lui, retrouvait ses souvenirs, parlait s'il avait envie de parler, exprimait ses propres pensées de sa propre voix, qui, certes, avait changé.

C'est ainsi qu'il décida de tirer son épée.

Il avait une épée, bien sûr. Il portait toujours la même arme que Brandin, ainsi que les habits choisis par le roi : il était l'exutoire, la réplique, le double, le fou.

Et plus encore. Car il savait. Brandin lui avait laissé ce résidu de conscience savamment dosé au fin fond de son esprit, sous la montagne.

C'était le but, l'essence de sa démarche ; à laquelle il fallait ajouter le secret : eux seuls savaient, nul autre ne saurait jamais.

Les hommes qui l'avaient mutilé, défiguré, étaient aveugles et travaillaient dans l'obscurité ; ils ne le connaissaient qu'à travers le contact de leurs mains qui exploraient son corps sans relâche jusqu'à l'os. Ils n'avaient jamais eu connaissance de son identité. Seul Brandin savait, et lui-même, à travers cette conscience vacillante de sa personnalité qu'on lui avait soigneusement préservée après que tout le reste lui eut été ôté. La réponse à ce qu'il avait fait avait été conçue, sous le coup du chagrin et de la fureur, avec un raffinement extrême. Une vengeance parfaite.

Pas un vivant hormis Brandin d'Ygrath ne connaissait son vrai nom, et cette montagne pesait si lourd sur ses épaules que lui-même ne pouvait plus le prononcer. Sa langue ne lui obéissait plus ; seul son cœur gardait la faculté de pleurer. L'étendue des mutilations, l'exquise perfection de cette vengeance.

Mais la montagne qui l'oppressait avait été levée.

Et, sur ce constat, Valentin, prince de Tigane, leva son épée sur une colline du Senzio.

Son esprit lui appartenait de nouveau, sa mémoire aussi : il se souvenait d'une pièce sans lumière, noire comme un tombeau, et de la voix du roi d'Ygrath qui pleurait et lui expliquait ce qu'il avait entrepris de faire en Tigane et ce qu'il allait advenir de lui dans les mois et les années à venir.

Cette semaine-là, un corps mutilé dont le visage, par la sorcellerie de Brandin, ressemblait à s'y méprendre à celui du prince avait été hissé sur une roue, puis brûlé; les cendres avaient été dispersées au gré du vent.

Dans la salle obscure, les hommes s'étaient mis à l'ouvrage. Il se rappelait avoir d'abord tenté de ne pas crier ; il se rappelait avoir hurlé. Beaucoup plus tard, Brandin était venu faire sa part de ce travail de longue haleine et lui infliger une torture d'une autre nature; la pire qui soit. Le poids d'une montagne sur son esprit.

Plus tard encore au cours de cette même année, le fou du roi, venu d'Ygrath, était mort des suites d'une mésaventure dans le palais de Chiara où Brandin avait élu domicile. Et peu après Rhun, avec sa vue faible et ses paupières tombantes, son épaule déformée, sa bouche aux commissures affaissées, sa démarche d'infirme, avait été sorti de l'obscurité, titubant, pour passer les vingt années suivantes dans la nuit.

Il faisait très clair ici, la lumière du soleil était aveuglante. Brandin était juste devant lui. La jeune femme lui tenait la main.

La jeune femme. Elle était la fille de Saevar. Il l'avait reconnue dès le premier jour, quand on l'avait présentée à Brandin. Elle avait changé en cinq ans, beaucoup changé, et elle devait changer davantage encore au fil des années, mais elle avait exactement les mêmes yeux que son père. Valentin avait vu grandir Dianora. Quand il avait entendu son nom, au premier jour, Dianora di Certando, la toute petite flamme qu'on avait laissée au fond de son esprit avait vacillé, puis s'était embrasée, car il savait, il savait ce qu'elle était venue faire.

Puis, à mesure que les mois et les années passaient, il avait observé de ses yeux chassieux, de son esprit écrasé sous le poids de la montagne, comment l'amour venait compliquer davantage encore une situation déjà compliquée. Il était terriblement lié à Brandin et il en suivait l'évolution. Pire encore, il en faisait partie malgré lui, de par la nature même des relations entre les rois d'Ygrath et leurs fous.

C'est lui qui le premier exprima, malgré lui, les sentiments naissants du roi, car il ne pouvait s'en empêcher. À une époque où Brandin refusait d'admettre que l'amour pût atteindre une âme et une vie vouées au chagrin et à la vengeance, c'était Rhun, alias Valentin, qui regardait la brune Dianora, la fille de Saevar, avec l'âme d'un autre dans les yeux.

Mais plus maintenant, plus jamais. La longue nuit était terminée. La sorcellerie qui l'enchaînait n'était plus. C'était fini ; il goûtait la lumière du soleil, il pouvait, s'il le souhaitait, prononcer son véritable nom. Il fit un premier pas maladroit, puis un autre plus prudent. Mais personne ne faisait attention à lui. Personne ne faisait jamais attention à lui. Il était le fou. Rhun. Le nom aussi avait été choisi par le roi. Eux deux savaient pourquoi. Le reste du monde ne pouvait pas comprendre. L'orgueil appartient au domaine privé. Il le savait et c'était bien là le pire : lui seul savait.

Il s'avança sous le dais. Brandin se tenait devant lui, au bord de la colline. Il n'avait jamais frappé un homme par-derrière, jamais. Il se mit sur le côté, trébuchant à moitié, et vint se placer à la droite du roi. Personne ne le regarda. Ce n'était que Rhun.

Ce n'était plus Rhun.

« Tu aurais dû me tuer près du fleuve », dit-il très distinctement. Brandin tourna lentement la tête, comme s'il venait seulement de se rappeler quelque chose. Valentin attendit de rencontrer le regard du roi, puis lui plongea son épée dans le cœur, à la manière dont un prince tue ses ennemis, même s'il doit attendre des années, quoi qu'il dût endurer avant d'arriver à ses fins.

◆

Dianora ne cria même pas tant elle était interloquée, incrédule. Elle vit Brandin faire quelques pas chancelants, une épée dans la poitrine. Puis Rhun – Rhun ! – l'arracha maladroitement, et le sang jaillit. Brandin avait les yeux écarquillés par la douleur et la surprise, mais étonnamment clairs, d'une clarté lumineuse. De même sa voix lorsqu'il déclara :

« Lui et moi ? » Il était encore debout, mais il vacillait. « Le père et le fils ? Belle moisson, prince de Tigane ! »

Le nom résonna comme une explosion dans la tête de Dianora. Le temps ne passait plus au même rythme, il avait ralenti de façon insupportable. Brandin tomba à genoux ; il lui sembla qu'il mettait une éternité à tomber. Elle essaya de faire un geste vers lui, mais son corps ne lui obéissait plus. Elle entendit un cri d'angoisse, distendu, étrangement déformé, et lut la douleur austère sur le visage de d'Eymon tandis que l'épée du chancelier s'enfonçait dans le flanc de Rhun.

Non. Pas Rhun. Valentin. Le prince Valentin.

Le fou de Brandin, pendant toutes ces années. Ce qu'il avait dû supporter ! Dire qu'elle avait été témoin de toute cette souffrance, pendant tout ce temps ! Elle avait envie de hurler. Mais pas un son ne sortait de sa gorge et c'est à peine si elle parvenait à respirer.

Elle le vit tomber à son tour, le mutilé, et son corps disloqué se replia sur lui-même à côté de celui de Brandin. Lequel était encore à genoux, une tache rouge sur la poitrine, et la regardait. Il ne regardait qu'elle. Un son s'échappa de ses lèvres enfin, tandis que Dianora s'affaissait près de lui. Il approcha le bras, si lentement, au prix d'un énorme effort de volonté, et lui prit la main.

« Mon amour, fit-il. C'est bien ce que je t'avais dit. Nous aurions dû nous rencontrer à Finavir. »

Elle tenta de lui parler une fois encore, de lui répondre, mais son visage était inondé de larmes qui lui coulaient dans la gorge. Elle serra sa main du plus fort qu'elle put, essayant de lui insuffler un peu de sa propre vitalité. Il roula sur le flanc, tout contre son épaule, et elle le fit glisser sur ses genoux, puis passa les bras autour de lui comme elle l'avait fait dans la nuit, pendant qu'il dormait. La veille ! Elle vit ses yeux gris clair si lumineux se voiler, puis s'obscurcir. Elle le tenait contre elle quand il mourut.

Elle releva la tête. À terre à côté d'elle, le prince de Tigane la regardait avec une infinie compassion, dans un regard qui avait recouvré toute sa clarté. C'était plus qu'elle n'en pouvait supporter. Surtout de sa part, sachant ce qu'il avait enduré et ce qu'elle-même était devenue, ce qu'elle avait fait. S'il savait, quels mots, quel regard aurait-il pour elle ? L'idée même était insoutenable. Il ouvrit la bouche et parut sur le point de dire quelque chose, puis ses prunelles se tournèrent.

Une ombre passa devant le soleil. Elle leva les yeux et vit d'Eymon brandir son épée. Valentin tendit une main implorante, comme pour parer le coup.

« Attendez ! » fit-elle, haletante, avec un grand effort.

Et d'Eymon, fou de douleur, interrompit pourtant son geste en entendant sa voix et retint son épée. Valentin reposa la main. Elle le vit prendre sa respiration pour se préparer à l'ultime et monstrueuse réalité de la blessure à venir, puis, fermant les yeux à la souffrance et à la lumière vive, il lança, non pas un cri, mais un mot, un seul, prononcé d'une voix nette. Un mot – il n'en existait pas d'autre que celui-là – qui était le nom de son pays, offert comme un joyau à un monde pour qu'il l'apprenne à nouveau.

Et Dianora vit que d'Eymon d'Ygrath avait parfaitement compris, qu'il avait entendu ce nom. Cela voulait dire que tous pourraient l'entendre désormais. Le sortilège était rompu. Valentin, prince de Tigane, ouvrit les yeux et, en regardant le visage du chancelier, il lut la vérité, et Dianora le vit sourire tandis que d'Eymon d'Ygrath abattait son épée de très haut et la lui plongeait dans le cœur.

Il était mort, mais son visage si torturé souriait toujours. Et l'écho de ce dernier mot, de ce seul nom, restait comme suspendu puis s'éloignait en décrivant comme des ondes dans l'air, autour de la colline et sur la vallée où mouraient les derniers Barbadiens.

Elle baissa les yeux vers l'homme mort qui gisait toujours entre ses bras et, devant sa tête aux cheveux gris posée sur ses genoux, elle ne put retenir ses larmes. *À Finavir*, avait-il dit. Ses derniers mots. Un autre nom, plus lointain encore qu'un rêve. Les faits lui avaient donné raison, cette fois encore. Si les dieux étaient généreux et miséricordieux, ils auraient permis que Brandin et elle se rencontrent dans un autre monde que celui-ci. Car l'amour était ce qu'il était, mais il ne suffisait pas. Pas ici.

Elle entendit un bruit sous le dais et tourna la tête juste à temps pour voir d'Eymon se laisser choir contre le siège de Brandin. Seule dépassait la poignée de son épée, la lame était déjà logée dans sa poitrine. Elle le vit et elle eut une pensée pour la douleur de cet homme, sans pouvoir réellement le pleurer car elle n'avait plus de place en elle pour un tel chagrin. D'Eymon d'Ygrath ne comptait plus beaucoup avec ces deux hommes allongés côte à côte, tout près d'elle. Elle éprouvait de la pitié pour lui, comme pour tout homme ou toute femme nés en ce monde, mais elle ne pouvait pleurer que ces deux-là maintenant.

Et à jamais, se dit-elle.

Elle leva les yeux et aperçut Scelto, toujours à genoux, le seul autre être encore en vie sur la colline. Lui aussi pleurait. Plus encore pour elle que pour les morts, elle le savait. Ses premières larmes avaient été pour elle. Il lui semblait très loin, cependant. Tout lui paraissait si lointain. Sauf Brandin. Sauf Valentin.

Elle regarda une dernière fois l'homme qu'elle avait aimé au point de trahir son pays, tous les siens, morts et vivants, et le serment de vengeance qu'elle avait prononcé autrefois devant la cheminée de la demeure paternelle. Elle regarda ce qu'il restait de Brandin d'Ygrath une fois l'âme disparue, puis lentement, tendrement, Dianora pencha la tête et déposa un baiser d'adieu sur ses lèvres. « À Finavir, mon amour », lui dit-elle. Puis elle l'allongea près de Valentin et se releva.

En regardant au sud elle constata que trois hommes, accompagnés de la femme aux cheveux roux, descendaient de la colline des magiciens et s'apprêtaient à traverser le terrain accidenté qui les séparait. Elle se tourna vers Scelto et lut dans ses yeux un terrible pressentiment. Elle se souvint qu'il l'aimait et la connaissait mieux que personne. Il n'ignorait qu'une seule chose, le secret qu'elle s'apprêtait à emporter avec elle ; ce secret qui n'appartenait qu'à elle.

« Dans un sens, lui dit-elle en désignant le prince, ce serait peut-être mieux si chacun continuait à ignorer son identité, mais je ne crois pas que nous ayons le droit de faire cela. Dis-leur, Scelto. Attends-les et explique-leur. J'ignore qui ils sont, mais ils ont le droit de savoir.

— Oh, madame, murmura-t-il en pleurant, n'y a-t-il pas d'autre issue ? »

Elle savait ce qu'il voulait dire, bien sûr, et elle se refusait à feindre devant lui. Elle regarda les inconnus s'approcher à grands pas : la femme, un homme brun qui portait une épée, son compagnon aux cheveux plus noirs encore et un troisième larron, plus petit que les deux autres.

« Non, dit-elle à Scelto tandis qu'ils se rapprochaient, je ne crois pas. »

Elle s'éloigna et l'abandonna avec les morts sur la colline, dans l'attente de ces inconnus. Elle tourna le dos à la vallée, à la colline, aux bruits de la bataille et de ses souffrances, et descendit la piste de chevriers la plus au nord, celle qui serpentait vers l'ouest, loin des autres, hors de vue, loin de tout. Des baies et des fleurs poussaient le long du chemin ; des lis sauvages, des iris, des anémones jaunes ou blanches ; elle en vit une rouge. En Tregea, on disait que cette fleur était devenue rouge du sang d'Adaon, là où il avait chu.

Nul ne la vit ni ne l'arrêta, et elle ne mit pas longtemps à descendre la pente pour atteindre les premiers sables, puis l'océan survolé par des mouettes qui tournoyaient en criant.

Il y avait du sang sur ses vêtements. Elle les ôta et les posa en tas sur la longue plage de sable blanc. Elle pénétra dans l'eau, fraîche certes, mais beaucoup moins froide qu'au port de Chiara le matin du plongeon. Elle entra lentement et, quand elle eut de l'eau jusqu'aux hanches, elle se mit à nager. Tout droit, en direction de l'ouest, vers l'horizon où le soleil disparaîtrait quand enfin il mettrait un terme à cette journée. Elle nageait bien ; c'était son père qui leur avait appris autrefois, à elle et son frère, à l'issue d'un mauvais rêve. Le prince Valentin les avait même accompagnés une fois jusqu'à la crique. Il y avait de cela si longtemps.

Quand elle commença de se fatiguer, elle était très loin de la grève, là où l'océan change de couleur, où le bleu-vert des côtes cède le pas au bleu marine du large. Et là, elle plongea, elle s'enfonça, s'éloignant toujours davantage du ciel bleu et du soleil de plomb, et il lui sembla, tandis qu'elle continuait de descendre, qu'apparaissait un rai de lumière insolite, une sorte de chemin dans les profondeurs de l'eau.

Elle s'en étonna. Elle ne pensait pas qu'elle serait attendue. Pas après tout ce qui s'était passé, tout ce qu'elle avait fait. Mais le chemin était bien là, délimité par la lumière. Elle était lasse maintenant, elle était descendue très profondément, sa vue baissait. Elle crut voir une forme vaciller au bord du sillon lumineux aux reflets chatoyants. Elle ne distinguait plus très bien, une sorte de brume semblait l'envelopper. Elle pensa un instant qu'il s'agissait de la riselka bien qu'elle n'en eût pas mérité autant, ou même d'Adaon bien qu'elle n'eût absolument aucun droit sur le dieu. Elle eut l'impression qu'une éclaircie lui traversait l'esprit au dernier moment ; la brume recula quelque peu, et elle vit qu'il ne s'agissait ni de la riselka ni d'Adaon, en fin de compte.

C'était Morian, qui lui faisait la grâce et la bonté de venir la chercher.

◆

Seul survivant sur une colline peuplée de morts, Scelto se redressa et composa son maintien de son mieux, dans l'attente de ceux qui déjà commençaient à gravir la pente.

Quand les trois hommes et la femme, très grande, atteignirent le sommet, il s'agenouilla en signe de soumission tandis qu'ils contemplaient le spectacle de la colline en silence, découvrant tous ceux que la mort avait appelés. Il savait qu'ils le tueraient peut-être, même à genoux. Il ne savait pas s'il en était ému.

Le roi gisait à un pas seulement de celui qui l'avait tué, de Rhun, qui avait été prince dans la Palme. Prince de Tigane. De Basse-Corte. S'il lui était donné de vivre un peu plus longtemps, peut-être réussirait-il à comprendre, peut-être les pièces du drame s'assembleraient-elles pour lui. Même l'esprit engourdi, il ressentait une douleur lancinante dès qu'il s'y arrêtait. Tant de choses accomplies au nom des morts.

Elle avait atteint l'océan maintenant, et cette fois elle ne reviendrait pas. Il ne s'attendait même pas à ce qu'elle revînt le jour du plongeon. Elle avait essayé de le lui cacher, mais il avait remarqué quelque chose en elle à son réveil ce matin-là. Il n'avait pas compris pourquoi, mais il avait senti qu'elle se préparait à mourir.

Elle était prête, il en était certain ; quelque chose avait changé devant la mer ce jour-là, et il n'y avait pas de retour possible.

« Et vous êtes ? »

Il leva les yeux. Un homme grand et mince aux tempes argentées, aux yeux gris clair, était penché vers lui. Ses yeux ressemblaient étrangement à ceux de Brandin.

« Scelto. J'ai longtemps servi au saishan, et je faisais office de messager ce matin.

— Tu étais là quand ils sont morts ? »

Scelto hocha la tête. L'homme s'exprimait d'une voix calme mais il faisait un réel effort pour y parvenir, comme s'il essayait par ce ton serein de masquer d'un semblant d'ordre le chaos de cette journée.

« Peux-tu me dire qui a tué le roi d'Ygrath ?

— Son fou », répondit posément Scelto, s'efforçant d'égaler la sérénité de l'homme. Au loin, le vacarme de la bataille s'apaisait enfin.

« Comment cela ? À la demande de Brandin ? » La question avait été posée par l'un des deux autres, un barbu aux yeux sombres et durs qui tenait une épée à la main.

Scelto secoua la tête. Il se sentait épouvantablement las tout à coup. Elle devait nager à l'heure qu'il était, loin, loin au large. « Non, il l'a assailli. À mon avis… » Il baissa la tête. Il craignait d'exprimer son avis.

« Continue, fit le premier homme avec douceur. Tu n'as rien à redouter de nous. J'ai vu assez de sang couler pour aujourd'hui. Plus qu'assez. »

Scelto leva les yeux à ces mots, perplexe. « À mon avis, reprit-il, le roi a épuisé tout son pouvoir, entièrement concentré dans la vallée, et il a oublié Rhun. Mais, en puisant dans ses ultimes réserves, il a tranché le lien par lequel il soumettait son fou.

— Il a tranché plus encore », fit l'homme aux yeux gris. La femme élancée se tenait près de lui maintenant. Elle était étonnamment jeune et belle, avec ses yeux bleu profond et sa chevelure rousse.

Elle devait être très loin au milieu des vagues. Tout serait bientôt fini. Il ne lui avait pas dit adieu. Après tant d'années. Scelto ravala un sanglot malgré lui. « Puis-je savoir, demanda-t-il sans bien comprendre pourquoi il posait la question, puis-je savoir qui vous êtes ? »

Et tranquillement, sans arrogance ni besoin de s'affirmer, l'homme aux cheveux bruns lui répondit : « Je suis Alessan, fils de Valentin, le dernier de ma lignée. Brandin a tué mon père et mes frères il y a presque vingt ans. Je suis le prince de Tigane. »

Scelto ferma les yeux.

Il entendit de nouveau la voix de Brandin, claire, froide, chargée d'ironie même au seuil de la mort –

« Jolie moisson, prince de Tigane ! » – puis Rhun, qui avait lui aussi prononcé ce même nom sous la voûte céleste.

Il tenait sa vengeance.

« Où est la femme ? demanda brusquement le troisième homme, plus jeune que les autres et plus petit. Où est Dianora di Certando, la femme qui a plongé pour l'anneau ? N'est-elle pas ici ? »

Tout devait être fini maintenant. Elle baignait dans un univers calme, insondable, ténébreux. Les tentacules vertes de l'océan se mêlaient harmonieusement à ses cheveux, s'entrelaçaient autour de ses jambes. Elle était en paix, enfin.

Scelto releva la tête. Il pleurait et n'essayait plus d'arrêter ni de cacher ses larmes. « Si, elle était là. Mais elle est retournée dans l'océan pour y finir ses jours. »

Il ne pensait pas qu'ils s'en émouvraient, qu'ils pourraient s'en émouvoir, tous autant qu'ils étaient, mais il se trompait. Tous, y compris l'homme sévère aux cheveux bruns et aux allures de guerrier, s'immobilisèrent puis se retournèrent comme un seul homme vers l'ouest, au-delà des sentes et de la grève, vers l'horizon de l'océan où le soleil se couchait.

« Je suis sincèrement désolé de l'apprendre, fit l'homme du nom d'Alessan. J'étais à Chiara quand elle a plongé pour l'anneau. Une belle femme, au courage remarquable. »

L'homme aux cheveux bruns s'avança ; contre toute attente, il paraissait hésitant et n'avait pas le regard aussi dur qu'il avait semblé à Scelto au premier abord ; il était plus jeune aussi.

« Dis-moi, fit-il, était-elle… est-ce qu'elle t'a jamais parlé de… » Il s'arrêta sous l'effet d'un grand désarroi. Son compagnon, le prince, lui lança un regard de compassion.

« Elle était du Certando, Baerd. Tout le monde connaît l'histoire. »

L'autre hocha lentement la tête. Mais quand il la releva ce fut pour se tourner à nouveau vers l'océan. Ils n'ont rien de conquérants, songea Scelto. Ils ne se comportent pas en vainqueurs non plus. Ils ont l'air fatigués, c'est tout, comme au terme d'un long voyage.

« Ainsi ce n'est pas moi, au bout du compte, disait l'homme aux tempes grisonnantes comme s'il se parlait à lui-même. Dire que j'en rêvais depuis si longtemps. C'est son propre fou qui l'a tué. Indépendamment de nous. » Il regarda les deux corps côte à côte, puis se tourna de nouveau vers Scelto. « Et qui était ce fou ? Le sait-on ? »

Elle n'était plus, le sombre océan avait pris possession de son corps. Elle était en paix. Scelto, lui, se sentait si las. Las de tout ce chagrin, de tout ce sang et de cette douleur, de toutes ces vengeances au goût amer. Il savait ce qu'il allait infliger à cet homme dès qu'il se mettrait à parler.

Ils ont le droit de savoir, avait-elle dit avant de prendre le chemin de l'océan, et c'était vrai, bien sûr. Scelto regarda l'homme aux yeux gris.

« Rhun ? dit-il. Un Ygrathien soumis au roi depuis bien longtemps. Quelqu'un de peu d'importance, monseigneur. »

Le prince de Tigane hocha la tête et de sa bouche expressive esquissa un sourire bizarre, non dépourvu d'ironie à l'égard de lui-même. « Bien évidemment. Quelqu'un sans importance. Pourquoi me suis-je imaginé qu'il en serait autrement ? »

Le tout jeune homme l'appela du bord de la colline. « Alessan, je crois que tout est fini. Dans la plaine, je veux dire. Il me semble que… que les Barbadiens ont tous succombé. »

Le prince releva la tête. Scelto aussi. Les hommes de la Palme et ceux d'Ygrath se tenaient seuls ensemble dans la vallée.

« Allez-vous nous tuer nous aussi maintenant ? » demanda Scelto.

Le prince de Tigane secoua la tête. « Comme je te l'ai dit, j'ai vu suffisamment de sang couler. Il y a beaucoup à faire, mais j'ai l'intention de procéder sans tuer personne d'autre. »

Il s'avança vers le bord de la colline et fit signe à ses hommes sur la crête au sud. La femme le suivit et il lui passa le bras autour des épaules. Un instant plus tard, le son du cor résonna dans la vallée et monta jusqu'aux hauteurs environnantes, un son clair et pur et beau : la bataille était terminée.

Scelto, toujours à genoux, s'essuya les yeux d'une main poussiéreuse. Il leva les yeux et vit que le troisième homme, celui qui avait essayé de lui poser une question, continuait de fixer l'océan. Il y avait là une souffrance dont le sens lui échappait. Mais la souffrance n'était-elle pas présente partout depuis le lever du jour ? Lui-même avait les moyens de la distiller, encore maintenant ; il lui suffirait de dire la vérité pour la déclencher encore.

Il baissa de nouveau les yeux, loin du ciel impitoyablement bleu et de l'océan d'émeraude. Son regard effleura l'homme à l'ouest de la butte, puis d'Eymon d'Ygrath, affalé sur le siège du roi, sa propre épée dans la poitrine, pour se poser enfin sur les deux hommes allongés côte à côte, si près l'un de l'autre qu'ils auraient pu se toucher, fussent-ils restés en vie.

Il se sentait de garder leur secret. De vivre avec.

ÉPILOGUE

Trois hommes à cheval dans les hautes terres du Midi parcourent du regard la vallée qu'ils dominent à l'est. De part et d'autre, des collines plantées de pins et de cèdres ; au loin, le pétillant Sperion qui descend de la montagne et s'apprête à amorcer sa longue courbe en direction de l'occident, pour aller se jeter dans l'océan. L'air frais, la brise vivifiante annoncent déjà l'automne. Les feuilles ne tarderont pas à changer de couleur et la neige qu'on aperçoit sur les plus hauts sommets à gagner du terrain, jusqu'à interdire l'accès du col.

Dans le havre vert et reposant de la vallée en contrebas, Devin distingue le dôme du temple d'Eanna qui scintille dans la lumière matinale et, au-delà du sanctuaire, la piste sinueuse qu'ils ont empruntée le printemps dernier après avoir franchi la frontière orientale. Il lui semble qu'il s'est écoulé une éternité depuis. Il se tourne sur sa selle et regarde au nord, par-delà le paysage vallonné qui, peu à peu, fait place à la plaine.

« Pourrons-nous l'apercevoir d'ici, plus tard dans la journée ? »

Baerd lui jette un bref coup d'œil, puis se tourne dans la même direction. « Quoi ? Avalle des Tours ? Sans problème, si le ciel est dégagé. Rendez-vous ici dans un an, et je te promets que tu verras ma tour verte et blanche – un édifice princier.

— Et où prendras-tu le marbre ? demande Sandre.

— Là où Orsaria l'a pris pour construire la première tour. La carrière existe toujours, aussi incroyable cela soit-il. C'est à l'ouest, près de la côte. À deux jours de cheval.

— Et tu vas le faire transporter jusqu'ici ?

— Par la mer jusqu'à Tigane, puis en barge sur le Sperion. Comme cela s'est fait autrefois. » Baerd s'est rasé la barbe. On lui donnerait dix ans de moins, songe Devin.

« Comment se fait-il que tu saches tout cela ? demande Sandre avec une ironie nonchalante. Je ne te croyais savant que dans deux domaines : le tir à l'arc et l'art de ne pas se casser la figure quand on se promène la nuit. »

Baerd sourit. « Je m'apprêtais à devenir maître d'œuvre. J'ai le même amour de la pierre que mon père, sans son talent. Mais je suis bon ouvrier et j'ai toujours été observateur ; je l'étais déjà à cette époque. Je crois que j'en sais autant que n'importe qui sur la manière dont Orsaria construisait ses tours et ses palais. Y compris celui d'Astibar, Sandre. Veux-tu que je t'indique la position exacte de tous tes passages secrets ? »

Sandre éclate de rire. « Ne te vante pas trop, maçon présomptueux. Mais il est vrai que je n'ai plus remis les pieds dans ce palais depuis vingt ans ; j'aurai peut-être besoin que tu me rafraîchisses la mémoire. »

Devin se tourne vers le duc avec un large sourire. Il lui a fallu longtemps pour s'habituer à Sandre sans son déguisement de Khardhu. « Tu vas rentrer chez toi après le mariage, alors ? » demande-t-il, et il sent monter en lui une certaine tristesse à l'idée d'une nouvelle séparation.

« Il le faut sans doute, encore que la décision ne soit pas facile. Je me sens trop vieux pour gouverner. Et je n'ai pas d'héritier, vous le savez. »

Après quelques instants de silence, Sandre les emmène doucement dans l'obscurité de ses souvenirs. « Pour être honnête, ce qui m'intéresse le plus désormais, c'est ce que je fais ici en Tigane : entrer en contact avec Erlein, Sertino et les autres magiciens que nous avons découverts.

— Et les Marcheurs de la Nuit ? demande Devin.

— C'est cela. Les disciples de Carlozzi dont Baerd a fait la connaissance. Je dois avouer que j'ai été très heureux d'apprendre que tous quatre allaient venir au mariage en compagnie d'Aliénor.

— Pas aussi heureux que Baerd, j'en suis sûr », ajoute Devin en jetant un regard de biais à l'intéressé. Celui-ci fait mine de chercher à repérer le tracé de la route du sud au loin.

« Certes, certes, convient Sandre. J'espère tout de même qu'il ne va pas accaparer son Elena du soir au matin, car, si nous voulons changer l'attitude des habitants de cette péninsule envers la magie, autant commencer tout de suite, qu'en penses-tu ?

— Mais certainement, répond Devin avec un large sourire.

— Ce n'est pas mon Elena, murmure Baerd sans quitter la route des yeux.

— Ah bon ? fait Sandre, feignant la surprise. Et qui donc est ce Baerd auquel elle me charge constamment de transmettre tel ou tel message ? Le connais-tu ?

— Jamais entendu parler de lui », répond Baerd, laconique. Il garde son sérieux un moment encore, puis éclate de rire. « Ce qu'il y a de bien avec vous deux, c'est que vous m'avez aidé à comprendre les avantages de rester sur son quant-à-soi. Et, puisque nous sommes sur le sujet, que penses-tu du cas de Devin ? Tu ne crois pas qu'Alaïs lui enverrait des messages si elle pouvait ?

— Devin, fait le duc d'un ton dégagé, n'est qu'un enfant, bien trop jeune et trop innocent pour s'intéresser aux femmes, surtout une créature aussi audacieuse et expérimentée que cette Astibarienne. » Il fait mine de prendre un air sévère, en vain : aucun des deux autres n'ignore son opinion de la fille de Rovigo.

— Il n'existe pas d'Astibariennes inexpérimentées de toute façon, réplique Baerd. Et puis il a l'âge. Il a même une cicatrice à montrer.

— Si vous voulez tout savoir, elle l'a déjà vue, lance Devin qui s'amuse comme un fou. C'est elle qui m'a bandé après l'intervention de Rinaldo, s'empresse-t-il d'ajouter en voyant les deux autres hausser les sourcils. Rien de croustillant là-dedans. » Il essaie d'imaginer en Alaïs une jeune fille audacieuse, rouée, mais c'est impossible. Il la revoit assise sur le rebord de la fenêtre, au Senzio, et repense au sourire qu'elle lui a adressé quand il est apparu sur le palier.

« Ils seront là pour les noces aussi, non ? Il me vient à l'esprit que je pourrais rentrer en bateau avec Rovigo.

— Il seront là, oui, confirme Devin. Ils ont eu un mariage chez eux la semaine dernière, sinon ils nous auraient déjà rejoints.

— Je constate que tu connais leur emploi du temps sur le bout des doigts, remarque Baerd, le visage impassible. Qu'entends-tu faire après le mariage ?

— J'aimerais bien le savoir, répond Devin. J'ai déjà pensé à une dizaine de choses possibles… » Il s'est exprimé avec plus de sérieux qu'il n'en avait l'intention, et ses deux amis se tournent brusquement vers lui.

« Par exemple ? » fait Sandre.

Devin prend sa respiration et leur dit tout. Il lève les deux mains et se met à compter sur ses doigts : « Retrouver mon père et l'aider à se réinstaller ici. Retrouver Menico di Ferraut et remettre sur pied la troupe qui fonctionnait si bien avant que vous ne m'en détourniez. Rester en Tigane avec Alessan et Catriana et les aider là où ils auront besoin de moi. Apprendre à manœuvrer un bateau à voile ; ne me demandez pas pourquoi. Rester en Avalle et construire une tour avec Baerd. » Il hésite ; ses compagnons sourient ; il plonge la tête la première : « Passer une autre nuit avec Aliénor au château Borso. Passer ma vie avec Alaïs, fille de Rovigo. Me mettre en quête de la musique et des paroles de toutes les chansons que nous avons perdues. Traverser les montagnes et aller en Quileia pour y trouver le vingt-septième chêne dans le Bosquet sacré. Commencer à m'entraîner pour la course de vitesse aux Jeux de la Triade de l'été prochain. Apprendre à tirer à l'arc – ce qui me rappelle que tu as promis de me donner des leçons, Baerd ! »

Il s'arrête parce que les deux autres rient, et lui aussi, un peu hors d'haleine.

« Tu as dépassé les dix, me semble-t-il, glousse Baerd.

— Et encore, je ne t'ai pas tout dit. Tu veux connaître la suite ?

— Non, j'en ai assez entendu, réplique Sandre. Tu ne fais que me rappeler à quel point tu es jeune et moi vieux. »

Devin se calme à ces mots et secoue la tête.

« Ne pense jamais cela. Je ne crois pas qu'il me soit jamais arrivé de pouvoir te suivre sans effort au cours de cette année. » Une idée lui vient et il sourit. « Tu n'es pas vieux, Sandre, tu es le dernier-né des magiciens de la Palme. »

Sandre a pris une expression désabusée. Il lève la main gauche et ses compagnons distinguent nettement les deux doigts manquants. « Tu n'as pas tort. Et je serai peut-être le premier à rompre avec cette habitude de dissimuler ce que nous sommes, car ce n'est pas encore une habitude chez moi.

— Tu es sérieux ? demande Baerd.

— Parfaitement sérieux. Si nous devons former une seule et unique nation dans cette péninsule, nous aurons besoin de la magie pour égaler l'Ygrath et le Barbadior. Le Khardhun aussi, j'y pense. Et je ne sais même pas de quels pouvoirs on dispose en Quileia de nos jours ; cela fait trop longtemps que nous avons coupé les ponts. Nous ne pouvons plus nous permettre de cacher nos magiciens ni les disciples de Carlozzi, pas plus que nous ne pouvons continuer à ignorer le fonctionnement de la magie. Dire que nous ne comprenons même rien au travail des guérisseurs ! Il nous faut apprendre à mieux connaître nos propres ressources, à respecter notre magie, ou c'est celle des autres qui nous vaincra de nouveau comme cela s'est produit il y a vingt ans.

— Tu penses que nous pouvons réussir cette prouesse ? demande Devin. Je veux dire créer une seule et unique nation de nos neuf provinces ?

— J'en suis sûr. Et je crois que nous y arriverons. Je suis prêt à parier ce que vous voulez qu'Alessan de Tigane sera sacré roi de la Palme aux prochains Jeux de la Triade. »

Devin se tourne brusquement vers Baerd, qui a pris des couleurs lui aussi. « Tu crois qu'il accepterait, Baerd, qu'il le ferait ? »

Baerd se tourne vers Sandre, puis de nouveau vers Devin. « Qui d'autre pourrait tenir ce rôle ? répond-il enfin. Je ne pense pas qu'il ait le choix. Depuis qu'il a quinze ans, il travaille à essayer de réunifier cette péninsule. Il y pensait déjà quand je suis allé le rejoindre en Quileia. Je crois… je crois qu'il aimerait encore mieux partir à la recherche de Menico avec toi, Devin, et passer quelques années à jouer de la musique en votre compagnie, ainsi qu'avec Erlein et Catriana, quelques danseurs et un bon joueur de lyre.

— Mais ?… demande Sandre.

— Mais c'est lui qui nous a sauvés et tout le monde est au courant, tout le monde le connaît désormais. Depuis douze ans qu'il est sur les routes, il a rencontré tous les gens de valeur dans chaque province. C'est lui qui a donné une véritable dimension politique à notre lutte. Et il est prince de Tigane qui plus est, et il est encore jeune. J'ai bien peur, ajoute-t-il en grimaçant, qu'il ne puisse pas y échapper, qu'il le souhaite ou non. Je crois que, pour Alessan, les choses commencent tout juste. »

Tous trois restent silencieux un moment.

« Et toi ? demande Devin. Tu vas le suivre ? Quelles sont tes intentions ? »

Baerd sourit. « Mes intentions ? Rien d'aussi ambitieux. J'aimerais beaucoup retrouver ma sœur, mais je commence à croire qu'elle… qu'elle est partie et que je ne saurai jamais où ni comment. Si Alessan a besoin de moi, je serai disponible, mais j'ai surtout envie de bâtir. Des maisons, des temples, des ponts, un palais, une demi-douzaine de tours en Avalle. Et… je suppose que cela participe du même besoin de construire quelque chose, mais je voudrais fonder un foyer. Nous avons besoin d'enfants. Trop de gens sont morts. » Il tourne le regard vers la montagne pendant un instant, puis de nouveau vers ses compagnons. « Toi et moi sommes peut-être les plus chanceux, Devin : nous ne sommes ni princes, ni ducs, ni magiciens, juste des gens ordinaires, prêts à commencer une nouvelle vie.

— Je te disais bien qu'il attendait Elena », fait Sandre gentiment. Il ne s'agit pas d'une taquinerie mais d'un commentaire amical, sur le ton de l'affection. Baerd sourit et regarde de nouveau au loin.

À ce moment, son visage change d'expression pour s'illuminer de plaisir.

« Regardez, dit-il en tendant le bras. Le voilà ! »

Des montagnes au sud, sur une route sinueuse qu'on n'empruntait plus depuis des siècles, émerge une caravane multicolore qui s'étire sur des centaines de pas. On aperçoit des musiciens en tête et de chaque côté, ainsi que des hommes et des femmes à pied ou à cheval, des ânes et des chevaux chargés de marchandises, et au moins cinquante bannières qui claquent au vent. Et maintenant une musique gaie et entraînante monte jusqu'à leurs oreilles, et toutes les couleurs étincellent dans la lumière du matin, tandis que Marius, roi de Quileia, descend du col à cheval pour venir assister au mariage de son ami.

Il est prévu qu'il passe la nuit au sanctuaire, sur l'invitation expresse du grand prêtre d'Eanna, dont il se souviendra comme de l'homme qui a traversé la montagne pour lui amener un adolescent de quatorze ans. Des péniches attendent en Avalle, qui leur feront descendre le fleuve jusqu'à Tigane dès demain matin.

Mais c'est Baerd qui est chargé de l'accueillir, au nom d'Alessan, et il a demandé à Sandre et Devin de l'accompagner.

« Venez ! » leur lance-t-il.

La joie se lit sur son visage. Il pousse son cheval dans la pente. Devin et Sandre échangent un bref coup d'œil et s'empressent de le suivre.

« Je ne comprendrai jamais, crie Devin tandis qu'ils arrivent à sa hauteur, comment tu peux prendre tant de plaisir à retrouver un homme qui t'appelle " poussin numéro deux " ! »

Sandre glousse d'allégresse. Baerd éclate de rire et fait mine de frapper Devin. Tous trois rient encore au moment où ils retiennent leurs chevaux pour contourner un massif de buissons épineux au détour d'un large virage sur la piste.

Et c'est là qu'ils aperçoivent la riselka, que trois hommes voient une riselka, assise sur un rocher près du chemin baigné de lumière ; la brise automnale soulève ses longs cheveux verts, couleur de l'océan.

Guy Gavriel Kay...

... est né en Saskatchewan en 1954. Après avoir étudié la philosophie au Manitoba, il a collaboré à l'édition de l'ouvrage posthume de J.R.R. Tolkien, *le Silmarillon*, puis terminé son droit à Toronto, ville où il réside toujours. Scénariste de *The Scales of Justice*, une série produite par le réseau anglais de Radio-Canada, il publiait au milieu des années quatre-vingts *la Tapisserie de Fionavar*, une trilogie qui devait le hisser au niveau des plus grands. Ont suivi *Tigane*, *la Chanson d'Arbonne* et *les Lions d'Al-Rassan*, trois romans de fantasy historique dont la toile de fond s'inspirait respectivement de l'Italie, de la France et de l'Espagne médiévale. Traduit en plus de douze langues, Guy Gavriel Kay a vendu plus d'un million d'exemplaires de ses livres au Canada et à l'étranger, ce qui en fait l'un des auteurs canadiens les plus lus de sa génération.

TIGANE -2
est le vingt-et-unième titre publié
par Les Éditions Alire inc.

Ce deuxième tirage
a été achevé d'imprimer
en août 2003 sur les presses de